FIÈVRE MUTANTE

DOUGLAS PRESTON
& LINCOLN CHILD

FIÈVRE MUTANTE

*traduit de l'américain
par Sebastian Danchin*

l'Archipel

Ce livre a été publié sous le titre
Fever Dream
par Warner Books Inc., New York, 2010.

www.editionsarchipel.com

Si vous désirez recevoir notre catalogue
et être tenu au courant de nos publications, envoyez vos nom et adresse, en citant
ce livre, aux Éditions de l'Archipel,
34, rue des Bourdonnais 75001 Paris.
Et, pour le Canada,
à Édipresse Inc., 945, avenue Beaumont,
Montréal, Québec H3N 1W3.

ISBN 978-2-8098-0494-2

1

Musalangu, Zambie – Douze ans plus tôt

Le soleil couchant embrasait la brousse africaine à la façon d'un feu de forêt, dardant des traits d'or sur les tentes du camp de base. Dominant les eaux de la Makwele, les collines dessinaient à l'est une rangée de dents vertes dont les silhouettes acérées se découpaient dans le ciel.

Mangées de poussière, les tentes de toile avaient été érigées en cercle autour d'un espace dénudé. Au centre se dressait un bosquet de vénérables msasas dont les branches émeraude offraient au camp une fraîcheur bienvenue. Un filet de fumée se frayait un chemin tortueux à travers la frondaison, porteur d'une odeur alléchante de kudu rôti au bois de mopane.

À l'ombre du plus gros des msasas, un homme et une femme sirotaient tranquillement un bourbon glacé, assis de part et d'autre d'une table pliante. Tous deux étaient vêtus de kaki, pantalons longs et manches longues, afin de se prémunir contre les mouches tsé-tsé attirées par la fraîcheur du soir. L'un comme l'autre approchaient de la trentaine. L'homme, particulièrement élancé et d'une pâleur inhabituelle, semblait imperméable à la chaleur ambiante, contrairement à la femme qui s'éventait paresseusement à l'aide d'une feuille de bananier en faisant voler les mèches de son opulente chevelure acajou, négligemment nouée à l'aide d'une simple ficelle. Le teint hâlé, elle donnait l'impression de s'abandonner à la saveur de l'instant. Le murmure de leur conversation, régulièrement ponctué par son rire cristallin, se fondait dans la rumeur de la brousse : le cri des singes verts, le chant des francolins, l'appel des amarantes, auxquels se mêlaient les bruits de casseroles provenant de la tente d'intendance. Au loin montait épisodiquement de la savane le rugissement d'un lion.

La femme assise en face d'Aloysius X. L. Pendergast n'était autre que sa compagne, Hélène, épousée deux ans plus tôt. Le couple achevait un safari dans la réserve naturelle de Musalangu où il avait été autorisé à chasser l'antilope dans le cadre d'un programme de régulation mis en place par les autorités zambiennes.

— Un autre verre, chère amie ? demanda Pendergast en soulevant la cruche à cocktail posée sur la table.

— Encore ? répondit-elle en riant. Aloysius, j'ose espérer que vos intentions sont honorables.

— Loin de moi toute pensée impure. J'avais imaginé que nous pourrions passer la nuit à discuter des vertus de l'impératif catégorique de Kant.

— Ma mère m'avait pourtant prévenue. On croit épouser un homme pour ses dons de chasseur, on finit par s'apercevoir qu'il n'a guère plus de cervelle qu'un ocelot.

Pendergast émit un léger ricanement et trempa les lèvres dans son verre avant de poser les yeux sur le liquide qu'il contenait.

— Cette menthe africaine est assez agressive.

— Mon pauvre Aloysius, je vois que vos *mint juleps*[1] vous manquent. Acceptez le poste que Mike Decker vous offre au FBI et vous aurez tout le loisir de boire.

Il avala une nouvelle gorgée en accordant à sa femme un regard pensif. La facilité avec laquelle elle avait pris le soleil d'Afrique ne laissait de le surprendre.

— À vrai dire, j'ai pris la décision de refuser.

---

1. Ce cocktail traditionnel sudiste, parfumé à l'aide de feuilles de menthe, est un mélange de bourbon, de sucre, d'eau et de glace pilée. (*N.d.T.*)

— Pour quelle raison?

— Je ne suis pas certain d'avoir le cœur à rester à La Nouvelle-Orléans avec les problèmes familiaux et autres souvenirs amers qui s'y rattachent. Et puis je crois avoir eu mon content d'événements violents. Vous ne croyez pas?

— Comment pourrais-je en juger? Vous me parlez si rarement de vous.

— Je ne suis pas taillé pour travailler au FBI, je ne me ferais jamais à son fonctionnement. Sans compter que vous êtes constamment par monts et par vaux avec Médecins Voyageurs. À condition de rester à portée d'un aéroport, nous sommes libres de vivre où bon nous semble. *Loin de se briser, nos âmes étalent leur harmonie, telle la feuille d'or sous les coups de l'orfèvre.*

— Nous ne sommes pas venus en Afrique pour que vous me citiez John Donne. Kipling, à la rigueur.

— *La moindre femme sait tout sur tout*, récita-t-il aussitôt.

— À la réflexion, je me passerai également de Kipling. Comment avez-vous occupé votre adolescence? Vous appreniez le dictionnaire des citations par cœur?

— Entre autres.

Pendergast releva la tête en voyant se découper une silhouette sur le soleil couchant. Un grand Nyimba vêtu d'un short et d'un T-shirt sale, un fusil antédiluvien sur l'épaule, approchait en prenant appui sur une canne fourchue. Il marqua un temps d'arrêt à l'orée du camp et salua à la cantonade en bemba, la langue des autochtones, aussitôt accucilli par des cris de bienvenue depuis la tente d'intendance. Quelques instants plus tard, il rejoignait la table des Pendergast.

Le mari et la femme se levèrent.

— *Umú-ntú ú-mó umú-sumá á-áfíká*, l'accueillit Pendergast en prenant sa main chaude et poussiéreuse, à la mode zambienne.

En guise de réponse, l'homme tendit sa canne sur la fourche de laquelle était accrochée une note.

— Pour moi? s'étonna Pendergast, en anglais cette fois.

— De la part du chef de district.

Pendergast adressa un coup d'œil furtif à sa femme et déplia le billet.

Mon cher Pendergast,

J'aurais souhaité avoir une discussion par radio avec vous dans les meilleurs délais. Je me trouve confronté à une vilaine affaire au camp de Nsefu. Une très vilaine affaire.

Alistair Woking
Chef de district
Sud Luangwa

PS: Cher ami, vous n'êtes pas sans savoir que la réglementation vous oblige à rester joignable par radio à tout moment. Il est assez désagréable de devoir vous envoyer un messager de la sorte.

— Cette histoire ne me plaît guère, commenta Hélène Pendergast après avoir lu le contenu du message par-dessus l'épaule de son mari. De quelle « vilaine affaire » peut-il bien s'agir, à votre avis?

— Un amateur de safaris-photos qui aura mal réagi aux avances d'un rhinocéros.

— Ce n'est pas drôle, répliqua Hélène, pourtant incapable de garder son sérieux.

— Nous sommes en pleine saison des amours, insista Pendergast en glissant la note, après l'avoir pliée, dans la poche de sa chemise. J'ai bien peur que ce drame sonne le glas de notre équipée.

Il se dirigea vers l'une des tentes, souleva le couvercle d'un coffre et entreprit de visser ensemble les éléments d'une antenne qu'il accrocha ensuite à la branche supérieure d'un msasa. Une fois redescendu de son perchoir, il brancha le fil de l'antenne dans une radio, posa celle-ci sur la table, l'alluma, régla la fréquence et envoya un signal. La voix agacée du chef de district lui répondit quelques instants plus tard dans un déluge de crachotements.

— Pendergast? Nom d'un chien, où êtes-vous donc?

— Dans un camp sur les bords de la Makwele.

— Sacrebleu, j'espérais que vous seriez plus près de la Banta Road. Pourquoi diable votre radio n'est-elle pas branchée? J'essaie de vous joindre depuis des heures!

— Puis-je vous demander de quoi il s'agit?

— Un incident au camp de Nsefu. Un touriste allemand tué par un lion.

— Quel idiot a pu laisser se produire un drame pareil?

— Ce n'est pas ce que vous croyez. L'animal a pénétré dans le camp en plein jour et il a sauté sur le malheureux au moment où celui-ci rentrait dans sa hutte après le repas. Le lion l'a aussitôt entraîné dans la savane.

— Et ensuite?

— Ensuite!!! Vous voulez peut-être que je vous fasse un dessin? La femme de l'Allemand a piqué une crise, le camp était sens dessus dessous et il a fallu appeler un hélico à la rescousse pour évacuer les touristes du groupe. Le personnel du camp est sous le choc. Ce type était un photographe connu, vous pouvez imaginer le ramdam que ça va provoquer.

— A-t-on pu suivre le lion à la trace?

— Ce ne sont pas les fusils et les pisteurs qui manquent, mais personne n'a osé se lancer sur les traces d'un animal pareil. Entre ceux qui manquent d'expérience et ceux qui n'ont pas de couilles, nous n'avons personne. C'est bien pour ça que je fais appel à vous, Pendergast. J'ai besoin de vous pour traquer ce salopard et… euh, récupérer ce qu'il reste de ce pauvre Allemand avant que le lion l'ait bouffé.

— Vous voulez dire que le corps n'a pas été récupéré?

— Personne n'a tenté de poursuivre un monstre pareil. Vous connaissez le camp de Nsefu, la brousse est particulièrement dense dans le coin, pour compliquer la tâche des braconniers d'éléphants. Il me faut un chasseur

11

expérimenté et je vous rappelle que votre permis de chasse professionnel vous oblige à chasser le mangeur d'hommes en cas de besoin.

— Je vois.

— Où se trouve votre Land Rover?

— Aux Fala Pans.

— Grouillez-vous de le récupérer. Inutile de démonter le camp, prenez vos fusils et rejoignez-moi illico presto.

— Nous aurons besoin d'au moins une journée. Vous n'avez personne d'autre plus près?

— Personne, je vous dis. En qui je puisse avoir confiance, en tout cas.

Pendergast se tourna vers sa femme. Elle lui répondit par un clin d'œil et un sourire en imitant la forme d'un pistolet de sa main bronzée.

— Fort bien. Nous nous mettons en route sur-le-champ.

— Ah! Un dernier détail.

Le chef de district sembla hésiter, au milieu des crachotements du haut-parleur.

— Eh bien?

— Ça n'a peut-être aucune importance. La femme de la victime se trouvait là au moment de l'attaque et elle prétend…

Nouvelle hésitation.

— Oui?

— Elle prétend que le lion était bizarre.

— Bizarre? De quelle façon?

— Il avait une crinière rouge.

— Une crinière fauve, vous voulez dire? Le phénomène n'est pas aussi rare qu'on le croit.

— Non, la crinière du lion était vraiment rouge. Rouge sang.

Un long silence ponctua la réponse du chef de district.

— Il ne peut pas s'agir du même, reprit-il enfin. Ça se passait il y a quarante ans, au nord du Botswana. Je n'ai jamais entendu dire qu'un lion puisse vivre plus de vingt-cinq ans. Et vous?

12

Sans prendre la peine de répondre, Pendergast éteignit la radio, son regard argenté brillant d'un éclat fiévreux à la lueur du crépuscule.

2

Camp de Nsefu, près de la rivière Luangwa

Le Land Rover avançait en cahotant sur la Banta Road, une piste particulièrement remuante dans un pays qui ne manquait pas de routes en tôle ondulée, et Pendergast multipliait les coups de volant à droite et à gauche, avec l'espoir d'éviter les nids-de-poule géants. Le couple roulait toutes vitres ouvertes, le climatiseur ayant rendu l'âme dans une vie antérieure, et une épaisse couche de poussière recouvrait les banquettes.

Les Pendergast avaient quitté le camp de Makwele peu avant l'aube, parcourant à pied la vingtaine de kilomètres de brousse qui les séparaient de leur destination, emportant avec eux leurs fusils, de l'eau, du pain indien et un salami sec. À midi, ils retrouvaient leur voiture toute cabossée et cela faisait déjà plusieurs heures qu'ils remontaient la piste en traversant épisodiquement des villages misérables aux huttes rondes recouvertes de toits de chaume en pointe. Au-dessus de leur tête, le ciel étalait son immensité d'un bleu immaculé, presque laiteux.

Pour la énième fois, Hélène Pendergast tenta de serrer son foulard autour de sa tête dans le vain espoir d'échapper à la poussière qui collait à sa peau moite.

— C'est étrange, remarqua-t-elle tandis qu'ils traversaient au ralenti les ruelles d'un hameau en évitant tant bien que mal troupeaux, poules et enfants. Je veux dire, qu'ils n'aient pas trouvé quelqu'un plus près pour s'occuper de ce lion. En plus, ce n'est pas comme si vous étiez un as de la gâchette, ajouta-t-elle avec un sourire frondeur.

— Je sais pouvoir compter sur vous, rétorqua Pendergast du tac au tac.

— Vous savez très bien que je n'éprouve aucun plaisir à tuer les animaux que je ne mange pas.

— Qu'en est-il des animaux qui vous mangent?

— Je devrais pouvoir faire une exception.

Elle rajusta le pare-soleil et tourna vers son mari deux yeux bleus constellés de points violets.

— Parlez-moi de ce lion à crinière rouge?

— De simples balivernes. Une vieille légende locale.

— Je suis impatiente de l'entendre! s'exclama-t-elle, le regard brillant de curiosité.

— Si l'histoire est véridique, elle est vieille de quarante ans. À l'époque, la vallée méridionale de la Luangwa subissait une vague de sécheresse, le gibier commençait à manquer. Une troupe de lions des environs voyait ses membres mourir de faim les uns après les autres, et il ne resta bientôt plus qu'un seul animal: une lionne enceinte. On raconte qu'elle aurait survécu en déterrant les cadavres d'un cimetière nyimba afin de les dévorer.

— Quelle horreur! s'écria Hélène avec un frisson de plaisir.

— Les autochtones ont alors prétendu qu'elle avait donné naissance à un lionceau à la crinière flamboyante.

— Que s'est-il passé ensuite?

— Les villageois, furieux que les sépultures des leurs aient été profanées, ont pourchassé la lionne qu'ils ont tuée et dépecée avant de clouer sa peau sur la place du village. Ce soir-là, ils ont célébré leur victoire par des danses et ils cuvaient encore la bière de maïs ingurgitée pendant la fête lorsqu'un lion à crinière rouge s'est introduit entre les huttes à l'aube. Il a tué trois hommes endormis et s'est enfui en emportant un jeune garçon dont on a retrouvé les ossements quelques jours plus tard, à plusieurs kilomètres de là.

15

— Seigneur!

— Au fil des années, ce lion rouge – ou plutôt le *Dabu Gor*, ainsi qu'il était surnommé en bemba – a multiplié les victimes parmi les populations locales. On dit qu'il était aussi intelligent qu'un humain et changeait fréquemment de territoire afin d'échapper à ses poursuivants. Les Nyimbas affirment que le Lion Rouge se nourrit exclusivement de chair humaine et peut ainsi prétendre à la vie éternelle.

Pendergast se tut, le temps de contourner un énorme trou dans la route.

— Et alors?

— Vous en savez autant que moi.

— Qu'est-il arrivé à ce lion? Les villageois ont-ils fini par le tuer?

— Des chasseurs professionnels ont tenté de le pister, en vain, et il a continué à causer des ravages jusqu'à sa mort. S'il est mort, conclut Pendergast avec une mimique dramatique.

— Mais enfin, Aloysius! Vous savez aussi bien que moi qu'il ne peut pas s'agir du même!

— C'est peut-être l'un de ses descendants, porteur des mêmes caractéristiques génétiques.

— Et des mêmes goûts culinaires, ajouta Hélène avec un sourire carnassier.

Le soleil était couché lorsqu'ils parvinrent enfin au camp de Nsefu que recouvrait le manteau bleu de la nuit. Installé le long des eaux de la Luangwa, le camp était constitué de quelques *rondevaals*, des huttes de boue et de paille, que complétaient un bar en plein air et une dépendance ouverte, réservée aux repas des convives.

— C'est tout à fait charmant, dit Hélène en observant la disposition des lieux.

— Nsefu est le camp de safari-photo le plus ancien du pays, expliqua Pendergast. Il a été créé dans les années 1950 par le chasseur Norman Carr, à l'époque où la Zambie appartenait encore à la Rhodésie. Carr a été l'un des premiers à comprendre que proposer aux touristes de photographier les animaux au lieu de les tuer était moins cruel, et plus lucratif.

— Merci de la leçon, professeur. Vous avez l'intention d'organiser un contrôle surprise après le cours?

Pendergast rangea le Land Rover sur l'aire poussiéreuse réservée aux voitures. Le bar et le réfectoire étaient déserts, le personnel s'étant retranché dans les huttes, mais les lumières du camp brillaient et le groupe électrogène ronronnait de toute sa puissance.

— Ils n'ont pas l'air très rassurés, constata Hélène en descendant du 4 × 4, accompagnée par le chant des cigales.

La porte de la *rondevaal* la plus proche s'écarta en dessinant un trait jaune sur la terre battue. Un homme en sortit, vêtu d'un short kaki soigneusement repassé que complétaient chaussettes montantes et rangers en cuir.

— Alistair Woking, le chef de district, glissa Pendergast à l'oreille de sa femme.

— Je n'aurais jamais deviné.

— Le personnage en chapeau de cow-boy australien qui l'accompagne est Gordon Wisley, le gérant du camp.

— Entrez, je vous en prie, les invita le chef de district en leur serrant la main. Nous serons plus à l'aise à l'intérieur pour discuter.

— S'il vous plaît, épargnez-nous ça! s'écria Hélène. Nous avons passé la journée enfermés dans la voiture. Prenons plutôt un verre au bar.

— Eh bien…, balbutia Woking d'un air hésitant.

— Et tant mieux si le lion nous rend visite. Ça nous évitera de le traquer dans la brousse. N'est-ce pas, Aloysius?

— L'argument est imparable.

La jeune femme ouvrit la portière arrière du Land Rover et s'empara de l'étui de toile dans lequel était rangé son fusil. Son compagnon l'imita, passant en bandoulière une lourde boîte en fer contenant des munitions.

— Messieurs? dit-il. Si vous voulez bien nous indiquer le chemin?

17

— Très bien, répondit le chef de district, partiellement rassuré par la vue des armes de chasse. Misumu !

Un Africain coiffé d'un fez de feutre, une écharpe rouge autour du cou, passa la tête par la porte entrouverte de l'une des huttes du personnel.

— Nous souhaiterions prendre un verre, si ça ne t'ennuie pas.

Le petit groupe gagna le bar au toit de paille tandis que Misumu prenait place derrière le comptoir de bois poli, le visage crispé par la peur.

— Un Maker's Mark, commanda Hélène. Avec des glaçons.

— Deux, ajouta son mari. Avec des feuilles de menthe, si vous en avez.

— Du bourbon pour tout le monde, précisa Woking. Vous aussi, n'est-ce pas, Wisley ?

— Ce que vous voulez, tant que c'est fort, répliqua ce dernier avec un rire nerveux. Quelle histoire !

Le barman remplit quatre verres et Pendergast porta le sien à ses lèvres afin de rincer la poussière qui lui desséchait le gosier.

— Racontez-nous les événements d'hier, monsieur Wisley.

Le gérant du camp, un grand gaillard aux cheveux roux, s'exprimait avec un fort accent de Nouvelle-Zélande.

— Tout a commencé après le déjeuner. Nous avions douze invités, le camp était au complet.

Tout en l'écoutant, Pendergast tira la fermeture éclair de l'étui contenant son fusil et sortit un Holland & Holland à double canon de calibre 465. Il ouvrit l'action et entama le nettoyage de l'arme.

— Qu'a-t-on servi au déjeuner ?

— Des sandwichs. Jambon, dinde, kudu rôti et concombre avec du thé glacé. Nous proposons à nos invités un repas léger au déjeuner, à cause de la chaleur.

Pendergast hocha la tête tout en essuyant soigneusement la crosse de noyer.

— On avait bien entendu un lion rugir cette nuit-là dans la savane, mais il semblait s'être calmé avec l'arrivée du jour. Le phénomène n'a rien d'exceptionnel par ici, c'est même l'un des atouts du camp.

— Charmant.

— Je ne comprends pas ce qui a pu se passer. C'est la première fois que survient un tel drame.

Pendergast observa brièvement son interlocuteur avant de retourner à sa tâche.

— Si je comprends bien, il ne s'agit pas d'un lion de la région.

— Non. Plusieurs troupes cohabitent dans le coin et je connais tous les animaux de vue. Celui-ci était un mâle solitaire.

— De grande taille?

— De *très* grande taille.

— Digne de figurer dans les annales?

Wisley grimaça.

— Et même plus.

— Je vois.

— Le touriste allemand et sa femme, les Hassler, se sont levés de table les premiers. Il devait être 14 heures. D'après la femme, ils regagnaient leur *rondevaal* lorsque le lion a jailli des fourrés. Il a sauté sur son mari et lui a planté les crocs dans la gorge. La femme s'est mise à hurler tout ce qu'elle savait, le malheureux aussi, comme vous pouvez vous en douter, et nous avons accouru, mais le lion avait disparu dans la brousse en emportant sa proie. Une scène terrible. Le pauvre bougre poussait des cris terrifiants, et puis il s'est tu et on n'a plus entendu que le bruit de…

Il laissa sa phrase en suspens.

— Mon Dieu, balbutia Hélène. Personne n'a pensé à prendre un fusil?

— Bien sûr que si, acquiesça Wisley. Nous avons l'obligation d'être armés lorsque nous partons en expédition avec les touristes, mais je n'ai pas osé me lancer à la poursuite de l'animal. Comprenez-moi, monsieur Pendergast, je n'ai rien d'un tireur d'élite. J'ai tout de même tiré plusieurs coups en direction des bruits et le lion s'est éloigné dans la savane. Je l'ai peut-être blessé.

— Ce serait regrettable, rétorqua Pendergast sèchement. Il ne fait guère de doute qu'il aura traîné le corps dans son sillage. Avez-vous pensé à préserver ses traces sur le lieu de l'attaque?

— Bien sûr. Certaines d'entre elles ont pu être effacées dans la panique générale, mais j'ai tout de suite veillé à mettre en place un périmètre de sécurité.

— Excellente initiative. Je suppose que personne ne s'est aventuré dans la savane?

— Non. Ils étaient tous au bord de la crise de nerfs et nous avons évacué tout le monde, à l'exception d'un minimum de personnel.

Pendergast lança un coup d'œil vers sa femme. Elle aussi avait nettoyé son arme, un Krieghoff Big Five 500/416, tout en écoutant le récit de Wisley d'une oreille attentive.

— Le lion a-t-il fait parler de lui depuis?

— Non. Il a régné un silence de mort toute la nuit, comme aujourd'hui. Il est peut-être parti.

— C'est peu probable, à moins qu'il n'ait terminé de dévorer sa victime, répliqua Pendergast. Le lion ne s'éloigne jamais de plus d'un ou deux kilomètres lorsqu'il tient une proie. Qui l'a vu?

— Uniquement l'Allemande.

— Et elle affirme qu'il avait une crinière rouge?

— Exactement. Au début, elle était hystérique et prétendait qu'il était couvert de sang. Elle a fini par se calmer et nous avons pu lui poser quelques questions. Il semble que la crinière de l'animal était rouge vif.

— Comment pouvez-vous être sûr qu'il ne s'agissait pas de sang?

— Les lions sont presque maniaques avec leur crinière, intervint Hélène. Ils la nettoient régulièrement. Je n'ai jamais vu de sang sur la crinière d'un lion, uniquement sur sa gueule.

— Que proposez-vous? questionna Wisley.

Pendergast avala une longue gorgée de bourbon.

— Il nous faut attendre l'aube. J'aurai besoin de votre meilleur pisteur et d'un porteur de fusil. Ma femme m'accompagnera, évidemment.

Comme Wisley et le chef de district l'observaient en silence d'un air perplexe, Hélène leur adressa un sourire.

Le premier, Woking s'éclaircit la gorge.

— J'ai bien peur que ce ne soit pas très… très régulier.

— Pourquoi? Parce que je suis une femme? s'étonna Hélène d'un air amusé. Ne vous inquiétez pas, ce n'est pas contagieux.

— Non, non! s'empressa de corriger le chef de district. Mais nous nous trouvons dans une réserve naturelle et seules les personnes accréditées par les autorités sont autorisées à tirer.

— De nous deux, le meilleur tireur est encore ma femme, ajouta Pendergast. En outre, la chasse au lion se pratique toujours à deux.

Il marqua un léger temps d'arrêt avant de poursuivre:

— À moins que vous ne souhaitiez m'accompagner?

Woking ne répondit pas.

— Je ne laisserai pas mon mari s'aventurer tout seul dans la brousse, reprit Hélène. C'est bien trop dangereux. Il pourrait être blessé… ou pire.

— Je vous remercie de votre confiance, ma chère Hélène, grinça Pendergast.

— Aloysius, vous vous souvenez de cette antilope que vous avez manquée à moins de deux cents mètres? C'est comme si vous aviez raté une porte de garage à bout portant.

— Je vous en prie, il y avait un fort vent latéral. En outre, l'animal a bougé inopinément.

— Vous avez mis trop longtemps à viser. Vous réfléchissez trop, c'est bien votre problème.

Pendergast se tourna vers Woking.

— Ainsi que vous pouvez le constater, nous avons besoin l'un de l'autre. Ce sera les deux, ou personne.

— Très bien, soupira le chef de district. Qu'en pensez-vous, monsieur Wisley?

Le gérant du camp hocha la tête à contrecœur.

— Dans ce cas, rendez-vous demain matin à 5 heures. Je compte sur vous pour nous fournir un excellent pisteur.

— Nous avons l'un des meilleurs de toute la Zambie, Jason Mfuni, même s'il est surtout habitué à travailler pour des safaris-photos.

— Tant qu'il a des nerfs à toute épreuve, cela n'a guère d'importance.

— C'est le cas.

— Je vous demanderai d'avertir les populations locales afin qu'elles se tiennent à l'écart. Il est hors de question que quiconque vienne nous déranger.

— Inutile, le rassura Wisley. Les villages voisins sont déserts. À part nous, vous ne trouverez personne à trente kilomètres à la ronde.

— Comment les habitants ont-ils pu s'enfuir aussi vite? s'étonna Hélène. L'attaque n'a eu lieu qu'hier.

— Le Lion Rouge, rétorqua le chef de district, comme si ce nom expliquait tout.

Hélène et son mari échangèrent un regard dans un silence pesant, puis Pendergast se leva et prit la main de sa femme.

— Merci pour ce verre. À présent, si vous voulez bien nous montrer notre hutte?

3

Les arbres à fièvre

La nuit avait été silencieuse. Les bandes de lions, dont les rugissements trouaient habituellement le silence, étaient restées muettes, à l'instar des animaux nocturnes dont la clameur s'était éteinte. Jusqu'au murmure assourdi de la rivière qui reflétait mal la puissance de son cours, tout en parfumant l'air de senteurs humides. Il avait fallu attendre les premières lueurs de l'aube pour que résonne enfin le chant caractéristique de l'eau chaude que l'on verse dans les citernes en prévision des douches du matin.

Pendergast et sa femme avaient déjà quitté leur hutte et attendaient dans le réfectoire, assis sous la lueur blafarde d'une maigre ampoule, leurs fusils posés à côté d'eux. Aucune étoile ne parvenait à percer la couverture nuageuse et l'obscurité enveloppait le reste du camp. Cela faisait trois quarts d'heure qu'ils patientaient en silence, heureux d'être ensemble, se préparant mentalement à l'épreuve qui les attendait. Hélène Pendergast avait posé la tête sur l'épaule de son compagnon et celui-ci lui caressait la main, jouant parfois avec le saphir étoilé de son alliance.

— Inutile d'essayer de me le reprendre, déclara-t-elle d'une voix que le silence avait rendue rauque.

Il se contenta d'un sourire et poursuivit son manège.

Une silhouette frêle se détacha de l'ombre, celle d'un homme de petite taille en pantalon et chemise sombres, armé d'une sagaie.

Le couple se redressa.

— Jason Mfuni? s'enquit Pendergast d'une voix sourde.

— Oui, monsieur.

Pendergast lui tendit la main.

— Si cela ne vous dérange pas, Jason, évitez les « monsieur ». Je m'appelle Pendergast et voici mon épouse, Hélène.

L'homme hocha la tête et serra de façon presque flegmatique la main que lui tendait Hélène.

— Le chef de district veut parler à vous, mademoiselle Hélène.

La jeune femme se leva et Pendergast l'imita.

— Excusez-moi, monsieur Pendergast, mais il veut elle seulement.

— De quoi s'agit-il?

— Il a peur qu'elle manquer d'expérience.

— C'est ridicule, s'impatienta Pendergast. La question a été réglée hier soir.

Hélène balaya l'argument d'un geste en riant.

— Ne vous offusquez pas pour si peu. L'Empire britannique n'a visiblement pas dit son dernier mot par ici, la femme est censée attendre sagement dans la véranda, un éventail à la main, près de défaillir à la vue d'une goutte de sang. Je me charge de lui remettre les idées en place.

Pendergast se laissa retomber sur son siège tandis que le pisteur attendait à côté de lui en se dandinant d'un pied sur l'autre, mal à l'aise.

— Vous pouvez vous asseoir, Jason.

— Non merci.

— Vous êtes pisteur depuis longtemps?

— Plusieurs années, répondit l'homme d'un air laconique.

— Vous connaissez bien le métier?

Mfuni haussa les épaules.

— Avez-vous peur des lions?

— Parfois.

— Vous avez déjà tué un félin à l'aide de cette sagaie?

— Non.

— Je vois.

— C'est sagaie toute neuve, monsieur Pendergast. Quand je tue un lion avec sagaie, elle est cassée ou tordue, alors j'en prends une autre.

Le silence retomba sur le camp que l'aube naissante commençait à rosir. Cinq minutes s'écoulèrent, puis dix.

— Que font-ils donc? s'agaça Pendergast. Je ne voudrais pas partir trop tard.

Mfuni, appuyé sur sa sagaie, haussa à nouveau les épaules.

Hélène apparut au même moment et reprit sa place à côté de son mari.

— Vous avez remis cet animal à sa place? s'enquit Pendergast en riant.

Elle ne répondit pas et il constata avec étonnement qu'elle était blême.

— Que se passe-t-il?

— Rien. Un peu de… de trac avant la chasse.

— Vous pouvez rester ici, si vous préférez.

— Pas question, s'écria-t-elle avec véhémence. Je ne manquerais ça pour rien au monde.

— Dans ce cas, il est temps de nous mettre en route.

— Pas encore, dit-elle d'une voix sourde en posant une main fraîche sur le bras de son mari. Vous savez quoi, Aloysius? Nous avons oublié de regarder la lune se lever hier soir. Elle était pleine.

— Avec cette histoire de lion, ça m'est sorti de la tête.

— Alors, au moins regardons-la se coucher.

Elle prit la main de son compagnon dans la sienne, et Pendergast constata qu'elle était brûlante.

— Hélène…

Elle lui serra les doigts.

— Ne dites rien.

Le disque pâle de la lune descendait lentement dans les reflets mauves de l'horizon, son reflet doré flottant à la surface des eaux tumultueuses de la Luangwa. Parce qu'ils s'étaient connus un soir de pleine lune, les Pendergast s'étaient astreints à toujours assister au lever de l'astre nocturne chaque fois que l'occasion s'était présentée, mettant un point d'honneur à sacrifier à ce rituel ensemble, quelles que fussent leurs occupations et les circonstances de la vie.

La lune atteignit le sommet des arbres dont la silhouette se découpait de l'autre côté de l'eau, puis elle s'effaça tandis que le ciel rosissait. Au mystère de la nuit succédait une nouvelle journée.

— Au revoir, chère vieille lune, la salua Pendergast d'un ton léger.

Hélène lui serra une nouvelle fois les doigts et se mit debout en voyant le chef de district et Wisley émerger de la tente d'intendance. Un troisième personnage les accompagnait, un homme grand et mince aux traits émaciés troués de deux yeux jaunes.

— Je vous présente Wilson Nyala, annonça Wisley. Il portera vos armes.

Des poignées de main furent échangées à la ronde tandis que le barman de la veille apparaissait avec une grande théière de thé lapsang souchong.

Les convives burent en silence, et Pendergast donna le signal du départ en reposant sa tasse.

— Allons jeter un coup d'œil à l'endroit où s'est produit le drame.

Nyala prit un fusil en bandoulière sur chaque épaule et le petit groupe rejoignit un chemin de terre longeant la rivière. Au-delà d'un épais buisson de miombos se dessinait un carré de terre battue délimité par un morceau de corde fixé à quatre piquets. Pendergast s'agenouilla et découvrit d'énormes traces de pattes dans la poussière, à côté d'une mare de sang noir séché. En un instant, il reconstitua la scène dans sa tête : l'animal avait jailli de la savane et jeté à terre sa proie avant de la mordre, et l'on distinguait clairement l'endroit où le lion s'était enfoncé dans la savane en traînant sa victime, laissant derrière lui un long sillage écarlate.

Pendergast se releva.

— Voici ce que je vous propose. Je me tiendrai à moins de trois mètres de Jason, légèrement sur sa gauche. Hélène me suivra à la même distance en se tenant à droite et Wilson fermera la marche.

Il croisa le regard de sa femme qui hocha imperceptiblement la tête.

— Le moment venu, continua-t-il, Wilson nous passera les fusils en veillant à ce que les crans de sûreté soient enclenchés. Je préfère que la lanière de mon arme soit détachée, je ne voudrais pas qu'elle se prenne dans un buisson au mauvais moment.

Wilson Nyala opina et Pendergast tendit la main vers lui.

— Mon fusil, je vous prie.

Wilson lui passa l'arme. Pendergast ouvrit l'action, examina le double canon, y glissa des balles à pointe molle grosses comme des cigares, s'assura que le cran de sûreté était mis et rendit le fusil au porteur. Hélène l'imita aussitôt, engageant dans la chambre des projectiles de calibre 500/416 à pointe molle.

— Ce fusil me semble bien gros pour une femme aussi menue, remarqua Woking.

— J'ai un faible pour les gros calibres, rétorqua Hélène.

— Gros calibre ou pas, je suis heureux de ne pas me lancer à la poursuite de ce monstre, reprit le chef de district.

— Je vous demanderai de veiller soigneusement à rester en formation triangulaire, recommanda Pendergast aux deux accompagnateurs. Le vent souffle dans le bon sens, mais à partir de maintenant, plus un mot. Nous communiquerons par geste uniquement. Inutile de nous munir de lampes torches.

Wilson et Jason approuvèrent. L'atmosphère de fausse insouciance qui régnait autour d'eux s'était évaporée, emportée par les premières lueurs du soleil qui chassaient la pénombre. Enfin, Pendergast donna à Mfuni le signal du départ.

Le pisteur s'avança au milieu des hautes herbes, la sagaie à la main, en suivant la piste rouge laissée par le mangeur d'homme. Les traces s'éloignaient de la rivière et s'enfonçaient au milieu des épineux et des buissons de mopane, le long des eaux de la Chitele, un affluent de la Luangwa. Le petit groupe marchait prudemment, sans jamais perdre de vue les traces du félin. Le pisteur s'immobilisa et montra avec sa sagaie un large cercle dans l'herbe, au milieu duquel s'étalait une tache sinistre encore humide. Du sang avait giclé jusque sur les feuilles des buissons alentour. Tout indiquait que le lion s'était arrêté là pour dévorer sa victime encore palpitante, avant d'être chassé par les coups de feu de Wisley.

Jason Mfuni se pencha et ramassa la moitié d'une mâchoire humaine nettoyée de sa chair. L'horrible trophée portait encore les traces des dents de l'animal. Pendergast l'examina sans mot dire, puis Mfuni reposa l'ossement avant de pointer du doigt une ouverture dans le mur de végétation qui les entourait.

Le pisteur se glissa dans la trouée, s'arrêtant tous les vingt mètres afin d'écouter, de humer l'air, ou encore d'examiner une trace rouge sur une feuille. Le corps avait achevé de se vider de son sang à ce stade et seules quelques taches écarlates signalaient encore le passage de l'animal.

La lumière du jour augmentait de minute en minute, le soleil commençait à poindre au-dessus des arbres, rendant d'autant plus inquiétant le silence que soulignait le bourdonnement insistant des insectes.

La battue se poursuivit sur près de deux kilomètres sous un soleil incandescent qui embrasait la brousse en affolant d'épais nuages de mouches tsé-tsé, dans un air surchauffé chargé d'une odeur de poussière et d'herbes sèches. La piste quitta brusquement la savane pour s'enfoncer sur un espace dégagé, à l'ombre d'un acacia au pied duquel s'élevait une termitière. Au centre de cette clairière naturelle s'étalait une masse indéfinissable rouge et blanc au-dessus de laquelle tournoyaient des milliers d'insectes bourdonnants.

Mfuni s'approcha prudemment, suivi par Pendergast, Hélène et le porteur. Le petit groupe se dispersa en silence autour du corps à demi dévoré du photographe allemand. Le lion avait défoncé la boîte crânienne du malheureux avant de lui déchiqueter le visage, de lui dévorer la cervelle et la partie supérieure du torse, laissant derrière lui deux jambes intactes dont il avait soigneusement léché le sang, ainsi qu'un bras dont la main serrait encore une touffe de poils. Les gorges étaient nouées. Mfuni se pencha, saisit quelques-uns des poils et les examina longuement avant de les tendre à Pendergast : ils étaient d'un rouge vif. Hélène les observa à son tour, puis les rendit au pisteur.

Tandis que ses compagnons patientaient près du corps, Mfuni tourna lentement autour de la clairière, à la recherche de nouvelles traces. Un doigt sur la bouche en signe de silence, il désigna aux trois autres un *vlei*, une sorte de marais séché recouvert d'herbes hautes au milieu duquel se dressait un gros bosquet d'arbres à fièvre dessinant leurs silhouettes en ombrelle. Le pisteur montra d'un geste le sillon laissé par le lion dans les herbes et s'approcha de Pendergast, l'air grave.

— Que se passe-t-il ? lui demanda ce dernier à voix basse.

— Lion malin. Très malin. Endroit dangereux.

Pendergast acquiesça et jeta un coup d'œil en direction d'Hélène. Toujours aussi pâle, la jeune femme avait l'air plus déterminée que jamais, à l'inverse de Nyala, le porteur de fusils, qui ne songeait même pas à dissimuler sa nervosité. Pendergast hésita, puis il ordonna à Mfuni d'avancer.

Le petit groupe s'aventura à pas de loup entre les herbes géantes qui limitaient la vision à quelques mètres, tout au plus. Les tiges creuses s'agitaient en murmurant sur leur passage, dans une odeur étouffante de poussière surchauffée. À mesure qu'ils s'enfonçaient dans la savane, les trois hommes et la femme se trouvèrent enveloppés dans un monde d'un vert irréel, inaccessible aux rayons du soleil, le bourdonnement des insectes cédant progressivement la place à un sifflement obsédant.

Le pisteur ralentit en approchant du bosquet d'arbres à fièvre, puis il leva la main et montra son nez. Pendergast emplit ses poumons et reconnut l'odeur musquée d'un félin, à laquelle se mêlaient des effluves de charogne.

Mfuni s'accroupit et signala à ses compagnons d'agir de même, sachant qu'ils avaient plus de chances d'apercevoir le pelage fauve du lion au ras du sol. Ils pénétrèrent de la sorte dans le petit bois d'arbres à fièvre, avançant centimètre par centimètre. La boue séchée à leurs pieds, dure comme de la pierre, ne portait aucune trace de l'animal, mais les tiges écrasées sur son passage leur montraient la voie à suivre.

Le pisteur s'immobilisa une nouvelle fois en leur faisant comprendre qu'une discussion s'imposait. Hélène et Pendergast s'approchèrent et ils entamèrent un conciliabule, le murmure de leurs voix couvert par le vrombissement des insectes.

— Le lion est tout près. Vingt ou trente mètres. Il bouge très lentement. Peut-être il faut attendre.

Les traits crispés de Mfuni trahissaient son inquiétude.

— Non, répondit Pendergast dans un souffle. C'est le meilleur moment pour le surprendre, il vient de manger.

Ils s'avancèrent jusqu'à un espace dénudé de quelques mètres carrés à peine. Le pisteur marqua un temps d'arrêt, le nez en l'air, et tendit un doigt vers la gauche.

— *Lion*, murmura-t-il en français.

Pendergast secoua la tête.

Surpris, Mfuni fronça les sourcils.

— Le lion tourner à gauche. Très malin.

Pendergast, refusant toujours de le croire, se pencha vers sa femme.

— Restez ici, lui glissa-t-il dans le creux de l'oreille.

— Le pisteur dit pourtant…

— Il a tort. Ne bougez pas d'ici, le temps que j'aille voir. Nous sommes quasiment à la lisière du *vlei*. Il voudra rester à couvert et se sentira en danger en me voyant. Il est capable de bondir à tout moment, tenez-vous prête à le tirer sur ma droite.

D'un geste, Pendergast demanda au porteur de lui tendre son fusil. Le canon était brûlant à cause du soleil et il glissa l'arme sous son bras. D'un mouvement du pouce, il dégagea le cran de sûreté et ajusta la bille d'ivoire servant de mire nocturne afin de mieux voir dans la pénombre des herbes hautes. À son tour, Hélène prit son fusil des mains de Nyala.

Pendergast s'avança droit devant lui, suivi par le pisteur rendu muet par la peur.

Il écartait la végétation le plus délicatement possible, veillant à mettre un pied devant l'autre sans bruit, attentif au moindre mouvement susceptible de lui signaler que l'animal allait bondir. Il aurait le temps de tirer une seule fois, un lion furieux étant capable de parcourir cent mètres en quatre secondes, et la présence d'Hélène dans son dos le rassurait.

Il se figea dix mètres plus loin et attendit. Le pisteur se posta à côté de lui, l'air mécontent. Les deux hommes restèrent immobiles pendant deux bonnes minutes. Tous les sens aux aguets, Pendergast n'entendait rien d'autre que la sarabande des insectes. L'arme était poisseuse entre ses mains moites, la poussière lui faisait la bouche pâteuse. Une très légère brise agita les herbes au-dessus de leurs têtes et le ronronnement des insectes se transforma en murmure avant de s'éteindre. Autour d'eux, le temps s'était arrêté.

Avec une lenteur infinie, Mfuni tendit un doigt à quatre-vingt-dix degrés à gauche.

Parfaitement immobile, Pendergast suivit son manège des yeux, puis il explora du regard le labyrinthe qui l'entourait, à la recherche d'un morceau de fourrure ou d'un œil jaune. Rien.

Un grondement grave, puis un rugissement effroyable, et une masse leur fondit dessus avec la force d'un train de marchandises, droit devant eux.

Pendergast pivota sur lui-même en voyant une énorme ombre rougeâtre jaillir entre les herbes, la gueule ouverte sur un gouffre rose garni de dents. Il déchargea le premier canon de son arme dans un tonnerre assourdissant, mais il n'avait pas eu le temps de viser et le lion était sur lui, un fauve gigantesque de trois cents kilos qui l'écrasa de toute sa masse. Il sentit les griffes du monstre lui labourer l'épaule et poussa un cri, à moitié étouffé par le poids de l'animal, essayant désespérément de récupérer de sa main libre le fusil qui avait volé lors du choc.

Le fauve était si bien caché, il se trouvait si près et avait bondi si brusquement qu'Hélène Pendergast n'avait pas eu le temps de tirer. Il était trop tard à présent, les deux silhouettes emmêlées empêchaient toute tentative. Elle parcourut en quelques enjambées la dizaine de mètres qui la séparaient du lieu du drame, criant et gesticulant afin d'attirer l'attention du monstre qui grondait de façon abominable. Elle s'arrêta aux pieds de la bête à l'instant précis où Mfuni lui enfonçait sa sagaie dans le ventre. L'animal, d'une taille monstrueuse, abandonna sa proie et se jeta sur le pisteur à qui il arracha une partie de la jambe avant de s'enfoncer dans la forêt des herbes hautes, le manche de la sagaie dépassant de son ventre.

Hélène visa soigneusement le dos de l'animal et tira, rudement secouée par la puissance du recul.

La cartouche Nitro Express manqua sa cible et le lion disparut.

Sans attendre, elle se précipita au secours de son mari qui gardait toute sa conscience.

— Non, lui intima Pendergast d'une voix rauque. *Lui.*

Un coup d'œil lui montra que Mfuni, allongé sur le dos, perdait beaucoup de sang de sa blessure à la jambe droite. Lors de l'attaque, le lion lui avait emporté le mollet, le muscle pendait par un lambeau de peau.

— Mon Dieu!

Elle déchira aussitôt les pans de sa chemise qu'elle entortilla sur eux-mêmes afin de réaliser un garrot, puis elle le fixa autour de la blessure en serrant à l'aide d'un morceau de bois ramassé par terre.

— Jason? demanda-t-elle d'une voix tendue. Jason! Ne vous évanouissez pas, je vous en prie.

Le visage du pisteur était couvert de sueur, ses yeux tremblaient.

— Maintenez le garrot en place, en relâchant la pression si vous êtes gagné par l'engourdissement.

Il écarquilla les yeux.

— Mensahib, le lion revient.

— Tenez-le…

— *Il revient!* insista-t-il d'une voix terrorisée.

Sans se soucier de l'avertissement, Hélène se pencha vers son mari, prostré sur la terre sèche, le teint cireux. Son épaule, couverte de sang, n'avait plus forme humaine.

— Hélène, balbutia-t-il en tentant de se relever. Récupérez votre arme. *Tout de suite.*

— Mais enfin, Aloysius…

— *De grâce, votre arme!*

Trop tard. Avec un rugissement terrifiant, le lion bondit sur la jeune femme dans un tourbillon de poussière et d'herbes. Hélène poussa un cri et tenta d'échapper à l'emprise du fauve qui lui agrippait le bras. D'un coup de mâchoire, le monstre serra les dents dans un bruit sinistre d'os brisés. Juste avant de s'évanouir, Pendergast eut le temps de voir l'animal entraîner sa proie hurlante dans la savane.

4

Lorsque Pendergast reprit ses esprits, il se trouvait dans l'un des *rondevaals* du camp et un hélicoptère bourdonnait dans le lointain.

Il se dressa en poussant un cri et vit le chef de district, Woking, jaillir d'un fauteuil au fond de la hutte.

— Ne vous fatiguez pas, lui recommanda Woking. Vous allez être évacué en hélicoptère, votre transfert a été…

— Ma femme! s'écria Pendergast, au comble de l'agitation. Où est ma femme?

— Allons, allons! Soyez…

Pendergast sauta à bas du lit et se leva, dopé par l'adrénaline.

— Ma femme, espèce de salaud!

— Personne n'a rien pu faire, le lion l'avait déjà emportée. Avec un blessé évanoui et un autre en train de perdre tout son sang…

Pendergast se dirigea en titubant vers l'entrée de la hutte. Apercevant son fusil, rangé sur un râtelier, il le saisit, ouvrit l'action et constata qu'il contenait encore une balle.

— Qu'est-ce que vous…? demanda Woking en tentant de lui bloquer le passage.

Pendergast referma l'arme avec un claquement sec et pointa le double canon vers le chef de district.

— Laissez-moi passer.

Woking s'écarta précipitamment et Pendergast poussa la porte en vacillant. Le soleil allait se coucher, douze heures s'étaient écoulées depuis le drame. Le chef de district se rua dehors en gesticulant.

— À l'aide ! Au secours ! Le blessé est devenu fou !

Sans prêter attention aux cris qui résonnaient dans son dos, Pendergast s'enfonça dans la savane en marchant sur le chemin emprunté le matin même. Insensible à la douleur, sans économiser ses forces, il suivit les traces du lion pendant près d'un quart d'heure avant de se retrouver à l'entrée de l'espace dénudé au-delà duquel s'étendaient le *vlei* et le petit bois d'arbres à fièvre. Le souffle rauque, il écartait les herbes géantes en s'aidant avec le canon de son arme tandis que les oiseaux effrayés s'égaillaient sur son passage. Les poumons en feu, son bras blessé dégoulinant de sang, il avançait en articulant des paroles incohérentes, porté par l'énergie du désespoir. Soudain, les mots se figèrent dans sa gorge et il s'immobilisa en découvrant un objet blafard entre les tiges immenses, à même la boue séchée. Les yeux hagards, il reconnut une main de femme, à l'annulaire de laquelle brillait un saphir étoilé.

Un hurlement qui n'avait rien d'humain s'échappa de ses lèvres et il s'avança d'un pas mal assuré avant de s'arrêter quelques mètres plus loin en bordure d'un espace vierge au milieu duquel un lion à la crinière flamboyante terminait sagement son repas, ramassé sur lui-même. Une vision d'horreur attendait Pendergast : des ossements avec des lambeaux de chair, le chapeau d'Hélène, les restes déchiquetés d'une tenue de brousse kaki, le tout au milieu d'une odeur de fauve à laquelle se mêlait le parfum de la jeune femme.

Brusquement il aperçut la tête. Arrachée du corps au moment de la curée, elle était curieusement intacte et deux yeux bleus piqués de points violets le regardaient fixement.

D'un pas hésitant, Pendergast s'approcha à moins de dix mètres du lion. Celui-ci releva son énorme tête en se léchant les babines et posa sur lui un regard parfaitement serein. Le souffle court et haché, Pendergast leva le Holland & Holland avec son bras valide, visa lentement en pointant la bille d'ivoire de la mire sur la tête du monstre, et appuya sur la détente. Le projectile atteignit le lion en plein front, entre les deux yeux, faisant éclater la calotte crânienne dans un brouillard rouge de cervelle. La crinière écarlate de l'animal, à peine agitée par la puissance de l'explosion, retomba lentement au milieu des restes humains qui gisaient sur le sol.

Perchés dans les branches des arbres à fièvre calcinés par le soleil, des milliers d'oiseaux saluèrent la mort du lion.

5

Paroisse Saint-Charles, Louisiane – Aujourd'hui

La Rolls-Royce Grey Ghost avança lentement sur l'allée de gravier en arc de cercle, le crissement des pneus étouffé par d'épaisses touffes de mauvaises herbes. La Mercedes qui suivait la vieille Rolls s'arrêta aussi devant la colonnade d'une vieille plantation dont la façade, de style grec, était encadrée de vénérables chênes d'où pendaient des guirlandes de mousse espagnole. Une plaque de cuivre signalait que *Penumbra* avait été érigée en 1821 par la famille Pendergast et qu'elle était inscrite au registre des Monuments historiques.

A. X. L. Pendergast descendit de la Rolls en examinant attentivement le décor qui l'entourait. On était en février, l'après-midi touchait à sa fin et un soleil pâle dessinait des jeux d'ombre et de lumière entre les colonnes, striant le porche de rayons dorés. De rares écharpes de brume diaphanes flottaient au-dessus d'une pelouse trop haute, envahissant le jardin mangé d'herbes au-delà duquel s'étendaient des marécages bordés de cyprès. Une épaisse patine de vert-de-gris recouvrait les balustrades en cuivre du premier étage, la peinture de la colonnade s'écaillait et il régnait autour de Penumbra une atmosphère d'abandon, d'humidité et de désuétude.

Un personnage d'allure étrange descendit de la Mercedes. Petit et courtaud, il portait une redingote noire rehaussée d'un œillet blanc, accroché à la boutonnière.

Notaire à La Nouvelle-Orléans, l'homme ressemblait à un maître d'hôtel de club anglais. Malgré le ciel limpide, il tenait dignement un parapluie roulé sous le bras et balançait une mallette en peau d'alligator dans une main gantée. D'un geste plein d'élégance, il posa sur sa tête un chapeau melon et s'avança.

— Après vous, monsieur Pendergast, déclara-t-il en dirigeant sa main libre vers un petit jardin botanique mal entretenu, fermé par une haie, à la droite de la maison.

— Je vous en prie, monsieur Ogilvy.

— Merci à vous, répliqua le petit homme en traversant rapidement la pelouse détrempée.

Ogilvy poussa la barrière qui s'ouvrait au milieu de la haie et pénétra dans le jardin botanique, suivi par Pendergast. Du même pas assuré, il emprunta une allée dont le gravier avait fini par disparaître sous les herbes folles, et marcha vers un tsuga du Canada derrière lequel on apercevait un carré de terrain ceint de grilles rouillées. Des stèles de marbre et des pierres tombales mangées par la végétation s'élevaient de tous côtés, certaines à la verticale, d'autres périlleusement penchées.

Le petit homme se planta devant une sépulture imposante et saisit à deux mains la poignée de sa mallette en attendant que son compagnon le rejoigne. Peu pressé, Pendergast prit le temps de parcourir le petit cimetière familial en se caressant le menton d'un air songeur avant de s'arrêter à côté du notaire.

— Fort bien, dit ce dernier avec un sourire de circonstance. Nous voici à nouveau ici.

Pendergast acquiesça machinalement, puis il s'agenouilla, écarta les mauvaises herbes qui cachaient l'inscription et lut à voix haute :

Hic jacet sepultus
Louis de Frontenac Diogène Pendergast
2 avril 1891 – 15 mars 1965
Tempus edax rerum

Debout derrière Pendergast, M. Ogilvy plaça sa mallette en équilibre sur la stèle, l'ouvrit et sortit un document qu'il posa sur le couvercle rabattu.

— Monsieur Pendergast? dit-il en tendant à son compagnon un stylo plume en argent.

Pendergast prit le stylo et apposa sa signature sur la feuille.

Le notaire y ajouta sa griffe accompagnée de la date, donna un coup de tampon et rangea le document dans la mallette qu'il referma à l'aide d'une petite clé.

— Voilà qui est fait! Il est à présent établi que vous vous êtes rendu sur la tombe de votre grand-père, je ne suis donc pas tenu de vous déshériter. Pas encore, tout du moins! précisa-t-il avec un petit gloussement.

Pendergast se releva et le petit homme lui tendit une main potelée.

— C'est toujours un plaisir, monsieur Pendergast. Avec l'espoir de vous retrouver ici même dans cinq ans, conformément aux dispositions de la rente familiale dont vous êtes le bénéficiaire.

— Tout le plaisir est pour moi, et il le restera, répliqua Pendergast en souriant sèchement.

— Parfait! Dans ce cas, il ne me reste plus qu'à retourner en ville. Me ferez-vous l'honneur de me suivre?

— J'avais prévu de rendre visite à Maurice. Il m'en voudrait si je ne prenais pas le temps de le saluer.

— Tout à fait, tout à fait! D'autant qu'il s'occupe tout seul de Penumbra depuis maintenant... eh bien douze ans, si je ne m'abuse. Vous savez, monsieur Pendergast, ajouta le notaire sur un ton de conspirateur, vous devriez remettre cet endroit en état. Vous en tireriez un très bon prix. Ces vieilles plantations d'avant la guerre de Sécession sont extrêmement à la mode, celle-ci ferait une maison d'hôtes ravissante!

— Je vous sais gré de vos conseils, monsieur Ogilvy, mais je compte la garder encore quelque temps.

— À votre guise, à votre guise ! Évitez toutefois la nuit tombée, vous risqueriez de croiser un vieux fantôme.

Fier de son bon mot, le petit homme s'éloigna en gloussant, la mallette à la main, et disparut rapidement tandis que Pendergast restait seul au milieu des tombes. Le moteur de la Mercedes ronronna au loin et le silence reprit ses droits après un dernier crissement de pneus sur le gravier.

Pendergast circula quelques minutes encore au milieu des stèles qu'il prenait le temps de déchiffrer. Chaque nom faisait surgir des replis de sa mémoire des souvenirs inattendus. La plupart de ceux qui reposaient là avaient été exhumés de la crypte de la maison familiale de Dauphine Street, au lendemain de l'incendie qui avait détruit la vieille demeure du clan Pendergast à La Nouvelle-Orléans.

Le soleil disparut derrière les arbres, emportant avec lui ses rayons dorés, et la brume blême filtrant des eaux du marais envahit peu à peu l'espace dans une odeur entêtante de mousse et de fougère. Pendergast resta longtemps immobile au milieu du cimetière, dans le silence du soir qui commençait à tomber. À travers les arbres du jardin botanique apparurent les premières lueurs en provenance des fenêtres de la plantation. Un parfum de chêne brûlé flottait dans l'air, évocateur des années passées dans ce lieu au moment de l'enfance. En levant les yeux, Pendergast aperçut un filet de fumée bleutée s'élevant paresseusement de la grande cheminée de brique. Rappelé à la réalité, il quitta le cimetière, traversa le jardin botanique et gagna le porche dont les planches tordues gémirent sous son poids.

Il frappa du poing la porte d'entrée, recula d'un pas et attendit. Un craquement résonna dans les profondeurs de la maison, suivi d'un bruit de pas d'une grande lenteur, d'un grincement de serrure, et le battant s'écarta sur la silhouette courbée d'un vieil homme d'origine raciale indéterminée. La mine grave, il portait la tenue caractéristique des majordomes d'autrefois.

— Maître Aloysius, dit-il avec réserve et distinction, sans oser tendre la main à son visiteur.

Pendergast avança la sienne et le vieil homme la saisit entre ses doigts noueux avec une pression amicale.

— Maurice, comment allez-vous?

— Moyennement, répondit celui-ci. J'ai aperçu les voitures tout à l'heure. Un verre de sherry, monsieur?

— Avec grand plaisir, je vous remercie.

Maurice pivota lentement sur lui-même et traversa le hall d'entrée, Pendergast sur les talons. Les deux hommes pénétrèrent dans une bibliothèque au fond de laquelle se consumait un feu de cheminée dont la chaleur suffisait à peine à chasser l'humidité.

Maurice s'activa dans un tintement cristallin et remplit un minuscule verre à sherry qu'il déposa sur un plateau d'argent avant de l'offrir cérémonieusement à son hôte. Pendergast y trempa les lèvres, puis regarda autour de lui. Le temps poursuivait impitoyablement son œuvre. Des taches maculaient les papiers peints, des moutons de poussière s'accumulaient dans les coins, et Pendergast crut reconnaître la course discrète de rats à l'intérieur des cloisons. Le poids des cinq années qui venaient de s'écouler avait lourdement affecté Penumbra.

— Si seulement vous m'autorisiez à engager une gouvernante, Maurice. Ainsi qu'un cuisinier. Cela vous épargnerait bien du tracas.

— Mais non! Je suis parfaitement capable de m'occuper tout seul de cette maison.

— Vous ne pouvez pas continuer à vivre ici seul. C'est dangereux.

— Dangereux? Je ne vois pas où se trouve le danger. Je veille à tout verrouiller chaque soir.

— Bien évidemment.

Pendergast dégusta une gorgée de sherry, un Oloroso particulièrement sec, en se demandant combien il pouvait en rester de bouteilles dans les vastes caves de la plantation. Bien plus qu'il ne pourrait jamais en boire, très certainement, sans parler des vins, des portos et des vieux cognacs. À mesure que les différentes branches de la famille s'étiolaient, les caves à vin lui étaient naturellement revenues, tout comme le reste de la fortune des Pendergast dont il était l'unique héritier encore sain d'esprit.

Il but une nouvelle gorgée et reposa le verre.

— Eh bien, Maurice, je crois que je vais m'offrir un petit tour de la maison, en souvenir du bon vieux temps.

— Bien sûr, monsieur. Je reste ici si vous avez besoin de moi.

Pendergast quitta son fauteuil et traversa la double porte vitrée en direction du grand hall d'entrée. Un quart d'heure durant, il visita l'une après l'autre les pièces du rez-de-chaussée : la cuisine entièrement vide, une suite de salons et de petits salons, le garde-manger. Il flottait dans l'air des odeurs tout droit sorties de l'enfance : des effluves de cire, de vieux chêne, et même un soupçon oublié du parfum de sa mère, noyés dans un mélange d'humidité et de moisissure. Chaque objet, chaque bibelot, chaque tableau était à sa place, du presse-papier jusqu'au cendrier en argent, porteur de mille et une réminiscences attachées à des proches, disparus depuis longtemps. Des souvenirs de noces, de baptêmes, de veillées funèbres, de réceptions, de bals masqués, d'enfants courant d'une pièce à l'autre, pourchassés par la réprobation de vieilles tantes.

Des souvenirs d'un passé révolu.

Il emprunta le grand escalier et s'arrêta sur le palier où deux couloirs opposés conduisaient aux chambres des deux ailes du bâtiment, de part et d'autre d'un grand salon dans lequel on accédait en passant par une double porte en arc de cercle, protégée par des défenses d'éléphant.

Il pénétra dans la pièce au centre de laquelle trônait une peau de zèbre. Au-dessus d'une cheminée immense, l'énorme tête d'un buffle du Cap l'observait méchamment avec ses yeux de verre. De nombreux autres trophées ornaient les murs : kudus, chevreuils, cerfs, biches, sangliers sauvages, élans…

Les mains dans le dos, il traversa lentement la pièce où la vue de ces gardiens immobiles d'événements oubliés lui rappela le souvenir d'Hélène. Il avait eu le même cauchemar la nuit précédente, un cauchemar d'un réalisme terrifiant qui lui laissait toujours un sentiment de malaise au creux de l'estomac. Si un lieu pouvait l'aider à affronter les fantômes de son passé, c'était bien celui-ci, même s'il avait la conviction que ses démons ne le quitteraient jamais.

Le long d'un mur se dressait un râtelier ancien dans lequel était enfermée sa collection d'armes de chasse. Il n'avait jamais plus touché à un fusil depuis ce jour terrible, l'idée même de chasser lui donnait la nausée. Il s'agissait à ses yeux d'un sport cruel et brutal dont il peinait à comprendre qu'il eût pu le séduire dans sa jeunesse. À vrai dire, c'était Hélène qui lui en avait donné le goût. Fait rare chez une femme, elle adorait chasser. Mais tout chez Hélène était rare.

Son regard se porta machinalement sur le Krieghoff de la disparue, avec sa crosse de noyer poli, ses garnitures en or et argent. Ce fusil était son cadeau de noces, offert en vue de chasser le buffle du Cap en Tanzanie. Une arme splendide en bois et métaux précieux, d'un prix exorbitant, conçue pour tuer.

À travers la vitre poussiéreuse, il crut discerner un anneau de rouille à l'extrémité du double canon. En quelques enjambées, il rejoignait le palier.

— Maurice? appela-t-il. Auriez-vous la gentillesse de m'apporter la clé du râtelier, s'il vous plaît?

Après une éternité, Maurice surgit enfin dans le hall d'entrée.

— Bien, monsieur.

Sur ces mots, il s'éclipsa avant de reparaître quelques minutes plus tard, une clé entre ses doigts noueux. Il monta lentement l'escalier, passa à côté de Pendergast et s'immobilisa devant l'armoire vitrée qu'il déverrouilla.

— Voilà, monsieur.

Pendergast crut discerner, derrière son masque impassible, un soupçon de fierté.

— Je vous remercie, Maurice.

Le vieil homme lui répondit par un hochement de tête et quitta la pièce.

Pendergast écarta la porte du râtelier et saisit l'arme avec une lenteur désespérante. On aurait dit que le métal lui brûlait les doigts. Le cœur battant pour une raison qu'il ne s'expliquait pas vraiment, sinon par le cauchemar de la nuit précédente, il déposa le fusil sur la grande table au milieu de la pièce. D'un tiroir de l'armoire vitrée, il tira tous les accessoires dont il avait besoin et les rangea à côté de l'arme, puis il s'essuya les mains et saisit le Krieghoff qu'il examina soigneusement.

Il fut surpris de découvrir que le canon gauche, à l'inverse du droit, était parfaitement propre. Il reposa l'arme d'un air pensif et regagna le haut des marches.

— Maurice?

— Oui, monsieur? répliqua aussitôt le vieux domestique.

— Savez-vous si quelqu'un s'est servi du Krieghoff depuis… depuis la mort de ma femme?

— Vous avez demandé expressément à ce que personne n'y touche jamais, monsieur. Je suis d'ailleurs le seul à posséder la clé du râtelier. Personne ne s'en est approché.

— Je vous remercie, Maurice.

— Il n'y a pas de quoi, monsieur.

Pendergast repassa dans la salle des trophées dont il prit soin cette fois de refermer les portes. Dans un bureau à cylindre, il trouva un vieux bloc qu'il ouvrit sur une page vierge avant de le déposer à côté du fusil. Armé d'une baguette, il entreprit de nettoyer soigneusement le canon droit en veillant à placer les résidus sur la feuille avant de les examiner : à première vue, il s'agissait de restes de papier calciné. Sortant de sa poche la loupe qui ne le quittait jamais, il la fixa sur l'œil et étudia les résidus. Le doute n'était plus permis, il s'agissait de fragments carbonisés de bourre à fusil.

La découverte était d'autant plus surprenante que les munitions utilisées par Hélène, des cartouches Nitro Express de calibre 500/416, constituées d'une balle et d'une douille remplie de cordite, étaient exemptes de bourre. Jamais un projectile de ce type n'aurait laissé ce type de trace.

L'examen du canon gauche démontra qu'il était propre et huilé. Pendergast s'en assura en passant un chiffon à l'intérieur avec la baguette. Aucune trace de brûlure.

Il se redressa, les sourcils froncés. L'arme avait servi pour la dernière fois le jour fatidique. Il se força à repenser à l'enchaînement des événements, un exercice qu'il s'était toujours épargné, mais il n'eut aucun mal à voir resurgir les détails dans sa tête, chaque instant du drame étant resté gravé dans sa mémoire.

Hélène n'avait tiré qu'un seul coup. Le Krieghoff était équipé de deux détentes, situées l'une derrière l'autre : la première actionnait le canon droit, c'était naturellement celle que le chasseur privilégiait au moment de tirer, ce qu'avait fait Hélène à en juger par les traces qu'il venait de trouver.

Hélène avait raté le Lion Rouge, un échec qu'il avait toujours mis sur le compte de l'émotion.

À cela près qu'Hélène conservait toujours son sang-froid, quelles que soient les circonstances. Hélène ratait rarement sa cible et elle ne l'avait donc pas ratée cette fois-là non plus. Ou plutôt, elle n'aurait pas raté son coup si le canon droit avait été chargé avec une balle normale.

Le fusil avait été chargé avec une balle à blanc.

Pendergast connaissait suffisamment le maniement des armes pour savoir qu'un projectile à blanc ne produisait jamais le même bruit et n'avait jamais le même recul qu'une balle normale, à moins d'insérer dans le canon un tampon de bourre, ce qu'indiquaient les traces observées quelques instants plus tôt.

Tout autre individu aurait vu sa raison vaciller en découvrant l'horrible vérité. Le matin fatidique, au camp, il avait vu Hélène glisser deux balles Nitro Express dans le canon du fusil. Il s'en souvenait clairement. Il s'agissait de projectiles réels et non de balles à blanc, jamais Hélène n'aurait commis une erreur aussi grossière, et lui-même voyait encore dans sa tête la jeune femme insérer deux balles à pointe molle dans le double canon du Krieghoff.

Quelqu'un avait donc remplacé les projectiles par des balles à blanc entre le moment où elle avait chargé l'arme et l'instant où elle avait tiré; la même personne avait ensuite retiré les deux cartouches, l'une intacte et l'autre pas, afin de dissimuler les traces de son forfait, oubliant toutefois de nettoyer le canon.

Pendergast se laissa tomber sur une chaise et posa sur ses lèvres une main qui tremblait imperceptiblement.

La mort d'Hélène n'était pas accidentelle. Il s'agissait d'un meurtre.

6

New York – Samedi, 4 heures du matin

Le lieutenant Vincent D'Agosta se fraya un chemin à travers la foule, se baissa pour franchir la bande de plastique qui fermait la scène de crime et s'approcha d'un corps sur le trottoir, face à la devanture de l'un des innombrables restaurants indiens de la 6ᵉ Rue Est. L'enseigne au néon qui brillait derrière la vitre crasseuse de l'établissement projetait des reflets rouges et violets d'une beauté irréelle sur la mare de sang dans laquelle baignait l'inconnu.

L'homme, atteint par une demi-douzaine de projectiles, était mort, et même bien mort. Il était recroquevillé sur le côté, un bras en l'air, son pistolet à plusieurs mètres de là. L'un des enquêteurs, un mètre à la main, mesurait justement la distance entre la main ouverte et l'arme.

La victime, un avorton au crâne dégarni, était de race blanche et avait une trentaine bien sonnée. On aurait dit un pantin désarticulé, avec ses jambes tordues sous lui, un genou coincé contre la poitrine et l'autre dans une position improbable, les bras largement écartés. Les deux flics qui l'avaient abattu, un grand Black costaud et un Latino tout maigre, discutaient un peu plus loin avec un inspecteur de l'Inspection générale des services.

D'Agosta s'approcha, salua d'un mouvement de tête le type de la police des polices et serra la main moite des deux agents. Leur nervosité lui rappela à quel point il était dur d'avoir la mort d'un homme sur la conscience. Une expérience traumatisante dont on ne se remettait jamais tout à fait.

— Lieutenant, l'apostropha l'un des deux flics, impatient de relater une nouvelle fois les événements. Il venait de piquer la caisse du restaurant en menaçant le patron d'une arme et il était en train de s'enfuir. On s'est identifiés en sortant nos badges, mais cet enfoiré a commencé à tirer, il a vidé son chargeur sur nous en courant, il y avait des passants dans la rue alors on n'a pas eu le choix, on a dû l'abattre. Je vous assure, on n'avait pas le choix...

D'Agosta serra gentiment l'épaule du flic en jetant un coup d'œil à l'insigne portant son nom, épinglé à la poitrine.

— Ne vous inquiétez pas, Ocampo. Vous avez agi conformément au règlement, l'enquête en apportera la preuve.

— Il a ouvert le feu comme un vrai malade...

— Il n'aura pas été malade longtemps, le coupa D'Agosta en s'approchant de l'inspecteur de la police des polices. Alors, comment ça se présente?

— Rien de spécial, lieutenant. Ils passeront devant un juge, c'est la loi, mais il n'y a pas photo, répondit-il en refermant son calepin.

D'Agosta s'approcha de son interlocuteur en baissant la voix.

— Veillez à ce que nos deux gars voient quelqu'un de la cellule psychologique. Arrangez-vous aussi pour qu'ils aient un entretien avec un avocat du syndicat avant de publier la moindre déclaration officielle.

— Promis.

D'Agosta posa sur le corps un regard pensif.

— Combien y avait-il dans la caisse?

— Dans les deux cent vingt dollars. Un toxico, ça se voit comme le nez au milieu de la figure, il est entièrement bouffé par la dope.

— Un pauvre type de plus. On sait son nom?

— Warren Zabriskie. Il vivait dans le quartier de Far Rockaway.

D'Agosta secoua la tête en observant les alentours. Une scène de violence ordinaire à New York : deux flics appartenant à des minorités, un coupable blanc, des témoins en veux-tu en voilà, le tout filmé par une pléiade de caméras de sécurité. Affaire réglée. Aucun risque de voir se manifester un leader afro-américain comme Al Sharpton, aucune manifestation de protestation en vue, aucune accusation possible de brutalité policière. Le tireur avait eu ce qu'il méritait, personne n'y trouverait jamais rien à redire, même les plus regardants.

D'Agosta se retourna et constata qu'une masse de badauds s'était agglutinée malgré le froid. Un mélange de rockers de l'East Village, de yuppies et de « métrosexuels », pour reprendre l'expression du moment. Les ambulanciers attendaient que les types de la police scientifique aient terminé avant d'emporter le cadavre, le propriétaire du restaurant répondait aux questions des inspecteurs. Chacun faisait son boulot, tout était en règle. Le genre d'enquête de merde qui allait pourtant générer son poids de paperasses, d'interrogatoires, de rapports, d'analyses, d'auditions et de conférences de presse. Tout ça pour les deux cents malheureux dollars dont avait besoin un petit toxico pour sa dose quotidienne.

D'Agosta n'attendait que le moment de s'éclipser discrètement lorsqu'il entendit un cri. Il se retourna et vit un mouvement de foule à l'entrée du périmètre de sécurité. Quelqu'un tentait de franchir la bande plastique. Il s'avança, prêt à jeter dehors l'intrus lorsqu'il reconnut l'inspecteur Pendergast que poursuivaient deux agents en uniforme.

— Hé vous ! s'énerva l'un des deux flics en agrippant sans ménagement l'épaule de l'inspecteur.

Pendergast se dégagea d'un mouvement adroit et mit son badge sous le nez de l'agent.

— Qu'est-ce que… ? demanda le flic en reculant d'un pas. Hé ! Il est du FBI.

49

— Qu'est-ce qu'il fout ici? s'inquiéta son collègue.

— Pendergast! s'écria D'Agosta en se précipitant. Qu'est-ce que vous fichez ici? Ce n'est pourtant pas la mort d'un petit toxico qui va…

Pendergast le fit taire d'un geste, battant l'air de la main. À la lueur glauque du néon, on aurait dit un fantôme, ses traits blêmes accentués par la coupe austère d'un costume sombre sur mesure qui lui donnait des allures de croque-mort de luxe. D'Agosta n'en fut pas moins frappé par un air dramatique qu'il ne lui connaissait pas.

— J'ai besoin de vous parler, Vincent. Tout de suite.

— Pas de problème. Le temps de terminer ce que…

— Non, Vincent. *Tout de suite.*

D'Agosta ouvrit des yeux ronds. Jamais il n'avait vu l'inspecteur aussi perturbé. Lui, toujours si maître de sa personne, se trouvait dans un état d'agitation extrême que soulignait sa tenue inhabituellement chiffonnée.

— J'ai un service à vous demander, insista Pendergast en le prenant par le revers de la veste. Et même plus qu'un simple service. Venez avec moi.

Proprement éberlué par la véhémence dont faisait preuve son vieil ami, D'Agosta obtempéra sans rechigner et quitta la scène de crime sous les regards surpris de ses collègues, traversant la foule jusqu'à l'endroit où attendait la Rolls de l'inspecteur, moteur au ralenti. Le lieutenant reconnut derrière le pare-brise le masque impassible de Proctor, le chauffeur de Pendergast.

Ce dernier avançait d'un pas vif et D'Agosta était quasiment contraint de courir derrière lui.

— Vous savez bien que je serai toujours prêt à vous aider…

— Je vous en prie, Vincent. Pas un mot tant que je ne vous aurai pas expliqué de quoi il retourne.

— Bon, bon, très bien, s'empressa de maugréer D'Agosta.

— Montez.

Pendergast grimpa lui-même à l'arrière de l'auto en intimant à son compagnon de l'imiter. À peine la portière refermée, l'inspecteur tira une poignée, découvrant un bar miniature. Il saisit une carafe en cristal taillé et se versa trois doigts de cognac dont il avala la moitié d'un trait, puis il remit la carafe en place et posa sur D'Agosta un regard fiévreux.

— Il ne s'agit pas d'une requête ordinaire. Je comprendrais fort bien que vous ne puissiez pas, ou ne vouliez pas, mais de grâce, pas de question inutile, Vincent. Contentez-vous d'écouter ce que j'ai à vous dire avant de m'apporter votre réponse.

Le lieutenant acquiesça.

— J'ai besoin que vous preniez un congé sans solde de plusieurs mois. Peut-être même un an.

— Un *an*?

Pendergast vida son verre.

— Plusieurs mois, plusieurs semaines, je n'ai aucune idée du temps que l'affaire peut prendre.

— Mais quelle *affaire*?

L'inspecteur ne répondit pas immédiatement.

— Vous ai-je déjà parlé de ma femme, Hélène?

— Non.

— Elle est morte il y a douze ans, alors que nous faisions un safari en Afrique. Elle a été attaquée par un lion.

— Seigneur! Je suis sincèrement désolé.

— À l'époque, j'ai cru à un accident. Je sais à présent qu'il n'en était rien.

D'Agosta attendait la suite.

— Elle a été assassinée.

— Mon Dieu!

— La piste a eu le temps de se refroidir et j'ai besoin de votre aide, Vincent. J'ai besoin de votre savoir-faire, de votre connaissance de la rue et des strates les moins favorisées de notre société, de votre façon de penser. J'ai besoin de vous pour m'aider à retrouver le ou les coupables. Il est bien entendu que je prendrai en charge l'intégralité de vos frais tout en m'assurant que vous continuiez à toucher votre traitement, avec tous les avantages sociaux qui y sont attachés.

Un silence accueillit la proposition de l'inspecteur. D'Agosta ne savait quoi répondre, incapable de mesurer les conséquences d'une telle décision sur sa carrière au sein de la criminelle, sa relation avec Laura Hayward, son avenir, tout simplement. Accepter serait irresponsable, ou même pire. Accepter serait de la folie.

— S'agit-il d'une enquête officielle?

— Non, nous ne pourrons compter que sur nous-mêmes. Le coupable peut se trouver à n'importe quel endroit de la planète et nous devrons agir en dehors de toute structure officielle, quelle qu'elle soit.

— Que ferons-nous de l'assassin si nous parvenons à le retrouver?

— Nous veillerons à ce que justice soit faite.

— C'est-à-dire?

Pendergast se versa une nouvelle rasade de cognac qu'il engloutit dans la foulée avant de poser sur D'Agosta son regard étincelant.

— Nous le tuerons.

7

La Rolls-Royce remontait Park Avenue à toute allure, laissant derrière elle le sillage jaune des rares taxis en maraude à cette heure tardive. Installé sur la banquette arrière à côté de Pendergast, un D'Agosta mal à l'aise observait son compagnon du coin de l'œil. Jamais il n'avait vu l'inspecteur dans un tel état d'impatience, avec une tenue aussi négligée. Surtout, il ne l'avait jamais vu aussi ému.

— Quand avez-vous su ? s'autorisa-t-il à demander.

— Cet après-midi.

— Comment l'avez-vous su ?

Avant de répondre, Pendergast commença par jeter un coup d'œil à travers la vitre alors que la Rolls tournait brusquement à gauche sur la 72e Rue en direction de Central Park. Il reposa le verre à cognac vide qu'il avait machinalement serré entre ses doigts jusque-là et prit sa respiration.

— Il y a douze ans de cela, lors d'un safari en Zambie, Hélène et moi avons été invités à tuer un lion mangeur d'homme. Un lion très particulier, doté d'une crinière rouge, ressemblant en tout point à un animal qui avait déjà fait des ravages, dans la même région, quarante ans plus tôt.

— Pourquoi s'être adressé à vous en particulier ?

— En partie parce que je disposais d'un permis de chasse professionnel, un document qui vous oblige à tuer tout animal menaçant la sécurité des villages sur simple demande des autorités locales, répliqua Pendergast tout en continuant à regarder par la fenêtre. Ce lion avait tué un Allemand dans un camp de touristes, et nous avons été appelés à la rescousse avec Hélène, depuis le camp où nous nous trouvions.

Il saisit machinalement la bouteille de cognac qu'il regarda avant de la ranger dans le minibar. La voiture filait à présent à travers Central Park dont les arbres déployaient leurs silhouettes décharnées dans la nuit.

— Le lion nous a foncé dessus de sa cachette et s'est rué sur le pisteur et moi. Hélène lui a tiré dessus au moment où il battait en retraite, et j'ai cru sur le moment qu'elle avait raté son coup. Elle s'est occupée du pisteur…

La voix de l'inspecteur se brisa et il lui fallut quelques instants pour reprendre contenance.

— Elle s'occupait du pisteur lorsque le lion a surgi une seconde fois et l'a emportée avec lui. C'est la dernière fois que je l'ai vue. Vivante, j'entends.

— Quelle horreur, balbutia D'Agosta, parcouru par un frisson.

— C'est aujourd'hui seulement que j'ai ouvert par hasard son fusil alors que je me trouvais dans la vieille plantation familiale en Louisiane. En examinant l'arme, je me suis aperçu que quelqu'un avait remplacé les cartouches par des balles à blanc ce matin-là, il y a douze ans. Elle n'a donc pas raté son coup, tout simplement parce que son fusil ne contenait pas de balles réelles.

— Saloperie! Vous en êtes certain?

Pendergast tourna la tête afin de regarder son compagnon dans les yeux.

— Vincent, est-ce que je serais ici à vous annoncer une horreur pareille si je n'étais pas absolument certain de ce que j'avance?

— Je suis désolé.

Le silence retomba, que le lieutenant finit par rompre:

— Et vous avez découvert la vérité cet après-midi seulement?

Pendergast hocha la tête d'un mouvement brusque.

— J'ai affrété un avion privé afin de revenir au plus vite.

La Rolls s'arrêta devant l'entrée du Dakota Building, située sur la 72e Rue. Pendergast descendit aussitôt et se dirigea vers le porche voûté devant lequel un gardien veillait dans sa guérite, sans se soucier des gouttes de pluie qui commençaient à s'écraser sur le trottoir. Courant à moitié, D'Agosta le suivit dans la cour, au milieu des plantations soigneusement entretenues et des fontaines au murmure léger, jusqu'à un étroit hall d'entrée situé dans un coin de la résidence. Pendergast appela l'ascenseur d'un doigt nerveux, les portes coulissèrent dans un soupir et les deux hommes se glissèrent dans la cabine en silence. Une minute plus tard, ils parvenaient sur un petit palier au fond duquel les attendait une porte dépourvue de serrure. Pendergast passa la main devant un capteur invisible et un léger claquement retentit. L'inspecteur poussa le battant et D'Agosta pénétra à sa suite dans un salon rose à l'éclairage tamisé dont l'une des parois, de marbre noir, servait de support à une chute d'eau.

Pendergast indiqua à son hôte l'un des canapés de cuir noir.

— Asseyez-vous. Je reviens tout de suite.

L'inspecteur s'éclipsa et D'Agosta, confortablement installé, scruta dans ses moindres recoins la pièce où flottait un parfum de fleurs de lotus, et arrêta son regard sur les bonsaïs. Les murs du bâtiment étaient si épais que les premiers grondement du tonnerre lui parvenaient à peine. Tout dans la pièce respirait la quiétude, mais le lieutenant était tout sauf serein, se demandant comment il allait présenter sa requête à son supérieur, sans même penser à Laura Hayward.

Dix bonnes minutes s'écoulèrent avant que Pendergast ne revienne dans la pièce, rasé de près, vêtu d'un costume noir sans un pli. Il ressemblait à nouveau au Pendergast toujours maître de lui-même que connaissait D'Agosta, mais sa nervosité restait palpable.

— Je vous remercie d'avoir patienté, Vincent, s'excusa l'inspecteur en lui faisant signe de l'accompagner.

D'Agosta s'engagea à sa suite dans un couloir interminable, éclairé chichement. Les deux hommes passèrent devant une bibliothèque, une pièce aux murs couverts de toiles de maître, un cellier à vin, et s'arrêtèrent devant une porte close que Pendergast ouvrit avec le même mouvement de la main que précédemment. La pièce était juste assez grande pour accueillir une table et deux chaises. Un coffre de banque, large de plus d'un mètre, occupait l'un des murs.

Pendergast invita son hôte à s'asseoir, puis il disparut dans le couloir avant de revenir quelques instants plus tard avec une mallette de cuir qu'il posa sur la table. Il en sortit une série d'éprouvettes ainsi que plusieurs flacons munis de bouchons de verre qu'il aligna soigneusement sur le bois poli. Un tremblement momentané agita brièvement les éprouvettes. Ce travail terminé, Pendergast s'approcha du coffre qu'il ouvrit après avoir tourné le cadran à cinq ou six reprises. La lourde porte blindée s'écarta et D'Agosta découvrit plusieurs rangées de tiroirs métalliques. Pendergast tira la poignée de l'un d'eux qu'il déposa sur la table, puis il s'assit en face de D'Agosta après avoir refermé le coffre.

L'inspecteur resta immobile un bon moment, jusqu'à ce qu'un grondement de tonnerre lointain l'arrache à ses pensées. Il tira de la mallette un mouchoir de soie blanc qu'il étala devant lui, puis il approcha le tiroir métallique, souleva le couvercle et prit à l'intérieur une touffe de poils rouges ainsi qu'une bague en or ornée d'un superbe saphir étoilé. Il commença par écarter la touffe de poils à l'aide d'une pince avant de saisir la bague avec un geste d'une telle tendresse que D'Agosta en eut les larmes aux yeux.

— C'est ce que j'ai pu récupérer des restes d'Hélène, expliqua-t-il, l'éclairage indirect mettant en relief ses traits tirés. C'est la première fois que j'y touche depuis douze ans: son alliance… ainsi que la touffe de poils qu'elle a arrachée à la crinière du lion pendant qu'il la dévorait. Je l'ai retrouvée serrée entre les doigts de sa main gauche, qui avait été sectionnée.

D'Agosta afficha une grimace.

— Que comptez-vous faire ? demanda-t-il.

— Simple intuition, répliqua l'inspecteur en débouchant successivement les flacons dont il tirait diverses poudres qu'il versait dans les tubes à essai.

S'aidant de la pince, il prit quelques-uns des poils rouges qu'il déposa un à un dans les éprouvettes. Enfin, il sortit de la mallette une petite bouteille de couleur brune, fermée par un compte-gouttes à l'aide duquel il déposa un peu de liquide dans chacun des tubes. Aucune réaction ne se produisit initialement, et ce n'est qu'en arrivant à la cinquième éprouvette que le liquide mystérieux vira soudainement au vert clair. Pendergast observa quelques instants la réaction, les yeux brillants, puis préleva avec une pipette quelques gouttes du liquide qu'il déposa sur un petit morceau de papier récupéré dans la mallette.

— Un pH de 3,7, murmura-t-il en examinant de près le papier. Exactement le genre d'acide doux nécessaire pour extraire de la feuille les molécules de lawsone.

— De quelle feuille parlez-vous ? s'enquit D'Agosta, perplexe. De quoi s'agit-il ?

Pendergast, fasciné par le morceau de papier, posa brièvement les yeux sur son compagnon.

— Je pourrais poursuivre les tests, mais cela ne servirait à rien. J'ai désormais la preuve que la crinière du lion qui a tué ma femme a été teinte artificiellement à l'aide de molécules extraites de la *lawsonia inermis*, plus connue sous le nom de henné.

— Du henné ? répéta D'Agosta. Vous voulez dire que quelqu'un a *teint en rouge* la crinière de ce lion ?

— Exactement, approuva Pendergast en levant à nouveau les yeux. Proctor va vous reconduire chez vous. Je vous accorde trois heures pour prendre vos dispositions, et pas une minute de plus.

— Je vous demande pardon ?

— Mon cher Vincent, nous partons pour l'Afrique !

8

D'Agosta, visiblement embarrassé, se tenait dans l'entrée du petit trois pièces qu'il occupait avec Laura Hayward. L'appartement était celui de la jeune femme, mais il avait réussi depuis quelque temps à partager le loyer avec elle, une victoire obtenue de haute lutte au terme de mois d'efforts. Restait à espérer que la nouvelle qu'il lui apportait ne vienne pas remettre en cause le fragile équilibre établi entre eux.

Il glissa un œil dans la chambre. Assise dans le lit, Hayward était plus belle que jamais, bien qu'il l'ait tirée d'un profond sommeil un quart d'heure plus tôt. La pendule posée sur la commode indiquait 5 h 50, D'Agosta avait du mal à croire que tout ait pu basculer aussi vite.

Elle posa les yeux sur lui, une expression impénétrable sur le visage.

— Alors c'est comme ça? Pendergast débarque de je ne sais où avec une fable incroyable et hop! tu te laisses embarquer à l'autre bout du monde.

— Laura, il vient de se rendre compte que sa femme a été assassinée, et je suis le seul à pouvoir l'aider.

— L'aider! Tu ferais mieux de t'aider toi-même, oui! Je te rappelle que tu viens tout juste de sortir du pétrin dans lequel tu t'es retrouvé à la suite de l'affaire de Diogène[1]. Un

---

1. Cette aventure est contée dans trois volumes de la série : *Le Violon du diable, Danse de mort* et *Le Livre des trépassés* (L'Archipel 2006, 2007 et 2008).

pétrin dans lequel Pendergast a largement contribué à te plonger, je te le rappelle.

— C'est mon meilleur ami, répliqua D'Agosta, conscient de la faiblesse de l'argument.

— Tu es incroyable! s'écria Hayward en faisant voler ses longs cheveux noirs d'un mouvement de tête. Je me couche au moment où tu pars sur une scène de meurtre tout ce qu'il y a de plus banal, et je te vois en train de préparer ta valise en me réveillant, sans que tu sois capable de me dire quand tu comptes revenir.

— Le plus vite possible, ma chérie. Je tiens à retrouver mon boulot, tu sais.

— Et moi, alors? Je compte pour du beurre? Je te signale qu'il n'y a pas que ton boulot que tu laisses en plan.

D'Agosta franchit le seuil de la chambre et s'assit sur le bord du lit.

— Laura, je t'ai promis de ne plus jamais te mentir, et je t'ai raconté tout ce que je savais. Tu es la personne qui compte le plus au monde pour moi.

Il prit sa respiration.

— Si tu me demandes de rester, je reste.

Elle le fusilla du regard pendant près d'une minute, puis ses traits se radoucirent et elle secoua la tête.

— Tu sais très bien que je ne ferais jamais ça. Je m'en voudrais de t'empêcher de remplir cette… cette mission.

Il lui saisit la main.

— Je te promets de revenir le plus vite possible et de te téléphoner tous les jours.

D'un doigt, elle se glissa une mèche rebelle derrière l'oreille.

— Tu as prévenu Glen?

— Non, j'arrive directement de chez Pendergast.

— Je te conseille de l'appeler tout de suite pour lui annoncer que tu prends un congé sans solde. Que comptes-tu faire s'il refuse?

— Je n'ai pas le choix.

La jeune femme rejeta les couvertures et posa le pied par terre. En découvrant ses jambes, D'Agosta sentit une bouffée de désir monter en lui. Comment pouvait-il abandonner sa compagne ne fût-ce qu'un jour? Sans même parler d'une semaine, d'un mois, d'une année?

— Je vais t'aider à boucler ta valise, proposa-t-elle.

Il s'éclaircit la gorge.

— Laura…

Elle lui mit un doigt sur la bouche.

— Pas un mot de plus, c'est mieux comme ça.

Il acquiesça.

Elle se pencha vers lui et posa un baiser délicat sur sa bouche.

— Je veux que tu me fasses une promesse.

— Tout ce que tu veux.

— Promets-moi d'être prudent. Je me fiche que Pendergast se fasse tuer dans cette histoire, mais je t'en voudrais terriblement s'il t'arrivait malheur. Et tu sais comment je suis quand je ne suis pas contente.

9

La Rolls, conduite par Proctor, ronronnait le long de la voie express Brooklyn-Queens. De l'autre côté de la vitre, D'Agosta regardait distraitement deux remorqueurs tirer une énorme péniche remontant l'East River avec sa charge de carcasses de voitures empilées les unes sur les autres. Tout était allé si vite qu'il avait du mal à réaliser ce qui lui arrivait. Avant de se rendre à l'aéroport JFK, Pendergast avait évoqué une dernière mission.

La voix de l'inspecteur le tira de sa rêverie.

— Je ne saurais trop vous préparer à trouver changée ma grand-tante Cornelia. Les médecins me disent que son état s'est grandement détérioré.

D'Agosta s'agita sur la banquette.

— Je ne suis pas certain d'avoir bien compris en quoi cette visite est indispensable.

— Il n'est pas impossible qu'elle puisse nous éclairer, d'autant qu'elle avait un faible pour Hélène. En outre, j'aurais souhaité l'interroger sur certains points précis de l'histoire de ma famille.

D'Agosta répondit par un grognement. L'idée de voir la grand-tante Cornelia ne l'enchantait guère. À vrai dire, il détestait cordialement cette vieille sorcière sanguinaire et ne conservait pas un souvenir très agréable des quelques fois où il était allé la voir à l'unité de psychiatrie criminelle de l'hôpital Mount Mercy. Mais tant qu'à travailler aux côtés de Pendergast, autant se laisser emporter par le courant.

La Rolls quitta la voie rapide, traversa un dédale de petites rues et franchit le pont étroit conduisant à Little Governor's Island avant de s'engager sur une route sinueuse traversant des prairies marécageuses parcourues d'écharpes de brume. Une double rangée de vieux chênes apparut de part et d'autre de la route, leurs branches squelettiques tordues vers le ciel, signalant l'entrée majestueuse d'une vieille propriété.

Proctor stoppa devant une guérite dont émergea un garde en uniforme.

— Vous avez fait vite, monsieur Pendergast, se contenta-t-il de déclarer en reconnaissant l'inspecteur à l'arrière de l'auto.

D'un geste, le garde signala à Proctor de passer, sans même prendre la peine de présenter le registre des visiteurs.

— Qu'est-ce qu'il a voulu dire? s'enquit D'Agosta en jetant un coup d'œil au garde.

— Aucune idée.

Proctor gara la Rolls dans le petit parking et ses deux passagers se dirigèrent vers le bâtiment. À peine franchie la porte d'entrée, D'Agosta s'étonna de ne découvrir personne derrière le majestueux bureau d'accueil, abandonné à la hâte. Les deux hommes attendaient que quelqu'un veuille bien se manifester lorsqu'une civière poussée par deux brancardiers surgit en crissant dans le couloir dallé de marbre, une silhouette recouverte d'un drap noir allongée dessus. Au même instant, une ambulance s'immobilisa lentement devant l'entrée du bâtiment, sirène et gyrophare éteints.

— Bonjour, monsieur Pendergast.

L'inspecteur se retourna et reconnut le docteur Ostrom. Le médecin attitré de la grand-tante Cornelia s'avança d'un pas vif, la main tendue, avec une expression proche de la consternation.

— C'est tout à fait... je m'apprêtais justement à vous appeler. Suivez-moi, je vous en prie.

Les deux hommes emboîtèrent le pas au médecin qui les précéda dans un couloir dont l'élégance passée avait cédé la place à une austérité tout hospitalière.

— J'ai de mauvaises nouvelles pour vous, poursuivit Ostrom tout en marchant. Votre grand-tante nous a quittés il y a une demi-heure à peine.

Pendergast s'arrêta net et ses épaules se voûtèrent tandis qu'il lâchait un long soupir. D'Agosta comprit que le corps qu'ils venaient de voir était celui de la vieille femme.

— Est-elle morte de causes naturelles? s'enquit l'inspecteur d'une voix monocorde.

— Plus ou moins. Je dois à la vérité de dire que ses délires étaient à leur comble depuis quelques jours.

Pendergast prit le temps de digérer l'information avant de réagir.

— À quel sujet délirait-elle?

— Rien de particulier, toujours les mêmes histoires de famille.

— Si cela ne vous dérange pas, je souhaiterais tout de même avoir davantage de précisions.

Ostrom sembla hésiter.

— Eh bien, elle croyait… elle était persuadée qu'un certain, euh… Ambergris allait venir à Mount Mercy afin de la punir des atrocités commises il y a longtemps.

Le petit groupe se remit en marche.

— A-t-elle donné des détails sur les atrocités en question? insista Pendergast.

— Elle affirmait toutes sortes de fariboles. Elle parlait de punir un enfant qui avait dit des gros mots en…

Le médecin hésita un instant avant de continuer.

— … en lui coupant la langue à l'aide d'un rasoir.

Pendergast accueillit la précision par un mouvement de tête curieux et D'Agosta sentit sa langue se recroqueviller dans sa bouche.

— Quoi qu'il en soit, poursuivit Ostrom, elle se montrait plus violente encore que d'habitude, de sorte qu'il a fallu l'attacher et lui administrer des calmants. Alors qu'approchait l'heure supposée de la visite de cet Ambergris, elle a brusquement été victime d'une série de crises et elle est morte. Ah, nous sommes arrivés.

Le médecin poussa la porte d'une petite chambre aveugle contenant quelques vieux tableaux et autres bibelots inoffensifs. Les cadres avaient été retirés, et les toiles étaient accrochées avec de la ficelle. D'Agosta embrassa du regard le lit, la table, les fleurs en tissu dans leur panier, une curieuse tache en forme de papillon sur le mur, et fut pris de pitié pour la vieille femme, en dépit de son passé meurtrier.

— Vous nous direz où envoyer ses effets personnels, reprit Ostrom. J'ai cru comprendre que ces tableaux avaient une grande valeur.

— En effet, approuva Pendergast. Je vous serai reconnaissant de les confier aux spécialistes de la peinture du XIXe siècle chez Christie's. Le produit de la vente alimentera vos bonnes œuvres.

— C'est extrêmement généreux de votre part, monsieur Pendergast. Souhaitez-vous une autopsie? La famille des patients qui meurent sous notre garde sont juridiquement autorisés à…

Pendergast le coupa d'un geste.

— Ce ne sera pas nécessaire.

— Et pour les funérailles?

— Il n'y en aura pas. Le notaire de la famille, maître Ogilvy, prendra langue avec vous afin de vous dire comment disposer de sa dépouille.

— Très bien.

Pendergast examina la pièce en donnant l'impression d'en mémoriser jusqu'au plus petit détail, puis il se tourna vers D'Agosta

— Vincent, dit-il d'une voix neutre. Nous avons un avion à prendre.

La tristesse infinie qui se lisait dans ses yeux détonnait sur son masque impassible.

10

Zambie

Le type qui les avait accueillis sur le petit aérodrome en terre battue, un personnage souriant avec des dents écartées, avait parlé d'un Land Rover. Cramponné à son siège, D'Agosta avait du mal à croire que ce véhicule sans vitres, sans toit, sans radio et sans ceintures de sécurité puisse mériter le nom d'automobile. Le capot était accroché à la calandre à l'aide de fil de fer et l'on apercevait la route à travers les trous de rouille du châssis.

Installé au volant, un Pendergast en pantalon et chemise kaki, un chapeau de safari Tilley sur le crâne, évita tant bien que mal un énorme nid-de-poule pour mieux tomber dans un autre, à peine plus petit. D'Agosta bondit sur son siège, serra les dents et se cramponna de plus belle à la poignée. *Quel enfer*, pensa-t-il. La chaleur était intenable et il avait de la poussière dans les oreilles, les yeux, le nez, les cheveux, et une multitude d'orifices microscopiques dont il n'avait jamais soupçonné l'existence jusqu'alors. Il faillit demander à Pendergast de ralentir avant de se reprendre en constatant que la mine de son compagnon se renfrognait à mesure qu'ils approchaient du lieu où sa femme avait trouvé la mort.

L'inspecteur réduisit légèrement l'allure à l'entrée d'un nouveau village, une simple succession de huttes de boue et de branchages écrasées par le soleil de midi. Il n'y avait pas l'électricité et un unique puits communal se dressait à la croisée de deux chemins, au milieu d'une nuée de cochons, de poules et d'enfants.

— Moi qui croyais que le Bronx était le comble de la misère, marmonna D'Agosta entre ses dents.

— Le camp de Nsefu n'est plus qu'à une quinzaine de kilomètres, répliqua Pendergast en enfonçant la pédale d'accélérateur.

La voiture franchit un autre nid-de-poule et D'Agosta se heurta violemment le coccyx en retombant sur son siège. Ses bras le démangeaient aux endroits où il avait été vacciné, la chaleur et la réverbération du soleil lui donnaient mal à la tête. La seule bonne nouvelle des dernières trente-six heures avait été la réaction de son supérieur, Glen Singleton. Le capitaine lui avait accordé le congé sans solde qu'il demandait sans question ou presque. On l'aurait dit soulagé par ce départ soudain.

Ils arrivèrent à Nsefu une demi-heure plus tard. Tandis que Pendergast garait le véhicule dans le petit parking improvisé derrière un bouquet d'arbres à saucisses, D'Agosta prit le temps d'examiner le camp, réservé aux amateurs de safaris-photos : les huttes proprettes recou-vertes de chaume, les grandes tentes identifiées par des écriteaux « Salle à manger » et « Bar », les allées en bois reliant les différents bâtiments entre eux, les toiles à l'ombre desquelles se reposaient, sur des méridiennes, une dizaine de touristes gras et repus, un appareil photo autour du cou. Des guirlandes de lumières pendaient le long des toits et un groupe électrogène ronronnait à l'écart, le tout dans une atmosphère colorée presque criarde.

— On se croirait à Disneyland, remarqua D'Agosta en descendant de voiture.

— Le cadre a beaucoup changé en douze ans, reconnut Pendergast d'un ton plat.

Ils restèrent là un moment à observer la scène, sans bouger, debout sous les arbres à saucisses. Il flottait dans l'air un parfum de bois brûlé, une forte odeur d'herbe écrasée, ainsi que de légers effluves d'animaux que D'Agosta ne parvenait pas à identifier. Au bourdonnement des insectes se mêlaient le ronronnement du groupe électrogène, le roucoulement des colombes et le grondement des eaux de la Luangwa toute proche. D'Agosta jeta un regard en direction de son compagnon : Pendergast semblait ployer sous un fardeau terrible et ses yeux brillaient d'un feu étrange tandis qu'il observait les alentours avec un curieux mélange d'excitation et d'angoisse, le muscle de la joue saisi d'un tic spasmodique. Se sentant observé, il se redressa et lissa sa veste safari, tout en conservant le même regard fiévreux.

— Suivez-moi, dit-il.

L'inspecteur passa à côté de l'aire de repos, longea la tente salle à manger et entraîna son compagnon jusqu'à un petit bâtiment à l'écart, protégé par un bosquet proche de la Luangwa. Un éléphant pataugeait jusqu'aux genoux dans les eaux boueuses de la rivière. Sous les yeux de D'Agosta, il aspira de l'eau par sa trompe et s'en aspergea le dos, puis leva sa tête ridée et poussa un long barrissement qui noya le vrombissement des insectes, l'espace d'un instant.

Le petit bâtiment réservé à l'administration du camp comprenait un bureau d'accueil extérieur, désert à cette heure, ainsi qu'une pièce principale dans laquelle un homme maigre et bronzé d'une cinquantaine d'années, aux cheveux clairs blanchis par le soleil, prenait consciencieusement des notes dans un cahier.

L'inconnu leva la tête en entendant approcher ses deux visiteurs.

— Oui, que puis-je…

Il s'arrêta net en apercevant Pendergast.

— Qui êtes-vous ? demanda-t-il en se levant.

— Je m'appelle Underhill, se présenta Pendergast, et voici mon ami Vincent D'Agosta.

L'homme dévisagea ses visiteurs l'un après l'autre.

— En quoi puis-je vous être utile ?

L'homme n'était pas habitué à voir débarquer des étrangers à l'improviste.

— Puis-je vous demander votre nom? s'enquit Pendergast.

— Rathe.

— Mon ami et moi-même avons fait un safari ici même il y a douze ans. Nous passions par la Zambie en nous rendant au camp de Mgandi, et nous avons décidé d'effectuer une petite halte, expliqua l'inspecteur avec un sourire glacial.

Rathe regarda par la fenêtre dans la direction du parking.

— Vous vous rendez à Mgandi?

Pendergast hocha la tête.

Rathe poussa un grognement et tendit la main à son interlocuteur.

— Désolé, mais avec tout ce qui se passe de nos jours, les incursions des rebelles et autres, il y a de quoi être nerveux.

— C'est fort compréhensible.

Le responsable du camp leur désigna les deux chaises en bois usées installées face à son bureau.

— Asseyez-vous, je vous en prie. Que puis-je vous offrir?

— Je ne refuserais pas une bière, réagit aussitôt D'Agosta.

— Bien sûr. Attendez-moi.

Rathe s'éclipsa et revint quelques instants plus tard avec deux bouteilles de bière Mosi. D'Agosta prit la bouteille qu'il lui tendait en marmonnant des remerciements et avala goulûment une gorgée.

— Vous êtes le gérant du camp? demanda Pendergast tandis que leur hôte se rasseyait.

Rathe fit non de la tête.

— Je suis l'administrateur. Le gérant s'appelle Fortnum, mais il n'est pas encore rentré, il est parti avec le groupe du matin.

— Fortnum, très bien, répliqua Pendergast en regardant autour de lui. J'imagine que le personnel a dû se renouveler depuis notre dernier passage. Le camp a totalement changé d'aspect.

Rathe lui adressa un sourire sans joie.

— Nous devons tenir compte de la concurrence. De nos jours, les gens ne se contentent plus du décor, il leur faut du confort.

— Je comprends, mais c'est dommage. Vous ne trouvez pas, Vincent? Nous espérions revoir certains des employés que nous avons connus.

D'Agosta acquiesça. Après cinq gorgées de bière, son gosier était à peine décrassé.

Pendergast fronça les sourcils en donnant l'impression de rassembler ses souvenirs.

— Qu'est devenu Alistair Woking? Toujours chef de district?

Rathe secoua la tête.

— Il est mort il y a quelque temps déjà. Je dirais au moins dix ans.

— Ah bon? Que lui est-il arrivé?

— Un accident de chasse, expliqua l'administrateur. Woking a voulu accompagner un groupe de chasseurs d'éléphants en tant qu'observateur et il a été tué par erreur d'une balle dans le dos. La faute à pas de chance.

— Comme c'est dommage, s'écria Pendergast. Et vous dites que le gérant actuel se nomme Fortnum? À l'époque où nous avons séjourné ici, le camp était dirigé par Gordon Wisley.

— Il est toujours vivant, il a pris sa retraite il y a deux ans. On dit qu'il vit comme un nabab sur la concession de chasse qu'il possède près des chutes Victoria, avec une armée de *boys* à ses pieds.

Pendergast se tourna vers son voisin.

— Dites-moi, Vincent. Vous souvenez-vous du nom de ce garçon qui portait nos armes?

D'Agosta, en toute honnêteté, répondit par la négative.

— Cela me revient. Wilson Nyala! Vous pensez qu'il est possible d'aller le saluer, monsieur Rathe?

— Wilson est mort au printemps dernier. Il a été emporté par la dengue.

Rathe fronça les sourcils avant d'enchaîner.

— Vous m'avez bien dit qu'il portait vos armes?

— Comme c'est triste, poursuivit Pendergast, feignant de n'avoir pas entendu. Et notre pisteur? Jason Mfuni?

— Jamais entendu parler, mais il faut dire que le personnel change constamment. Pour en revenir à Wilson, vous m'avez bien dit qu'il portait vos armes? Vous me voyez très étonné car le camp de Nsefu n'organise que des safaris-photos.

— Je vous l'ai dit, c'était une expédition mémorable.

Pendergast avait prononcé le mot avec un accent si sinistre que D'Agosta en eut froid dans le dos, malgré la chaleur.

Rathe, les sourcils toujours froncés, ne répliqua pas.

— Je vous remercie de votre hospitalité, ajouta Pendergast en se levant tandis que D'Agosta l'imitait. Vous dites que la concession de chasse de Wisley se trouve près des chutes Victoria? Comment s'appelle-t-elle?

— Ulani Stream, précisa Rathe en quittant son siège à son tour.

— Cela vous ennuie si nous allons nous promener dans le village?

— À votre guise, mais veillez à ne pas déranger les hôtes.

Pendergast sortit du bâtiment et regarda à gauche, puis à droite, comme pour s'orienter. Après une brève hésitation, il s'engagea sans un mot sur un petit chemin qui tournait le dos au camp et D'Agosta se lança à sa poursuite.

Le soleil cognait impitoyablement et le bourdonnement des insectes allait en s'amplifiant. Le petit chemin, protégé d'un côté par un mur dense de buissons et d'arbres, longeait la Luangwa.

— Où allons-nous? s'enquit D'Agosta, tout essoufflé, sa chemise kaki lui collant aux épaules et au dos.

— Dans la savane, à l'endroit où…

Pendergast laissa sa phrase en suspens.

— Pas de problème, je vous suis, grommela D'Agosta, la gorge nouée.

Pendergast s'immobilisa. Il se retourna et D'Agosta lut sur son visage une expression qu'il ne lui connaissait pas. Un mélange de chagrin, de regret et de lassitude. L'inspecteur toussota.

— Je suis vraiment désolé, Vincent, déclara-t-il à mi-voix. C'est un pèlerinage que je dois faire seul.

Son compagnon réprima un soupir de soulagement.

— Je comprends très bien.

Pendergast posa sur lui des yeux transparents en hochant la tête, puis il pivota sur ses talons et s'éloigna d'un pas raide, vite englouti par l'ombre du petit chemin.

11

Tout le monde ou presque semblait connaître la « ferme » Wisley. Celle-ci se trouvait à l'extrémité d'une piste bien entretenue au sommet d'une petite colline, au cœur des forêts situées au nord-ouest des chutes Victoria. Lorsque Pendergast arrêta son tacot aux abords du dernier virage, D'Agosta crut même percevoir le grondement des rapides dans le lointain.

Il jeta à Pendergast un regard en coin. Depuis qu'ils avaient quitté le camp de Nsefu quelques heures plus tôt, c'est tout juste si l'inspecteur avait prononcé trois mots. D'Agosta aurait pourtant aimé lui demander si sa virée dans la savane avait été riche d'enseignements, mais le mieux était encore de laisser venir Pendergast.

L'inspecteur redémarra et la maison leur apparut au détour du virage : une construction coloniale peinte en blanc, précédée par quatre colonnes trapues et entourée d'une véranda ouverte, dont des buissons d'azalées, de buis et de bougainvillées soigneusement taillés adoucissaient les lignes. Le terrain sur lequel s'élevait la propriété, grand de plus de deux hectares, donnait l'impression d'avoir été posé tel quel au milieu de la jungle. Une immense pelouse vert émeraude descendait en pente douce, parcourue par des parterres de roses de toutes les couleurs. Sans ces taches vives presque fluorescentes, on aurait pu se croire dans une banlieue chic de New York. De loin, D'Agosta crut distinguer des silhouettes sous la véranda.

— Ce vieux Wisley m'a tout l'air de s'être bien débrouillé dans la vie, grommela-t-il.

Pendergast approuva du menton sans quitter la maison des yeux.

— Tout à l'heure, ce Rathe a fait allusion aux garçons de Wisley, mais il n'a pas parlé de sa femme, poursuivit D'Agosta. Vous croyez qu'il est divorcé?

Pendergast lui répondit par un sourire glacial.

— Je ne suis pas certain que Rathe ait voulu parler des fils Wisley en usant du mot *boys*.

L'inspecteur poursuivit sa route jusqu'à la maison et coupa le moteur. Un gros homme d'une soixantaine d'années se prélassait dans un immense fauteuil en osier, les pieds sur un tabouret. Sa tenue de lin clair accentuait son apparence rubiconde et son crâne, orné d'une fine couronne de cheveux roux, évoquait celui d'un moine. L'homme trempa les lèvres dans un verre rempli de glaçons qu'il reposa avec un bruit sec sur une table basse, à côté d'une cruche à moitié pleine. Ses mouvements trahissaient l'exubérance maladroite que confère l'abus d'alcool. À côté de lui se tenaient deux Africains sans âge aux traits tirés, vêtus de chemises madras fatiguées. Le premier avait un torchon plié sur l'avant-bras, l'autre agitait lentement au-dessus du fauteuil un énorme éventail pourvu d'un long manche.

— C'est Wisley? demanda D'Agosta.

Pendergast acquiesça lentement.

— Il a terriblement mal vieilli.

— Et les deux autres? C'est ça, ses *boys*?

Pendergast approuva une nouvelle fois.

— Cet endroit semble avoir échappé à la réalité du XXᵉ siècle. Sans parler de celle du troisième millénaire.

Avec une lenteur calculée, Pendergast descendit de voiture et se planta de toute sa hauteur face à la maison.

De son fauteuil, Wisley battit des paupières à deux reprises. Ses yeux naviguèrent de D'Agosta à Pendergast et il ouvrit la bouche pour parler. Brusquement, son expression se figea et il afficha une mine horrifiée en reconnaissant l'inspecteur. Il poussa un juron et se leva péniblement de son fauteuil, faisant tomber au passage verre et pichet qui se brisèrent à ses pieds. D'une main, il attrapa au vol le fusil à éléphant posé contre la rambarde de la véranda, tira à lui la double porte munie d'une moustiquaire et se précipita à l'intérieur de la maison.

— J'ai rarement vu un coupable se trahir d'aussi belle façon, remarqua D'Agosta. Je ne sais... et merde!

Les deux serviteurs de Wisley venaient de se jeter sous la protection du muret de la véranda et un coup de feu éclata tout près, soulevant un nuage de poussière juste derrière Pendergast et son compagnon.

Les deux hommes se mirent à l'abri derrière leur voiture.

— C'est quoi ce merdier? s'exclama D'Agosta en sortant son Glock.

— Ne bougez pas, lui intima Pendergast avant de s'éloigner en courant, courbé en deux.

— Hé!

Une deuxième détonation traversa l'air et une balle se ficha dans la carrosserie du 4 × 4 avec un claquement métallique avant d'éventrer l'un des sièges. L'arme au poing, D'Agosta coula un regard en direction de la maison tout en se demandant où ce diable de Pendergast avait bien pu aller.

Il n'eut guère le temps d'aller plus avant dans sa réflexion alors qu'une troisième balle ricochait contre le châssis du véhicule. Il n'allait pas pouvoir tenir longtemps derrière un abri aussi précaire. Il attendit que son agresseur tire à nouveau pour passer la tête au-dessus du pare-chocs et viser le muret. Il allait presser la détente lorsqu'il vit Pendergast jaillir d'un buisson au pied de la véranda. À la vitesse de l'éclair, l'inspecteur sauta au-dessus du parapet, mit hors de combat le tireur d'une manchette au cou et menaça le collègue de celui-ci du canon de son pistolet. L'homme leva lentement les bras en l'air.

— Vous pouvez sortir, Vincent, appela Pendergast en récupérant l'arme qui gisait à côté de la forme inanimée du tireur.

Wisley s'était réfugié dans l'une des caves de la maison. Se voyant découvert, il tira avec son fusil à éléphant sans toucher quiconque, sans doute parce qu'il était trop soûl, ou bien sous l'effet de la peur. La puissance du recul l'envoya rouler sur le sol et Pendergast se précipita avant qu'il ait pu se ressaisir, immobilisant l'arme du pied tout en assenant deux coups au visage de son adversaire. Le second explosa le nez de Wisley dont la chemise immaculée se trouva immédiatement inondée de sang. Pendergast tira de la poche intérieure de sa veste un mouchoir qu'il tendit au vieil homme, puis il le prit par le bras et l'obligea à remonter l'escalier de la cave avant de le conduire jusqu'à la véranda, où il le poussa dans le fauteuil en osier.

Les deux domestiques, hébétés, n'avaient pas bougé et D'Agosta leur ordonna de déguerpir.

— Allez! Descendez l'allée en veillant à ce que je puisse vous voir, les mains sagement en l'air.

Pendergast, le Les Baer coincé dans sa ceinture, s'était posté derrière Wisley.

— Merci de votre accueil chaleureux, railla-t-il.

Wisley se tamponna le nez avec le mouchoir de l'inspecteur.

— Je vous ai confondu avec quelqu'un d'autre, répliqua-t-il avec un fort accent néo-zélandais.

— Bien au contraire, je vous félicite d'avoir une aussi bonne mémoire.

— Je n'ai rien à vous dire, mon vieux, bougonna Wisley.

Pendergast croisa les bras.

— Je ne vous le demanderai pas deux fois : qui a organisé le meurtre de ma femme?

— Je ne sais pas de quoi vous voulez parler, grommela le vieil homme derrière le mouchoir.

La bouche agitée d'un tic nerveux, Pendergast observa longuement son interlocuteur.

— Laissez-moi vous dire…, monsieur Wisley, reprit-il enfin. Je puis vous assurer, sans la moindre chance de me tromper, que vous finirez par me dire tout ce que vous savez. Libre à vous de choisir de répondre de votre plein gré, ou bien après avoir testé votre capacité de résistance à la douleur.

— Allez vous faire foutre.

Pendergast contempla le vieil homme avachi devant lui. D'un geste brusque, il l'obligea à se relever.

— Vincent, si vous voulez avoir l'amabilité de conduire M. Wisley jusqu'à notre véhicule.

Le lieutenant enfonça le canon de son arme dans le dos de Wisley. Il le poussa jusqu'au 4 × 4 et l'obligea à s'installer à côté du conducteur, puis il grimpa sur la banquette en prenant soin d'enlever les débris qui s'y trouvaient. Pendergast s'installa derrière le volant, mit le contact et redescendit l'allée qui bordait la pelouse et le jardin en technicolor de la propriété. L'auto passa devant les deux domestiques pétrifiés et s'enfonça dans la forêt.

— Où m'emmenez-vous? s'inquiéta Wisley en voyant disparaître la maison.

— Je ne sais pas, répondit Pendergast.

— Comment ça, vous ne savez pas? insista le vieil homme d'une voix qui avait perdu de son assurance.

— Je vous emmène en safari.

Le trajet se poursuivit en silence pendant un quart d'heure. Pendergast roulait tranquillement et les herbes hautes laissèrent bientôt place à la savane que traversait une large rivière aux eaux brunâtres et paresseuses. Deux hippopotames jouaient sur la berge boueuse, et une nuée de volatiles ressemblant à des cigognes prirent leur envol au passage de la voiture. Le soleil avait déjà entamé sa descente vers l'horizon et la chaleur de la mi-journée commençait à se dissiper.

Pendergast leva le pied de l'accélérateur et le 4 × 4 s'arrêta sur le bord de la route, freiné par les herbes.

— Ici, ce sera parfait, annonça-t-il.

D'Agosta jeta autour de lui des yeux étonnés. Rien ne différenciait l'endroit des paysages qu'ils traversaient depuis plusieurs kilomètres.

Son regard se figea soudainement. À moins d'un kilomètre, à l'écart de la rivière, une bande de lions s'acharnaient sur une carcasse, leur pelage fauve se confondant avec la végétation.

Tétanisé par la peur sur son siège, Wisley n'avait rien perdu de la scène.

— Si vous voulez bien vous donner la peine de descendre, monsieur Wisley, l'invita Pendergast d'une voix amène.

Comme leur prisonnier ne bougeait pas, D'Agosta lui posa le canon de son pistolet sur la nuque.

— Allez!

Wisley obtempéra lentement avec des gestes raides et D'Agosta descendit à son tour de voiture, peu rassuré à l'idée de côtoyer de si près une demi-douzaine de lions. Il n'avait jamais aspiré à observer un fauve autrement que dans le cadre rassurant du zoo du Bronx, avec deux solides rangées de grillage.

— Il s'agit d'une vieille proie, commenta Pendergast en agitant le canon de son arme en direction des fauves. J'imagine qu'ils doivent être affamés.

— Les lions mangent rarement les humains, tenta Wisley d'une voix angoissée, tout en continuant à éponger son nez à l'aide du mouchoir.

— Je ne leur demande pas de vous manger, monsieur Wisley, répliqua Pendergast. Ce serait la cerise sur le gâteau, si vous me passez l'expression. En revanche, ils n'hésiteront pas à vous attaquer s'ils croient leur proie menacée. Mais je ne vous apprends rien, n'est-ce pas?

Wisley garda le silence, hypnotisé par les lions.

Pendergast tendit le bras et lui arracha le mouchoir des mains, déclenchant une nouvelle hémorragie.

— Voilà qui devrait les intéresser.

Wisley lui lança un regard apeuré.

— Je vous en prie, ne les faites pas attendre, insista Pendergast en le poussant vers les fauves.

— Vous êtes complètement fou, glapit Wisley.

— Pas le moins du monde, et je vous rappelle que c'est moi qui vous tiens en respect, rétorqua Pendergast en pointant le canon du Les Baer vers lui. Allez!

Wisley hésita, puis il mit lentement un pied devant l'autre et se dirigea vers les lions à contrecœur sous la menace de l'arme. D'Agosta suivait les deux hommes à quelques mètres de distance. Serrés autour de la charogne, les lions les regardaient s'approcher.

Wisley avait parcouru une quarantaine de mètres à la vitesse d'un escargot lorsqu'il s'arrêta.

— Allons, monsieur Wisley! le pressa Pendergast.

— Je ne peux pas.

— Si vous n'avancez pas, je n'hésiterai pas à tirer.

La mâchoire de Wisley se mit à trembler.

— Vous aurez de la chance si vous arrivez à abattre une seule de ces bêtes avec votre pistolet, sans parler du reste de la bande.

— J'en ai conscience.

— Ils me tueront peut-être, mais ils ne vous épargneront pas pour autant.

— J'en ai également conscience, répondit calmement Pendergast en se retournant. Vincent, je ne saurais trop vous inciter à garder vos distances.

Il tira de sa poche les clés du 4 × 4 et les lança à son compagnon.

— Si l'aventure devait mal tourner, je vous conseille de vous éloigner.

— Vous êtes complètement idiot, ou quoi? s'indigna Wisley. Vous n'avez pas compris ce que je viens de vous dire? Vous risquez votre vie!

— Monsieur Wisley, épargnez-moi vos commentaires et avancez. J'ai horreur de me répéter.

Wisley refusait toujours de bouger.

— C'est la dernière fois que je vous le demande. Si vous ne repartez pas d'ici cinq secondes, je vous loge une balle dans le coude, ce qui ne vous empêchera pas d'avancer, tout en ayant le mérite d'exciter les lions.

Wisley avança d'un pas et s'arrêta. Il levait à nouveau la jambe lorsque l'un d'eux, un grand mâle avec une crinière fauve, se releva paresseusement en se léchant les babines, les yeux rivés sur ses étranges visiteurs. L'estomac de D'Agosta se contracta.

— C'est bon! murmura Wisley. C'est bon, je vais tout vous dire.

— Je suis tout ouïe.

Wisley tremblait de tous ses membres.

— Retournons d'abord nous mettre à l'abri dans la voiture.

— Cet endroit me convient fort bien et je vous conseille de ne pas vous perdre en circonlocutions inutiles.

— C'était un piège.

— Des détails, je vous prie.

— Je ne connais pas les détails, c'est Woking qui servait de contact.

Deux lionnes se levèrent à leur tour.

— Je vous en prie! Je vous en *prie* ! supplia Wisley. Je vais tout vous dire, mais retournons à la voiture!

Pendergast pesa le pour et le contre, puis il acquiesça.

Le chemin du retour s'effectua nettement plus rapidement et les deux hommes ne tardèrent pas à rejoindre D'Agosta dans la voiture. Au moment où celui-ci tendait les clés à Pendergast, il vit le mâle se diriger vers eux en marchant. L'animal accéléra en entendant Pendergast actionner le démarreur. Le moteur vrombit, Pendergast enclencha la première et le 4 × 4 démarra à l'instant précis où le lion arrivait à sa hauteur. Il poussa un rugissement et égratigna la carrosserie au passage. Le cœur au bord des lèvres, D'Agosta se retourna et vit le lion disparaître.

Le trajet se poursuivit pendant une dizaine de minutes sans que personne dise un mot. Pendergast se rangea enfin sur le bas-côté, descendit de voiture et ordonna à Wisley de l'imiter. Les deux hommes s'éloignèrent de quelques mètres, suivis par D'Agosta.

— À genoux, ordonna Pendergast à son prisonnier en brandissant le Les Baer.

Wisley s'exécuta et l'inspecteur lui tendit le mouchoir maculé de sang.

— Très bien. À présent, racontez-moi la suite.

Wisley tremblait toujours comme une feuille.

— Je… je ne sais presque rien. Il y avait deux types. Un Américain et un Européen. Un Allemand, peut-être. Ce sont… ce sont eux qui nous ont fourni le lion. Un lion dressé pour attaquer les humains. Ils avaient beaucoup d'argent.

— Comment se fait-il que vous connaissiez leurs nationalités?

— Je les ai entendus discuter avec Woking, derrière le réfectoire. La veille du jour où le touriste a été tué.

— À quoi ressemblaient-ils?

— Je ne les ai pas bien vus, c'était la nuit.

Pendergast prit le temps de réfléchir avant de continuer.

— Parlez-moi de Woking.

— C'est lui qui a organisé l'attaque contre le touriste allemand. Il savait où se cachait le lion, il a volontairement attiré le touriste dans la bonne direction en prétendant qu'il y avait des phacochères dans le coin.

Wisley avala sa salive.

— C'est… c'est lui aussi qui a donné l'ordre à Nyala de mettre des cartouches à blanc dans le fusil de votre femme.

— Nyala était dans le coup, lui aussi?

Wisley hocha la tête.

— Et Mfuni, le pisteur?

— Tout le monde était au courant.

— Vous dites que les commanditaires avaient beaucoup d'argent. Qu'en savez-vous?

— Ils nous ont très bien payés. Woking a perçu 50 000 dollars pour l'opération et moi… j'en ai reçu 20 000 pour les laisser agir et fermer les yeux.

— Un lion dressé?

— C'est ce qu'on m'a dit, il avait été dressé pour tuer sur ordre.

— Vous êtes certain qu'ils n'étaient que deux?

— Je n'ai entendu que deux voix.

Les traits de Pendergast se durcirent. D'Agosta, qui le connaissait bien, savait à quel prix il parvenait à préserver son sang-froid.

— Y a-t-il d'autres détails?

— Non, non. Rien du tout, je vous le jure. Nous n'en avons jamais reparlé.

— Fort bien.

Au moment où Wisley s'y attendait le moins, Pendergast l'agrippa par sa couronne de cheveux et lui colla le canon de son arme contre la tempe.

— Non! s'écria D'Agosta en posant la main sur le bras de l'inspecteur.

Pendergast se tourna vers lui et D'Agosta cilla en voyant la sauvagerie qui brillait dans le regard de son ami.

— Il ne faut jamais tuer un indic, poursuivit-il d'une voix volontairement calme et posée. Il a peut-être encore des secrets à nous révéler, sans compter que le gin tonic le tuera aussi sûrement que vous. Je peux vous dire que ce gros lard n'en a plus pour longtemps, inutile de vous salir les mains.

Pendergast hésita, puis il relâcha lentement les maigres cheveux roux de son prisonnier. L'ancien gérant du camp s'écroula à ses pieds et D'Agosta constata avec dégoût que sa vessie avait lâché.

Sans un mot, Pendergast remonta en voiture. D'Agosta prit place à côté de lui et le 4 × 4 s'éloigna en direction de Lusaka sans que ses passagers prennent la peine de se retourner.

Une demi-heure s'écoula avant que D'Agosta prenne la parole.

— Alors? Quelle est la suite?

— Le passé, répliqua Pendergast en regardant fixement la route. La suite nous entraîne dans le passé.

12

Savannah, Georgie

Whitfield Square somnolait paisiblement dans le jour déclinant de ce lundi ensoleillé. Les réverbères s'allumèrent, tirant de l'ombre les silhouettes des palmiers nains et des chênes centenaires aux branches torturées habillées de mousse espagnole. La moiteur caractéristique de cette région de Georgie apparaissait à D'Agosta comme une bénédiction après la chaleur insoutenable de l'Afrique centrale.

Pendergast s'avança sur la pelouse manucurée et le lieutenant lui emboîta le pas. Au centre de la place s'élevait un kiosque entouré de parterres fleuris sous lequel un couple de jeunes mariés et leurs invités posaient à la demande d'un photographe. Tout autour, des promeneurs avançaient d'une démarche paresseuse, contournant les bancs occupés par les amateurs de lecture. La nonchalance ambiante était telle que D'Agosta secoua machinalement la tête. La brutalité du décalage, géographique et culturel, entre la Zambie et ce haut lieu de l'hospitalité sudiste le laissait désemparé.

Pendergast s'immobilisa en désignant, de l'autre côté de Habersham Street, une grande maison victorienne aussi blanche et immaculée que ses voisines.

— Souvenez-vous, Vincent, recommanda-t-il à son compagnon en reprenant sa marche. Il n'est au courant de rien.

— Compris.

Ils traversèrent la rue et montèrent les quelques marches en bois du perron. Pendergast s'arrêta devant la porte et sonna. Quelques instants plus tard, une lampe s'allumait au-dessus de leurs têtes et la silhouette d'un inconnu proche de la cinquantaine apparut sur le seuil. D'Agosta l'examina avec curiosité. Grand et bel homme, les pommettes saillantes et les yeux sombres avec d'épais cheveux bruns, il était aussi bronzé que Pendergast était blanc.

L'homme tenait à la main un exemplaire du *Journal de neurochirurgie américaine*. Le soleil du soir dans les yeux, il plissa les paupières en tentant de distinguer le visage de ses visiteurs.

— Oui? demanda-t-il. Que puis-je pour vous?

— Judson Esterhazy, se contenta de prononcer Pendergast, la main tendue.

Esterhazy sursauta en affichant une mine à la fois surprise et ravie.

– Aloysius? s'écria-t-il. Mon Dieu, mon Dieu! Entrez, je vous en prie.

À l'invitation de leur hôte, les deux policiers franchirent un couloir bordé d'étagères remplies de livres jusqu'à un bureau d'un confort raffiné. L'éclairage mettait en valeur un mobilier de vieil acajou composé d'une commode, d'un bureau à cylindre, d'un râtelier et de bibliothèques. Le plancher était recouvert de splendides tapis persans et les fauteuils rembourrés respiraient le bien-être. Les diplômes du maître de maison, encadrés, étaient fixés à un mur face auquel s'ouvraient deux fenêtres, munies de rideaux élégants, donnant sur la place. Les sculptures africaines, les jades et autres bibelots anciens qui occupaient le moindre centimètre carré de surface plane, loin de donner l'impression d'encombrer l'espace, confirmaient le goût et la curiosité naturelle de leur propriétaire.

Pendergast se chargea des présentations et Judson Esterhazy, sans dissimuler sa surprise d'avoir affaire à un lieutenant du NYPD, serra chaleureusement la main de D'Agosta en le gratifiant d'un large sourire.

— Je m'attendais si peu au plaisir de vous voir, déclara-t-il. Que puis-je vous offrir? Du thé, de la bière, un bourbon?

— Un bourbon pour moi, mon cher Judson, accepta Pendergast.

— Comment le veux-tu?

— Sec.

— Et vous, lieutenant?

— Je préfère une bière, si ça ne vous dérange pas.

— Avec plaisir.

Tout sourire, Esterhazy se dirigea vers un bar aménagé dans un coin et commença par verser dans un verre une rasade de bourbon avant de s'excuser, le temps d'aller chercher la bière à la cuisine.

— Mon Dieu, Aloysius, s'exclama-t-il en rejoignant ses visiteurs. Depuis combien de temps ne s'est-on pas vus? Sept ans, peut-être?

— Huit.

D'Agosta se contenta de boire sa bière en assistant en spectateur à la conversation entre les deux amis. Pendergast lui avait expliqué en chemin qu'Esterhazy, neurochirurgien et chercheur émérite, après avoir connu la consécration sur le plan professionnel, offrait désormais ses services à divers hôpitaux de la région lorsqu'il ne voyageait pas d'un continent à l'autre pour le compte de Médecins Voyageurs, une ONG s'adressant aux populations du tiers-monde touchées par des cataclysmes. Grand sportif, Esterhazy était encore meilleur chasseur que sa sœur Hélène, à en croire Pendergast, ce que confirmaient les nombreux trophées accrochés aux murs. D'Agosta ne put s'empêcher de penser que médecine et chasse constituaient un mélange curieux.

— Raconte-moi un peu ce qui t'amène dans le Sud, reprit Esterhazy de sa voix bien timbrée. Si tu es sur une enquête, je compte sur toi pour me fournir les détails les plus sordides, plaisanta-t-il.

Pendergast masqua son hésitation en portant le verre de bourbon à ses lèvres.

84

— Judson, je ne vois pas comment t'annoncer la nouvelle autrement. Je suis ici à cause d'Hélène.

Le médecin, brusquement grave, afficha une mine étonnée.

— Hélène? Que veux-tu dire?

Pendergast avala une nouvelle gorgée de bourbon avant de répondre.

— J'ai appris tout récemment que sa mort n'était pas un accident.

Esterhazy, pétrifié, posa des yeux ronds sur son beau-frère.

— Que veux-tu dire?

— Je veux dire que ta sœur a été assassinée.

Esterhazy se leva lentement, les traits défaits. Tournant le dos à ses visiteurs, il s'approcha de l'un des rayonnages, saisit le premier bibelot qui passait à sa portée, le retourna à plusieurs reprises entre ses mains et le reposa à sa place. Après être resté un long moment immobile, il s'approcha du bar et se versa d'une main tremblante une généreuse rasade de bourbon avant de retourner s'asseoir.

— Te connaissant, Aloysius, il est inutile de te demander si tu es sûr de ce que tu avances, dit-il à mi-voix.

Pendergast hocha la tête.

L'expression d'Esterhazy changea du tout au tout. Livide, il serrait et desserrait les poings.

— Que vas-tu… que peut-on…?

— Avec l'aide de Vincent, j'ai l'intention de retrouver celui ou ceux qui sont responsables de ce crime, et de veiller à ce que justice soit faite.

Esterhazy releva la tête.

— Je veux être présent. Je veux être là le jour où l'assassin de ma petite sœur rendra compte de ses actes.

Pendergast ne répondit pas.

La colère rentrée du médecin, par son ampleur froide, était effrayante. Effondré dans son fauteuil, les yeux brillants, il laissait courir son regard de tous côtés.

— Comment l'as-tu appris?

Pendergast lui détailla rapidement les événements récents. Malgré son émoi, Esterhazy l'écoutait d'une oreille attentive. Le récit de son beau-frère achevé, il se leva afin de se servir un autre verre.

— Je croyais…

Pendergast marqua une pause avant de reprendre.

— Je croyais très bien connaître Hélène, mais il faut croire que je ne savais pas tout d'elle. Et puisque nous avons vécu ensemble la majeure partie de ses deux dernières années sur cette terre, j'en suis arrivé à la conclusion que le secret qui l'a tuée était enfoui dans son passé. Je viens ici requérir ton aide.

Esterhazy hocha la tête en touchant son front.

— Aurais-tu la plus petite idée de qui aurait pu lui en vouloir ? Un ennemi ? Un concurrent ? Un ancien amant ?

Esterhazy, les mâchoires serrées, ne répliqua pas immédiatement.

— Hélène était une fille… formidable. Elle respirait la bienveillance et le charme. Elle n'avait *aucun* ennemi. Tous ceux qui ont fait leurs études avec elle au MIT l'adoraient.

Pendergast acquiesça.

— Et après l'obtention de son diplôme ? Pouvait-elle avoir des rivaux au sein de Médecins Voyageurs ? Un collègue jaloux de sa promotion, par exemple ?

— MV ne fonctionne pas du tout de cette façon-là. Tout le monde se serre les coudes et il n'y a guère de place pour les ego surdimensionnés. Elle était très appréciée là-bas.

Esterhazy eut un temps d'arrêt avant d'ajouter, la gorge nouée.

— Je peux même dire qu'elle était très aimée.

Pendergast s'enfonça dans son fauteuil.

— Elle a effectué plusieurs missions de recherche au cours des mois qui ont précédé sa disparition. C'est du moins ce qu'elle m'avait affirmé, tout en restant très vague. Avec le recul, je trouve cela curieux, d'autant que MV s'occupe davantage d'action humanitaire que de recherche. Je regrette de ne pas avoir insisté à l'époque, mais toi qui es médecin, aurais-tu une idée de la nature exacte de ces missions?

Esterhazy prit le temps de réfléchir avant de secouer la tête.

— Désolé, Aloysius. Elle ne m'a rien dit de particulier. Elle adorait se rendre dans des contrées lointaines, comme tu le sais, et tout ce qui avait trait à la recherche médicale la fascinait. C'est d'ailleurs pour cette raison qu'elle avait rejoint les rangs de MV.

— Votre famille, peut-être? suggéra D'Agosta. Des rivalités, des frustrations liées à l'enfance, des conflits larvés?

— Tout le monde aimait Hélène, déclara Esterhazy. Il m'arrivait même d'être un peu jaloux de sa popularité. Non, je ne vois rien de particulier. Nos parents sont morts il y a plus de quinze ans, de sorte que je suis le seul survivant.

Il sembla hésiter.

— Oui? le pressa Pendergast en se penchant en avant.

— Ça n'a sans doute aucun rapport, mais c'est vrai qu'elle a vécu une histoire d'amour assez... malheureuse avec un goujat, bien avant de te connaître.

— Je t'écoute.

— C'était au moment de sa première année de thèse. Elle est arrivée un week-end avec le type en question, qu'elle avait connu au MIT. Un grand blond aux yeux bleus, soigné de sa personne, du genre sportif en tenue de tennis et pull ras du cou. Un fils de la grande bourgeoisie anglosaxonne de Manhattan, avec une villa sur Fisher's Island, tu vois le style. Si j'ai bonne mémoire, il se destinait à une carrière dans une banque d'affaires quelconque.

— Te souviens-tu de son nom?

Le médecin fronça longuement les sourcils.

— Flûte... je ne me rappelle plus.

— Pourquoi parles-tu d'une histoire d'amour malheureuse?

— Il souffrait d'un problème d'ordre sexuel. Hélène ne s'est pas étendue, mais il avait des comportements pervers.

— Que s'est-il passé?

— Elle l'a laissé tomber. Il l'a poursuivie pendant un moment en la harcelant de lettres et de coups de téléphone, mais je ne crois pas que ce soit allé plus loin et elle n'en a plus entendu parler. C'était six ans avant votre rencontre et neuf ans avant sa disparition, ajouta-t-il en balayant l'air de la main. Je doute que ça puisse avoir un rapport.

— Tu ne te souviens vraiment pas de son nom?

Esterhazy se prit la tête entre les mains.

— Frank quelque chose... Je suis sûr qu'il se prénommait Frank, mais je suis infoutu de me souvenir de son nom de famille. Pour peu que je l'aie su.

Un silence interminable enveloppa les trois hommes.

— D'autres détails? demanda enfin Pendergast.

Esterhazy secoua la tête.

— Je n'arrive pas à croire que quelqu'un ait pu en vouloir à Hélène.

Un nouveau silence menaçait de s'installer, que Pendergast rompit en désignant une gravure ancienne d'une chouette blanche perchée sur une branche.

— Il s'agit d'un Audubon?

— Oui, mais ce n'est malheureusement pas un original, répondit Esterhazy en posant les yeux sur le cadre. C'est curieux que tu en parles.

— Pour quelle raison?

— Cette gravure se trouvait dans la chambre d'Hélène quand nous étions enfants. Elle passait des heures à la contempler chaque fois qu'elle était malade. Le travail d'Audubon la fascinait, mais ce n'est pas à toi que je vais l'apprendre. Je l'ai gardée en souvenir d'elle.

L'espace d'une fraction de seconde, D'Agosta crut lire de la surprise sur le visage de Pendergast. Ce dernier laissa s'écouler un nouveau silence avant de reprendre la parole.

— Aurais-tu quoi que ce soit d'autre à me dire sur la période qui a précédé ma rencontre avec Hélène?

— Elle travaillait en permanence. Elle s'est également passionnée un temps pour l'alpinisme, au point de passer ses week-ends dans les Gunks.

— Les Gunks?

— C'est le surnom qu'on donne à la chaîne des monts Shawangunk. Elle vivait à New York, à l'époque. Hélène a toujours adoré voyager. Elle s'est rendue au Burundi, en Inde ou encore en Éthiopie avec Médecins Voyageurs, mais elle voyageait aussi pour son plaisir, par goût de l'aventure. Je me souviendrai toujours de la fois où je suis tombé sur elle, il y a quinze ou seize ans, en train de préparer sa valise pour New Madrid!

— New Madrid? s'étonna Pendergast.

— Un patelin paumé du Missouri. Elle n'a jamais voulu me dire pourquoi elle se rendait là-bas, prétendant que je me moquerais d'elle. Hélène était quelqu'un de très secret, à sa façon. Tu es bien placé pour le savoir.

D'Agosta observa son compagnon du coin de l'œil, surpris que leur hôte insistât une nouvelle fois sur ce point. Il ne connaissait personne de plus secret que Pendergast.

— Je voudrais vraiment pouvoir t'aider. Si jamais le nom de son ancien petit ami me revient, je ne manquerai pas de te prévenir.

Pendergast se leva.

— Je te remercie, Judson. C'était très aimable à toi de nous recevoir de la sorte. Je suis sincèrement désolé de t'avoir révélé la vérité de manière aussi crue, mais je vois mal comment j'aurais pu m'y prendre autrement.

— Je comprends très bien.

Le médecin raccompagna ses visiteurs jusqu'à la porte.

— Avant de te laisser partir…, dit-il d'une voix hésitante.

L'espace d'un instant, l'émotion qu'il s'efforçait de contenir depuis de longues minutes céda la place à une expression curieuse. D'Agosta n'aurait pas su dire si elle trahissait le chagrin, l'angoisse, ou la haine.

— N'oublie pas ce que je t'ai dit tout à l'heure. Je tiens absolument à…

— Judson, s'empressa de le couper Pendergast en lui prenant la main. Laisse-moi agir. Je comprends fort bien les sentiments qui t'animent, mais de grâce, *laisse-moi agir.*

Le front barré par un pli, le médecin acquiesça sèchement.

— Je te connais, insista Pendergast d'une voix douce et ferme. Je te le demande instamment, ne cherche pas à te venger.

Esterhazy prit longuement sa respiration, à deux reprises. Comme il ne répondait rien, Pendergast lui adressa un léger signe de tête et franchit le seuil de la maison.

La porte refermée, Esterhazy, debout dans l'obscurité, mit plus de cinq minutes à retrouver une respiration normale, puis il regagna son bureau. Il s'approcha du râtelier d'un pas décidé, tira de sa poche une clé qu'il fit tomber deux fois tant ses mains tremblaient, puis il la glissa dans la serrure. Ouvrant la porte vitrée, il caressa lentement sa collection de fusils avant d'arrêter son choix sur un Holland & Holland Nitro Express de calibre 470 muni d'une lunette Leupold VX-III. Il sortit l'arme, la manipula longuement, puis il la rangea à sa place et verrouilla soigneusement le râtelier.

Pendergast pouvait dire tout ce qu'il voulait, il avait la ferme intention de prendre l'affaire en main. Judson Esterhazy le savait de longue date : pour qu'une affaire soit traitée efficacement, on ne pouvait compter que sur soi-même.

13

La Nouvelle-Orléans

Pilotant la Rolls-Royce d'une main sûre, Pendergast
s'engagea sur le parking privé de Dauphine Street, violemment éclairé par une batterie de réverbères à vapeur
de sodium. Le gardien, un personnage aux oreilles épaisses,
les yeux soulignés de larges valises, remonta la barrière
et tendit un ticket à Pendergast qui le coinça dans le
pare-soleil.

— Au fond à gauche, emplacement 39! beugla le gardien avec un accent à couper au couteau.

Pris de scrupules, il jaugea la Rolls de ses yeux globu-
leux.

— Prenez plutôt la 32, elle est plus grande. Et on n'est
pas responsables si y a des dégâts. Vous feriez peut-être
mieux de vous garer au parking qui se trouve sur Toulouse.
C'est un garage couvert.

— Je vous remercie, mais je préfère celui-ci.

— C'est vous qui voyez.

Pendergast manœuvra le lourd véhicule à travers les
rangées de voitures et rejoignit l'emplacement indiqué
par l'employé avant de descendre, imité par D'Agosta.
Le parking était vaste, mais il y régnait une atmosphère
oppressante du fait des vieux immeubles disparates qui
l'encerclaient. La nuit d'hiver était douce et des bandes
de jeunes gens, pour certains armés de bières dans des

gobelets en plastique, remontaient la rue d'une démarche hésitante en s'apostrophant bruyamment entre deux éclats de rire. Une rumeur où se mêlaient cris, klaxons et jazz Dixieland parvenait assourdie jusqu'aux deux policiers.

— Bienvenue dans le Quartier français, expliqua Pendergast en s'adossant contre la carrosserie de la Rolls. Nous sommes tout près de Bourbon Street, la vitrine des turpitudes morales de ce pays.

Il huma longuement la nuit et l'ombre d'un sourire indéfinissable éclaira son visage blafard.

Comme il ne bougeait pas, D'Agosta le questionna :

— On y va ?

— Dans un instant, Vincent.

Pendergast ferma les yeux et s'emplit à nouveau les poumons comme pour mieux s'imprégner de l'atmosphère du lieu, tandis que D'Agosta s'armait de patience, conscient qu'il lui en faudrait beaucoup s'il entendait supporter les sautes d'humeur et les idiosyncrasies de son compagnon. La route avait été longue et fatigante depuis Savannah et D'Agosta était affamé. Il aurait donné n'importe quoi pour une bonne bière, et la vue des fêtards avec leurs gobelets mousseux n'était pas pour améliorer son humeur.

N'y tenant plus, il s'éclaircit la gorge et son voisin souleva les paupières.

— Je croyais qu'on allait voir votre baraque. Ou plutôt ce qu'il en reste.

— En effet, acquiesça Pendergast. Nous nous trouvons dans l'un des secteurs les plus anciens de Dauphine Street, au cœur du Quartier français. Le *véritable* Quartier français.

D'Agosta lui répondit par un grognement. À l'autre extrémité du parking, le gardien observait leur manège avec suspicion.

— Tenez ! poursuivit Pendergast en désignant un bâtiment. Cette charmante maison de style néo-grec, par exemple, a été construite par l'un des premiers grands architectes de La Nouvelle-Orléans, James Gallier père.

92

— En attendant, ils l'ont transformé en Holiday Inn, remarqua D'Agosta à la vue du néon de l'établissement.

— Quant à cette splendide demeure, là-bas, il s'agit de la maison Gardette-Le Prêtre. Elle a été érigée par un dentiste originaire de Philadelphie, à l'époque où la ville se trouvait sous domination espagnole. Un planteur du nom de Le Prêtre l'a rachetée en 1839 pour plus de 20 000 dollars, une somme considérable à l'époque. Les Le Prêtre en sont restés propriétaires jusque dans les années 1970, mais la famille avait malheureusement connu le déclin… À ma connaissance, l'immeuble a été transformé depuis en résidence de luxe.

— D'accord, acquiesça mollement D'Agosta en voyant du coin de l'œil le gardien s'approcher, le visage fermé.

— De l'autre côté de la rue se trouve le vieux cottage créole habité un temps par John James Audubon et sa femme, Lucy Bakewell. Il abrite aujourd'hui un curieux petit musée.

— 'Scusez-moi, s'interposa le gardien en observant ses étranges clients à travers des paupières mi-closes. Interdiction de traîner dans le coin.

— Toutes mes excuses! répliqua Pendergast en sortant de sa poche un billet de cinquante dollars. J'avais oublié de vous proposer la légère compensation d'usage. Simple négligence de ma part. Laissez-moi vous féliciter de votre vigilance.

Un grand sourire illumina le visage du gardien.

— Mais je ne voulais pas… en tout cas, ça fait plaisir, monsieur, dit-il en empochant le billet. Vous pouvez rester là tant que vous voulez.

L'homme regagna sa guérite en hochant la tête d'un air radieux, mais Pendergast ne semblait pas décidé à bouger. Les mains dans le dos, il tournait entre les voitures en observant les façades qui l'entouraient, à la façon d'un visiteur de musée, à la fois pensif et perdu, le visage habité par une expression indéfinissable. D'Agosta peinait à dissimuler son irritation.

— Et si on allait visiter votre ancienne maison? osa-t-il enfin demander.

Pendergast se tourna vers lui.

— Mais c'est déjà fait, mon cher Vincent, murmura-t-il.

— Comment ça?

— Nous y sommes. C'est ici que se trouvait Rochenoire.

D'Agosta, la gorge nouée, observa soudain le parking d'un œil neuf. Une petite brise projeta à ses pieds un détritus luisant de graisse. Un chat miaula, quelque part dans la nuit.

— Après l'incendie de la maison, reprit Pendergast, les sépultures qui se trouvaient dans les cryptes ont été transférées sur notre plantation de Penumbra, les souterrains ont été comblés et les ruines passées au bulldozer. L'endroit est resté en friche pendant de nombreuses années, jusqu'à ce que je loue le terrain aux gérants de ce parking.

— Vous voulez dire que vous êtes toujours propriétaire de ce terrain?

— Les Pendergast ne cèdent jamais leurs propriétés.

— Ah.

Pendergast se retourna.

— Rochenoire était située à l'écart, protégée de la rue par un jardin. Il s'agissait à l'origine d'un monastère, un solide bâtiment orné de bow-windows, habillé de créneaux et surmonté d'un belvédère, le tout dans un style néogothique en rupture avec l'architecture environnante. Ma chambre se trouvait au coin du premier étage, de ce côté-ci, précisa-t-il en tendant le doigt. L'une de mes fenêtres dominait le cottage Audubon, avec une vue plongeante jusqu'au fleuve. Quant à la seconde, elle donnait sur la maison Le Prêtre. Ah, les Le Prêtre! Combien d'heures ai-je pu passer à les regarder s'agiter derrière leurs fenêtres dont ils ne tiraient jamais les rideaux. Pour le jeune garçon que j'étais, ce fut une véritable éducation en matière de dysfonctionnements relationnels.

— C'est donc dans le petit musée Audubon qui se trouve de l'autre côté de la rue que vous avez connu Hélène?

demanda D'Agosta, désireux de ramener la conversation à la préoccupation du moment.

Pendergast hocha la tête.

— Il y a quelques années de cela, à l'occasion d'une exposition, je leur ai prêté un recueil de gravures grand format appartenant à ma famille, et ils ont eu la courtoisie de me convier à l'inauguration. Ils rêvaient depuis longtemps d'avoir entre les mains un exemplaire de cet ouvrage que mon arrière-grand-père avait acheté directement à Audubon.

Pendergast marqua un temps d'arrêt. L'éclairage du parking accentuait le côté spectral de son visage.

— À peine entré dans le petit musée, j'ai remarqué la présence, à l'autre bout de la pièce, d'une jeune femme qui m'observait.

— Le coup de foudre?

Pendergast lui répondit par son étrange sourire fantomatique.

— C'était comme si le monde s'était brusquement évaporé, engloutissant avec lui l'humanité tout entière. Elle offrait une vision saisissante, tout de blanc vêtue, ses yeux d'un bleu proche de l'indigo étoilé de paillettes violettes. Une vision précieuse, et même unique de mon point de vue. Elle s'est approchée, s'est présentée et m'a pris la main avant même que j'aie pu recouvrer mes sens...

Il eut une légère hésitation.

— Il n'y avait chez Hélène aucune fausse timidité; elle était la seule personne en qui je pouvais avoir implicitement toute confiance.

La voix de Pendergast se voila et il garda le silence quelques instants avant de reprendre:

— À part vous, peut-être, mon cher Vincent.

D'Agosta, surpris de ce compliment inattendu, balbutia un remerciement.

— Mais voilà que je me laisse aller à une nostalgie de mauvais aloi, reprit Pendergast d'une voix coupante. Il nous faut sans doute traquer la vérité dans le passé, mais cela ne nous autorise pas à nous y vautrer. Cela dit, il me semblait important, pour vous comme pour moi, de choisir ce lieu comme point de départ.

— Notre point de départ, répéta D'Agosta. Dites-moi, Pendergast...

— Oui?

— Puisque vous parlez du passé, il y a une question que je me pose depuis longtemps. Quels que soient les coupables, pourquoi se sont-ils donné autant de mal?

— Je ne suis pas certain de vous suivre.

— Se procurer un lion dressé, mettre en scène la mort de ce photographe allemand pour mieux vous attirer au camp de Nsefu avec Hélène, soudoyer tous ces comparses. Une opération aussi complexe a dû coûter une fortune, sans parler du temps qu'il aura fallu pour la mettre sur pied. Pourquoi ne pas feindre un enlèvement, ou même un accident de la route ici, à La Nouvelle-Orléans? C'était tellement plus facile si on voulait la...

Il n'acheva pas sa phrase.

Pendergast réfléchit un petit moment avant de hocher lentement la tête.

— Vous avez raison. C'est extrêmement curieux. Mais n'oubliez pas ce que nous a précisé notre ami Wisley. Il affirmait avoir entendu l'un des conspirateurs s'exprimer en allemand, et le touriste jeté en pâture au lion était également allemand. Il est possible que ce premier meurtre n'ait pas été une simple diversion.

— J'avais oublié ce détail, avoua D'Agosta.

— Cela justifierait la complexité et le coût de l'affaire. Quoi qu'il en soit, Vincent, je vous propose de laisser provisoirement de côté cet aspect du problème. Je reste convaincu qu'il nous faut en apprendre davantage sur Hélène.

Il tira de sa poche un document qu'il tendit à son compagnon.

Le lieutenant déplia la feuille et découvrit une adresse, rédigée de l'écriture élégante de Pendergast:

12 Mechanic Street
Rockland, Maine

— De quoi s'agit-il? s'enquit D'Agosta.
— Le passé, Vincent. Ceci est l'adresse de l'endroit où elle a grandi. C'est à vous que je confie cette tâche. Une autre m'attend… ici même.

14

Plantation Penumbra, Louisiane

— Puis-je vous proposer une autre tasse de thé, monsieur?

— Non merci, Maurice.

En dépit des circonstances, Pendergast contemplait avec un certain contentement les restes du dîner qu'il s'était fait servir de bonne heure : du succotash, des pois cassés et du jambon avec de la sauce aux yeux rouges[1]. De l'autre côté des hautes fenêtres de la salle à manger, le crépuscule noyait sous un voile d'ombre les silhouettes des cyprès et des sapins du Canada, tandis qu'un oiseau moqueur invisible interprétait une partition complexe.

Pendergast s'essuya la commissure des lèvres à l'aide d'une serviette de lin et se leva de table.

— Maintenant que me voici rassasié, vous serait-il possible de m'apporter la lettre qui est arrivée pour moi cet après-midi?

— Certainement, monsieur.

Maurice quitta la pièce et revint quelques instants plus tard en tenant à la main une enveloppe fatiguée sur laquelle

---

1. Le succotash est un plat populaire traditionnel américain réalisé à partir de grains de maïs et de fèves de Lima. Quant à la *red-eye gravy*, la « sauce aux yeux rouges » caractéristique de la cuisine cajun, il s'agit des restes de cuisson du jambon rôti au four, souvent mélangés à du café noir et épaissis à l'aide de farine. (*N.d.T.*)

plusieurs adresses successives avaient été barrées. À en juger par le cachet de la poste, la missive avait mis près de trois semaines avant de parvenir à destination. Même s'il n'avait pas reconnu instantanément l'écriture à l'ancienne de l'expéditeur, les timbres de Chine auraient suffi à signaler à Pendergast qu'il s'agissait d'une lettre de Constance Greene, sa pupille, réfugiée dans un monastère reculé du Tibet avec le petit garçon dont elle avait récemment accouché. À l'aide de son couteau, il déchira l'enveloppe dont il tira un seul feuillet.

Cher Aloysius,

Je ne connais pas exactement la nature de vos problèmes actuels, mais j'ai rêvé que vous seriez bientôt en danger, si vous ne l'êtes pas déjà. Aux yeux des dieux, nous ne valons guère mieux que ces mouches dont s'amusent les jeunes garçons en les écrasant par désœuvrement.

Je ne tarderai pas à rentrer. Soyez rassuré, j'ai la situation bien en main, et le reste suivra.

Je vous accompagne par la pensée. Vous êtes dans mes prières ou, plutôt, le seriez si j'étais femme à prier.

Constance

Pendergast relut la lettre, le front barré d'un pli.

— Un souci, monsieur? s'inquiéta Maurice.

— Je ne saurais vous dire, répondit distraitement Pendergast.

Il reposa brusquement l'enveloppe et se tourna vers le serviteur.

— Quoi qu'il en soit, Maurice, j'aurais aimé que vous acceptiez de me rejoindre dans la bibliothèque.

Le vieil homme s'arrêta net alors qu'il débarrassait la table.

— Je vous demande pardon, monsieur?

— Je pensais que nous aurions pu partager un verre de sherry digestif, histoire de discuter ensemble du bon vieux temps. Je me sens d'humeur nostalgique.

L'expression de Maurice refléta le caractère incongru de la proposition.

— Je vous remercie, monsieur. Le temps de finir de nettoyer la table.

— Fort bien. J'en profiterai pour me rendre à la cave, en quête de quelque bonne bouteille poussiéreuse.

La bouteille, un Hidalgo Oloroso Viejo VORS, se révéla infiniment meilleure que bonne. Pendergast commença par aspirer quelques gouttes du nectar afin d'en apprécier toute la complexité. L'attaque était boisée et fruitée, avec une longueur en bouche remarquable. Maurice prit place sur une ottomane face à lui, de l'autre côté d'un vieux tapis de Kashan en soie, raide comme la justice dans son uniforme de majordome.

— Le sherry vous convient-il? demanda Pendergast.

— Il est délicieux, monsieur, répondit le vieil homme en trempant les lèvres dans son verre.

D'un coup d'œil, Pendergast embrassa la pièce au plafond craquelé de fissures, aux centaines de volumes qui moisissaient sur leurs rayonnages.

— Maurice, je voudrais vous remercier d'avoir su veiller pendant tant d'années sur cette vieille propriété de famille.

— Tout le plaisir était pour moi, maître, dit le vieil homme.

— Je souhaiterais vraiment que vous me permettiez d'embaucher quelqu'un pour vous assister.

Le visage ridé de Maurice se ferma.

— Je suis tout à fait capable d'assurer seul ma charge, monsieur. Je vous remercie.

— À votre guise, laissa tomber Pendergast. Buvez votre sherry, Maurice. Cela vous aidera à chasser cette mauvaise humidité.

Maurice obtempéra.

— Désirez-vous que je mette une autre bûche dans l'âtre, monsieur?

Pendergast fit non de la tête, puis il reprit son examen de la pièce.

— C'est curieux comme le seul fait de me trouver ici est évocateur de souvenirs.

— Je n'en doute pas, monsieur.

D'un doigt, Pendergast montra au majordome un énorme globe terrestre sur son support en bois.

— Je me rappelle par exemple m'être violemment disputé avec la nurse au sujet de l'Australie. J'affirmais qu'il s'agissait d'un continent alors qu'elle n'y voyait qu'une île.

Maurice acquiesça.

— Et la splendide série d'assiettes en vieux Wedgwood rangées au-dessus de cette bibliothèque, poursuivit Pendergast en désignant une étagère. Mon frère et moi avions décidé de reconstituer l'assaut des troupes romaines lors du siège de Silvium. La catapulte construite à cet effet par Diogène s'est révélée un peu trop efficace. Le tout premier projectile a atterri directement sur l'étagère. Privés de chocolat chaud pendant un mois.

— J'en garde le souvenir intact, monsieur, approuva Maurice en vidant son verre.

Le sherry produisait son effet et Pendergast s'empressa de remplir à nouveau les deux verres.

— Non, non, Maurice. J'insiste, dit-il en voyant le vieux serviteur hésiter.

Maurice hocha la tête en murmurant des remerciements.

— Cette pièce a toujours été le centre névralgique de la maison, enchaîna Pendergast. C'est ici qu'a eu lieu la fête organisée lorsque je suis sorti de l'école Lusher avec les honneurs. C'est également ici que grand-père révisait ses discours. Assis face à lui, nous simulions les réactions du public en applaudissant et en sifflant. Vous souvenez-vous?

— Comme si c'était hier.

Pendergast but quelques gouttes de sherry.

— Et c'est ici que s'est tenue la réception, après la célébration de mon mariage dans le jardin.

— Oui, monsieur.

Sous l'effet de l'alcool, la réserve du vieil homme commençait à fondre, ainsi que l'indiquait sa position moins guindée sur l'ottomane.

— Hélène aussi adorait cette pièce.

— Oh, absolument.

— Je me souviens qu'elle aimait passer ses fins de journée ici, à travailler ou rattraper la lecture des revues scientifiques qu'elle accumulait.

Un sourire pensif illumina brièvement le visage de Maurice.

Pendergast regarda à la lumière le contenu couleur d'automne de son verre.

— Nous avons passé des heures ici, sans parler, savourant le plaisir d'être ensemble.

Il laissa le silence s'installer, avant d'ajouter, très innocemment :

— Lui arrivait-il de vous parler de ce qu'elle avait vécu avant de me rencontrer ?

Maurice but les dernières gouttes restées au fond de son verre et posa celui-ci avec beaucoup de délicatesse sur une table basse.

— Non. C'était une personne d'une grande discrétion.

— Quel est le meilleur souvenir qu'elle vous ait laissé ?

Maurice prit le temps de réfléchir avant de répondre.

— Sa réaction chaque fois que je lui portais une tisane de cynorhodon.

Cette fois, ce fut au tour de Pendergast de sourire.

— C'est vrai, c'était son infusion préférée. Elle ne s'en lassait jamais, au point qu'une odeur de cynorhodon flottait en permanence dans cette bibliothèque.

Il renifla l'air, sans y trouver d'autre parfum que celui de la poussière et de l'humidité, mêlé à celui du sherry.

— Je m'en veux d'avoir été absent si fréquemment. Je me suis souvent demandé comment Hélène occupait son temps dans cette vieille bâtisse traversée de courants d'air lorsque j'étais en déplacement.

— Elle voyageait elle-même régulièrement pour son travail, monsieur. Mais il est vrai qu'elle passait le plus clair de son temps ici. Vous lui manquiez tellement.

— Vraiment? Elle aura toujours cherché à m'épargner en affichant un visage insouciant.

Pendergast se releva pour remplir les verres et c'est tout juste si le majordome protesta pour la forme.

— Lors de vos absences, je pouvais être certain de la trouver ici, reprit Maurice. À regarder les oiseaux.

Pendergast afficha un air interloqué.

— Les oiseaux?

— Mais oui, monsieur. L'ouvrage préféré de votre frère avant que… avant l'arrivée des mauvais jours. Le livre contenant toutes ces gravures d'oiseaux, celui qui se trouve là-bas.

D'un mouvement de tête, il montra à son interlocuteur le tiroir du bas d'une vieille armoire en châtaignier.

Pendergast fronça les sourcils.

— Vous voulez parler du volume grand format contenant les gravures d'Audubon?

— Celui-là même, monsieur. Elle était prise au point de ne pas même remarquer ma présence lorsque je venais lui porter son infusion. Elle restait des heures à tourner les pages de ce livre.

Pendergast posa son verre d'un geste brusque.

— Vous a-t-elle jamais parlé de cette passion pour Audubon? Vous posait-elle des questions à ce sujet, par exemple?

— Parfois, monsieur. L'amitié de votre arrière-arrière-grand-père avec Audubon était pour elle sujet de fascination. C'était un vrai plaisir de la voir s'intéresser d'aussi près à la famille.

— Vous voulez parler de grand-père Boethius?

— Lui-même, monsieur.

— Quand ces conversations ont-elles eu lieu, Maurice? s'enquit Pendergast après un moment de silence.

— Je dirais, peu après votre mariage, monsieur. Elle a demandé à voir ses papiers.

Pendergast reprit son verre et y trempa les lèvres, l'air songeur.

— De quels papiers s'agissait-il?

— Ceux qui se trouvent précisément dans le même tiroir que le recueil de gravures. Quand elle ne regardait pas le livre, elle passait son temps à consulter tous ces vieux documents.

— Vous a-t-elle expliqué pourquoi?

— Je suppose qu'elle admirait ces gravures d'oiseaux. Il est vrai qu'elles sont magnifiques, monsieur Pendergast, précisa Maurice en savourant son sherry. Mais... n'est-ce pas ainsi que vous l'avez rencontrée? Au musée Audubon de Dauphine Street?

— En effet, à l'occasion d'une exposition de ces mêmes gravures. À l'époque, elle ne s'y intéressait pas vraiment, elle m'a avoué être venue là en sachant qu'il y aurait du vin blanc et du fromage.

— Vous le savez aussi bien que moi, monsieur. Les femmes préservent jalousement leurs petits secrets.

— Ça m'en a tout l'air, répliqua Pendergast dans un murmure.

15

Rockland, Maine

En temps ordinaire, la Taverne du Vieux Loup de Mer
aurait séduit Vincent D'Agosta par sa simplicité : un bar de
quartier sans prétention, pratiquant des prix raisonnables
à l'intention d'une clientèle populaire. À ceci près que
les circonstances de sa venue dans ce lieu n'avaient rien
d'ordinaire. Il s'était rendu dans pas moins de quatre villes
différentes en l'espace de quatre jours, passant d'un avion à
une voiture. Laura Hayward lui manquait, il était au bord de
l'épuisement, le Maine au mois de février ne correspondait
pas exactement à sa conception du bonheur, et la perspec-
tive de boire des bières avec les pêcheurs du cru n'était pas
pour l'enchanter.

D'Agosta n'allait pourtant pas y couper, son séjour
à Rockland s'étant révélé infructueux jusque-là. La maison
d'enfance d'Hélène avait changé de propriétaires à plusieurs
reprises depuis que les Esterhazy l'avaient quittée vingt ans
auparavant. Seule une vieille fille des environs se souvenait
encore de ses anciens voisins, et elle s'était empressée de lui
claquer la porte au nez. Le journal local, consulté à la bibliothèque municipale, ne faisait nulle mention des Esterhazy
et les archives de la commune avaient uniquement gardé
la trace du versement annuel de la taxe foncière. De quoi
dégoûter ceux qui croyaient encore que les petites villes sont
les ultimes bastions des racontars et des commérages.

En désespoir de cause, D'Agosta avait fini par se rabattre sur cette taverne donnant sur le port où traînaient les vieux loups de mer de la ville. L'établissement ne payait pas de mine, un vieux bâtiment goudronné coincé entre deux entrepôts à l'entrée du quai réservé aux bateaux de pêche. On annonçait l'arrivée imminente d'un grain, les premières bourrasques de neige soufflaient du large, un vent violent secouait l'océan en faisant voler les vieux journaux le long du rivage. *Bon Dieu, mais qu'est-ce que je fous dans ce trou?* bougonna intérieurement D'Agosta. Il connaissait pourtant la réponse à sa question. *Je suis désolé de vous envoyer là-bas,* lui avait expliqué Pendergast, *mais je suis trop impliqué dans cette affaire pour effectuer mon travail d'enquêteur avec l'objectivité et le recul requis.*

L'intérieur de l'établissement était sombre, il y régnait une odeur de renfermé, de poisson frit et de bière rance. Le temps de s'accoutumer à la mauvaise lumière et D'Agosta s'aperçut que les rares occupants de la pièce, le patron derrière son bar et quatre clients en caban ou ciré, s'étaient arrêtés de parler afin de l'observer. Un repaire d'habitués. Au moins la température était-elle acceptable, grâce à un poêle à bois installé au milieu du café.

Le lieutenant se hissa sur un tabouret à l'extrémité du bar, adressa un signe de tête au patron, commanda une Bud qu'il but en restant le plus discret possible. La conversation reprit progressivement et il comprit rapidement que les quatre clients, tous pêcheurs, se plaignaient de la saison, comme de juste.

Tout en buvant, il examina le décor ambiant : des mâchoires de requin, des pinces de homard géantes, des photos de bateaux punaisées aux murs, des filets de pêche munis de flotteurs en verre soufflé accrochés au plafond, le tout patiné par le temps, la fumée de cigarette et la crasse.

Il vida sa bière, en commanda une autre qu'il entama en estimant qu'il était temps de passer à l'attaque.

— Mike, dit-il en appelant le patron par le prénom que lui donnaient les autres. C'est ma tournée. Pour vous aussi.

Le dénommé Mike le dévisagea longuement, puis il tira les bières en grommelant un vague merci, imité par les pêcheurs.

D'Agosta avala une lampée de Bud, conscient que le meilleur moyen de se fondre dans un lieu tel que celui-ci était encore de lever le coude.

— Je me demandais si quelqu'un pourrait m'aider, se lança-t-il en se raclant la gorge.

Cinq paires d'yeux se braquèrent sur lui, entre curiosité et suspicion.

— Vous aider comment ? questionna un type grisonnant que les autres appelaient Hector.

— Je cherche des gens qui habitaient autrefois dans le coin. Les Esterhazy.

— C'est quoi votre nom, monsieur ? s'informa Ned, un pêcheur d'à peine plus d'un mètre cinquante avec des avant-bras comme des poteaux télégraphiques, le visage buriné par le soleil et les embruns.

— Martinelli, mentit D'Agosta.

— Vous êtes flic ? s'inquiéta Ned en fronçant les sourcils.

D'Agosta secoua la tête.

— Enquêteur privé. C'est pour un héritage.

— Un héritage ?

— Une assez grosse somme d'argent. J'ai été chargé par le notaire de retrouver les Esterhazy qui sont encore en vie.

Les cinq hommes gardèrent le silence, le temps de digérer l'information. Le mot *argent* avait suffi à allumer des lueurs de convoitise dans les yeux de tous.

— Allez, Mike, une autre tournée, commanda D'Agosta en vidant la moitié de son verre. Le notaire a prévu un petit dédommagement pour ceux qui lui permettront de retrouver la trace des héritiers.

Les pêcheurs se lancèrent des coups d'œil furtifs.

— Personne ne sait rien ? insista D'Agosta.

— Y a plus un seul Esterhazy en ville, marmonna Ned.

— Y a plus un seul Esterhazy dans toute la région, insista Hector. Ça risque pas, après ce qui est arrivé.

— Pourquoi? Que s'est-il passé? s'enquit D'Agosta en feignant l'indifférence.

Les hommes échangèrent un regard.

— Je sais pas tout, mais ils ont quitté la ville sans demander leur reste, ajouta Hector.

— Ils avaient enfermé une vieille tante à moitié folle dans le grenier, expliqua un troisième pêcheur. Fallait bien, elle s'était mise à tuer les chiens de la ville pour les bouffer. Les voisins disaient qu'ils l'entendaient gueuler, elle réclamait de la viande de chien.

— Arrête ton char, Gary! s'écria le patron en riant. Tu regardes trop de films d'horreur à la télé. C'était pas la tante qui hurlait, c'était la femme. Une vraie harpie.

— En fait, enchaîna Ned, la femme a tenté d'empoisonner son mari. Elle a mis de la strychnine dans ses céréales.

Le patron secoua la tête.

— Tu ferais mieux de reprendre une bière, Ned. Non, j'ai entendu dire que le père avait perdu tout son fric à la Bourse. C'est pour ça qu'ils ont fichu le camp, ils avaient des dettes partout.

— Sale histoire, conclut Hector en vidant son verre. Très sale histoire.

— Quel genre de gens était-ce? demanda D'Agosta.

Plusieurs des pêcheurs posèrent un regard assoiffé sur les bières qu'ils avaient éclusées en un temps record.

— Une autre, Mike, s'empressa d'ajouter D'Agosta.

— Il paraît que le père était un sacré salopard, reprit Ned en acceptant le verre qu'on lui tendait. Il battait sa femme avec du câble électrique. C'est pour ça qu'elle l'a empoisonné.

À mesure que les minutes s'écoulaient, les histoires rapportées par les pêcheurs prenaient une ampleur incroyable.

— C'est pas ce que j'ai entendu dire, intervint le patron. C'est la femme qui était folle. Ils avaient tous peur d'elle, dans la famille. Ils marchaient sur des œufs pour pas risquer de la voir péter un plomb. Et le père était tout le temps absent, il passait son temps à voyager. En Amérique du Sud, je crois bien.

À en croire Pendergast, le père était médecin, mais D'Agosta n'en savait pas davantage.

— La police a ouvert une enquête?

Le lieutenant connaissait déjà la réponse à sa propre question, pour avoir consulté les archives locales. Les Esterhazy n'avaient jamais eu affaire à la police. Pas le moindre incident à signaler, domestique ou autre.

— Ils avaient un fils et une fille, c'est bien ça?

La question fut accueillie par un court silence.

— Le fils était bizarre, dit Ned.

— Arrête, le contredit Hector. C'était le major de sa promo.

L'information méritait d'être vérifiée. À condition que le lycée ait conservé des archives de cette époque.

— Et la fille? Comment était-elle?

Les pêcheurs haussèrent les épaules.

— Aucune idée de l'endroit où je pourrais les trouver?

Nouvel échange de regards.

— Je crois que le fils s'est installé quelque part dans le Sud, annonça le patron. Aucune idée de ce qu'est devenue la fille.

— Esterhazy, c'est pas un nom courant. Vous devriez peut-être essayer sur Internet, suggéra Hector.

D'Agosta comprit qu'il n'obtiendrait rien de plus probant, à moins de vouloir collectionner les rumeurs contradictoires et les conseils inutiles. Il venait surtout de s'apercevoir que l'effet des bières ingurgitées commençait à se manifester.

Il se leva en veillant bien à s'appuyer au bar.

— Je vous dois?

— Trente-deux dollars cinquante, répondit Mike.

D'Agosta posa deux billets de vingt sur le comptoir.

— Merci de votre aide. Bonne soirée.

— Et la récompense alors? s'inquiéta Ned.

D'Agosta se retourna.

— Ah oui, la récompense. Je vous laisse mon numéro de portable. Si jamais vous repensez à un détail précis, n'hésitez pas à m'appeler. On ne sait jamais.

Prenant une serviette en papier sur le bar, il y griffonna son numéro de téléphone.

Les pêcheurs lui adressèrent un petit signe de tête et Hector agita même la main.

D'Agosta remonta le col de son manteau, ouvrit la porte et s'éloigna dans le vent glacial, d'une démarche mal assurée.

16

La Nouvelle-Orléans

17 heures. L'heure préférée de Desmond Tipton.
Les portes refermées et soigneusement barricadées, les
visiteurs partis, chaque objet à sa place. Un court répit
de trois heures avant que les touristes déferlent sur
le Quartier français comme les hordes mongoles de
Gengis Khan, investissent les bars et les clubs de jazz en
descendant des sazeracs[1] à n'en plus finir. Tous les soirs,
mal protégé par les murs du musée Audubon, Tipton
entendait leurs beuglements alcoolisés et leurs vagisse-
ments infantiles.

Ce soir-là, il avait décidé de nettoyer la statue en cire
de celui dont ce lieu honorait le nom, John James Audubon.
Un diorama en taille réelle présentait le célèbre naturaliste assis dans son bureau, près de la cheminée, un carnet
d'esquisses à la main, en train de dessiner l'oiseau empaillé
(un tangara écarlate) posé devant lui. Armé d'un plumeau
et d'un mini-aspirateur, Tipton enjamba la barrière de plexiglas et entreprit d'aspirer la poussière sur les vêtements
d'Audubon avant de passer à la barbe et aux cheveux et
d'épousseter son visage de cire.

---

1. Célèbre cocktail de La Nouvelle-Orléans, originellement à base
de cognac et d'absinthe, aujourd'hui réalisé avec du rye whiskey et
de l'anis. (*N.d.T.*)

Croyant entendre du bruit, il éteignit le petit aspirateur. Quelqu'un frappait à la porte.

Agacé, Tipton remit l'appareil en route, bien décidé à ne pas se laisser déranger, mais la même main insistante continuait de frapper. Il y avait droit presque chaque soir, des crétins imbibés qui tambourinaient à la porte après avoir vu la plaque du musée. Le phénomène s'accentuait avec le temps, de moins en moins de visites dans la journée, de plus en plus de fêtards qui toquaient à sa porte. Seuls les quelques mois qui avaient suivi Katrina lui avaient apporté un semblant de répit.

L'inconnu insistait, frappant plus fort, méthodiquement.

Tipton se débarrassa de son mini-aspirateur, franchit la barrière de plexiglas et se dirigea vers l'entrée du musée sur ses jambes arquées, percluses de rhumatismes.

— C'est fermé! cria-t-il à travers le lourd battant de chêne. Allez-vous-en ou j'appelle la police!

— Est-ce vous, monsieur Tipton? lui répondit une voix étouffée.

Le vieil homme fronça ses sourcils de neige, éberlué. Qui cela pouvait-il bien être? En journée, les visiteurs ne prêtaient jamais attention à lui, d'autant qu'il s'appliquait soigneusement à éviter tout contact avec eux, assis derrière son bureau, tout à ses recherches.

— Qui est-ce? demanda-t-il, mal revenu de sa surprise.

— Serait-il possible de continuer cette conversation à l'intérieur, monsieur Tipton? La soirée est fraîche.

Tipton eut une dernière hésitation, puis il déverrouilla la porte et découvrit une haute silhouette en costume sombre. D'une pâleur de spectre, le visiteur insolite posait sur lui deux yeux argentés qui brillaient dans la pénombre. Tipton sursauta en reconnaissant instantanément son interlocuteur.

— Monsieur… Pendergast? balbutia-t-il dans un murmure.

— Lui-même.

L'intrus s'avança et serra brièvement la main du vieil homme qui le regardait fixement, les yeux écarquillés.

— Puis-je? s'enquit Pendergast en désignant la chaise installée face au bureau de Tipton.

Ce dernier hocha la tête et Pendergast s'assit nonchalamment en jetant une jambe au-dessus de l'autre. Tipton contourna le bureau et se laissa tomber sur son fauteuil.

— On dirait que vous venez de voir un fantôme, remarqua Pendergast.

— C'est-à-dire, monsieur Pendergast...

Tipton, troublé, marqua une pause avant de poursuivre sa pensée.

— C'est-à-dire que je croyais... il me semblait que votre famille avait disparu... je ne savais pas...

Il n'alla pas plus loin.

— Les bruits qui courent sur ma disparition sont grandement exagérés.

Tipton glissa deux doigts dans la poche de gilet de son costume trois-pièces miteux et tira un mouchoir avec lequel il épongea son front moite.

— Ravi de vous voir, absolument ravi, marmonna-t-il en s'épongeant encore.

— Tout le plaisir est pour moi.

— Si je puis me permettre, qu'est-ce qui vous amène par ici?

Tipton tentait des efforts désespérés pour recouvrer son calme. Depuis un demi-siècle qu'il était le conservateur du musée Audubon, il avait appris à connaître le clan Pendergast. Jamais il ne se serait attendu à voir débarquer l'un d'eux en chair et en os. Il avait conservé un souvenir photographique de cette nuit terrible au cours de laquelle la propriété avait brûlé : la foule déchaînée, les hurlements s'échappant des étages, les flammes qui s'élevaient dans la nuit... Ce qui ne l'avait pas empêché d'éprouver un certain soulagement lorsque les membres survivants de la famille avaient quitté la région. Les Pendergast lui avaient toujours donné froid dans le dos, surtout le frère de son visiteur, le très étrange Diogène. Il avait entendu dire qu'il était mort en Italie. Mais on racontait aussi qu'Aloysius avait disparu, ce qui n'avait rien de surprenant : la famille Pendergast portait en elle tous les signes d'une extinction programmée.

— Je passais juste m'assurer de l'état de nos terres, de l'autre côté de la rue. Me trouvant dans le quartier, j'ai tenu à venir présenter mes hommages au vieil ami que vous êtes. Comment se porte le musée, ces temps-ci ?

— Vos terres ? Vous voulez…

— Tout à fait. Le parking sur lequel se dressait autrefois Rochenoire. Je ne me suis jamais résolu à vendre le terrain, pour des raisons… *sentimentales.*

Pendergast souligna le mot d'un léger sourire.

Tipton hocha la tête.

— Bien sûr, bien sûr. Pour en revenir au musée, vous savez, monsieur Pendergast, le quartier n'est plus ce qu'il était. Les visiteurs se font de plus en plus rares.

— J'ai été le premier frappé par le changement, mais je me réjouis de constater que le musée Audubon n'a pas pris une ride.

— Je m'y efforce.

Pendergast se leva, les mains derrière le dos.

— Vous permettez ? J'ai bien conscience que nous sommes en dehors des heures d'ouverture, mais j'aurais été ravi de pouvoir visiter votre royaume, en souvenir du bon vieux temps.

Tipton jaillit de son siège.

— Naturellement ! Vous voudrez bien excuser l'état du diorama, j'étais précisément en train de le nettoyer.

Le vieil homme était mortifié à l'idée d'avoir abandonné le mini-aspirateur sur les genoux de l'Audubon de cire, à côté du plumeau, comme si un petit farceur s'était amusé à transformer l'auguste personnage en femme de ménage.

— Avez-vous conservé le souvenir de cette exposition, il y a quinze ans, pour laquelle je vous avais prêté notre recueil de gravures grand format ?

— Bien sûr.

— Je me rappelle un vernissage très réussi.

— Absolument.

114

Tipton s'en souvenait même très bien, il avait suffisamment tremblé en voyant tout ce petit monde circuler au milieu de ses précieuses collections, un verre de vin blanc à la main. Une soirée d'été magnifique, une nuit de pleine lune, de surcroît, même s'il était trop occupé pour y prêter attention. La seule et unique exposition de toute sa carrière de conservateur.

Pendergast se dirigea d'une démarche nonchalante vers les salles suivantes, prenant le temps d'admirer dans leurs vitrines les gravures, les croquis, les oiseaux, les lettres et les esquisses, autant de reliques attachées au génie d'Audubon. Tipton ne le quittait pas d'une semelle.

— Saviez-vous que j'ai rencontré ma femme lors de ce fameux vernissage?

— J'avoue que je l'ignorais, monsieur Pendergast, répondit Tipton, dont le malaise contrastait avec l'excitation inattendue de son visiteur.

— Hélène, c'est-à-dire ma femme, se passionnait pour l'œuvre d'Audubon.

— En effet, oui.

— Lui est-il arrivé de visiter le musée, par la suite?

— Souvent, monsieur Pendergast. Avant comme après.

— *Avant?*

La question, posée d'une voix tranchante, prit Tipton de court.

— Mais oui. Elle venait ici très régulièrement, dans le cadre de ses recherches.

— Ses recherches, répéta Pendergast. Cela se passait longtemps avant notre rencontre?

— Je dirais au moins six mois avant l'exposition. Peut-être plus. C'était une jeune femme charmante. J'ai été extrêmement choqué en apprenant…

— Je comprends, le coupa Pendergast dont les traits s'étaient brièvement durcis.

Ce Pendergast est décidément un drôle d'oiseau, pensa Tipton. *Comme tous les autres*. La Nouvelle-Orléans est célèbre dans le monde entier pour son extravagance, mais l'excentricité des Pendergast dépassait les bornes.

— J'avoue n'avoir jamais bien compris ce qui la poussait à s'intéresser à Audubon, poursuivit Pendergast. Pourriez-vous m'en dire davantage?

— Un peu, concéda Tipton. Elle se préoccupait notamment du séjour qu'il a effectué ici en 1821, en compagnie de Lucy.

Pendergast s'immobilisa devant une vitrine plongée dans l'obscurité.

— Étudiait-elle un élément particulier? En prévision d'un article, peut-être, ou d'un livre?

— C'est plutôt à vous qu'il faudrait poser la question, vous la connaissiez mieux que moi, mais je me souviens qu'elle m'a interrogé à plusieurs reprises sur le *Cadre noir*.

— Le *Cadre noir*?

— Un tableau fantôme très célèbre, peint lors du séjour d'Audubon à l'hôpital.

— J'avoue mon inculture en la matière. Qu'en est-il de ce tableau?

— Audubon a contracté une grave maladie à l'époque où il était jeune homme, et il a profité de sa convalescence pour réaliser une toile. La première œuvre majeure de sa carrière, perdue par la suite. Curieusement, tous ceux qui l'ont vue n'ont jamais précisé ce qu'elle représentait, se contentant de remarquer à quel point le tableau était vivant et d'évoquer le cadre noir dans lequel il se trouvait. Le sujet de l'œuvre se sera perdu dans les oubliettes de l'histoire.

Emporté par son sujet, Tipton en oubliait provisoirement sa nervosité.

— Hélène s'y est intéressée?

— C'est le cas de tous ceux qui se passionnent pour Audubon. Ce tableau disparu inaugure une période de sa vie qui a culminé avec ses *Oiseaux d'Amérique*, dont vous n'êtes pas sans savoir qu'il s'agit du plus grand travail de science naturelle jamais publié. À en croire ceux qui l'ont vu, le *Cadre noir* aura été le premier travail annonciateur de son génie.

— Je vois, répondit Pendergast, brusquement songeur.

Il sursauta et regarda sa montre.

— Eh bien, ce fut un plaisir de vous revoir, monsieur Tipton, déclara-t-il en prenant la main du vieil homme.

Tipton découvrit avec étonnement que la poigne de son interlocuteur était aussi glacée que celle d'un mort. Il suivit son visiteur jusqu'à la porte et, rassemblant tout son courage, posa la question qui lui brûlait les lèvres depuis un moment.

— Par le plus grand des hasards, monsieur Pendergast, êtes-vous toujours en possession de ce recueil de gravures grand format?

Pendergast se retourna.

— En effet.

— Excusez mon audace, mais si l'envie vous prenait un jour de lui trouver un asile où il serait à la fois choyé et admiré du public, ce serait avec un immense honneur...

Le vieil homme laissa sa phrase en suspens, plein d'espoir.

— Je m'en souviendrai. Le bonsoir à vous, monsieur Tipton.

Tipton constata avec soulagement que Pendergast évitait cette fois de lui tendre la main.

La porte se referma et Tipton la verrouilla à double tour avant de rester planté devant le battant un bon moment, l'air perplexe. Une femme dévorée par un lion, des parents brûlés vifs par une foule en colère... quelle famille!

17

Le département des sciences médicales de la Tulane University se trouvait dans un gratte-ciel gris banal qui n'aurait pas détonné dans le quartier de Wall Street, à Manhattan. Pendergast sortit de l'ascenseur au trentième étage, prit la direction de l'Institut de santé des femmes, s'arrêta devant le bureau de Miriam Kendall et toqua discrètement.

— Entrez, l'invita une voix franche.

Pendergast poussa la porte et découvrit le petit bureau auquel il pouvait s'attendre : deux bibliothèques métalliques débordant de manuels et de publications universitaires, des piles de copies d'examen entassées sur une table derrière laquelle se tenait assise une femme d'une soixantaine d'années. Elle se leva en découvrant le visage de son visiteur.

— Monsieur Pendergast, l'accueillit-elle en serrant du bout des doigts la main qu'il lui tendait.

— Appelez-moi Aloysius, fit-il. Je vous remercie d'accepter de me recevoir.

— C'est tout naturel. Asseyez-vous, je vous en prie.

Elle reprit place derrière son bureau et l'observa d'un regard détaché, presque clinique.

— Vous n'avez pas pris une ride.

Il n'en était pas de même de Miriam Kendall. Auréolée par la lumière du matin qui pénétrait dans la pièce à travers des fenêtres étroites, elle avait beaucoup vieilli depuis l'époque où elle partageait un bureau avec Hélène

Esterhazy Pendergast. Elle conservait en revanche le même détachement et la même froideur.

— Il ne faut jamais croire les apparences, répondit Pendergast, mais je vous remercie. Depuis combien de temps enseignez-vous à Tulane?

— Neuf ans, dit-elle en posant les coudes sur son bureau, les mains en pointe. Aloysius, j'avoue être surprise que vous n'ayez pas cherché à rencontrer directement l'ancien patron d'Hélène, Morris Blackletter.

Pendergast hocha la tête.

— À dire vrai, j'ai tenté de le joindre. Vous le savez sans doute, il a pris sa retraite. Après avoir quitté Médecins Voyageurs, il a travaillé pour plusieurs groupes pharmaceutiques en qualité de consultant et se repose actuellement en Angleterre. Il restera absent quelques jours encore.

Elle acquiesça.

— Vous avez vu les gens de Médecins Voyageurs?

— Je me suis rendu dans leurs locaux ce matin même. Il y régnait une pagaille indescriptible, du fait de la situation en Azerbaïdjan.

— Ah, oui. Le tremblement de terre. Une catastrophe de grande ampleur, j'en ai bien peur.

— Toutes les personnes que j'ai pu croiser là-bas avaient moins de trente ans, et les rares qui ont trouvé le temps de répondre à mes questions n'avaient gardé aucun souvenir de ma femme.

Kendall hocha à nouveau la tête.

— Il est temps de laisser la nouvelle génération prendre le relais. C'est l'une des raisons qui m'ont poussée à quitter MV pour enseigner la médecine des femmes.

Le téléphone se mit à sonner, mais Kendall poursuivit comme si de rien n'était.

— Quoi qu'il en soit, Aloysius, je serais ravie d'évoquer avec vous les souvenirs que j'ai pu conserver d'Hélène, même si j'avoue être curieuse de savoir pourquoi vous vous y prenez maintenant, après toutes ces années.

— Je comprends votre étonnement. En vérité, j'ai décidé d'écrire un hommage en mémoire de ma femme. J'aurais aimé évoquer sa vie, même si elle a été trop courte. Son travail au sein de MV a été son premier et dernier poste après l'obtention de son master en biologie pharmaceutique.

— J'ai toujours cru qu'elle avait suivi des études d'épidémiologie.

— Il s'agissait de sa seconde spécialité.

Pendergast marqua un léger temps d'arrêt avant de reprendre.

— Je me suis aperçu que je connaissais finalement assez mal la nature de son travail avec MV et j'aurais souhaité combler cette lacune.

Le visage de Kendall donna l'impression de s'adoucir un peu.

— Hélène était une femme remarquable.

— Cela vous ennuierait de m'expliquer sa fonction exacte au sein de MV? Je vous saurai gré de m'épargner les compliments inutiles. Ma femme avait ses défauts, et seule la vérité m'intéresse.

Kendall scruta longuement le visage de son visiteur, puis elle posa un regard songeur sur le mur qui se trouvait derrière lui, perdue dans la contemplation du passé.

— Nous avons travaillé ensemble sur divers programmes de nutrition et d'hygiène publique dans le tiers-monde. Il s'agissait d'aider les populations à mieux prendre en main leur santé en améliorant leur hygiène de vie. Chaque fois que survenait une catastrophe, à l'image de celle que nous connaissons actuellement en Azerbaïdjan, l'organisation mobilisait des équipes de médecins et de travailleurs sanitaires qu'elle envoyait dans les zones concernées.

— Jusque-là, je vous suis.

— Hélène…

Elle eut une hésitation.

— Hélène? répéta Pendergast dans un murmure.

— Hélène s'est montrée d'une grande efficacité, et ce dès le début, mais j'ai toujours pensé qu'elle était davantage attirée par l'aventure que par les missions elles-mêmes. On aurait dit qu'elle acceptait de passer des mois dans un bureau uniquement pour avoir l'occasion de se retrouver un jour dans l'épicentre d'un sinistre.

Pendergast acquiesça.

— Je me souviens…

Elle s'arrêta à nouveau.

— Vous ne prenez pas de notes? s'inquiéta-t-elle.

— J'ai une excellente mémoire, madame Kendall. Poursuivez, je vous en prie.

— Je me souviens d'un jour où notre groupe s'est retrouvé face à une foule agitant des machettes, au Rwanda. Ils étaient une bonne cinquantaine et la moitié d'entre eux étaient soûls. Sans crier gare, Hélène a sorti un Derringer à deux coups grâce auquel elle a désarmé tous nos assaillants. Elle leur a intimé l'ordre de se débarrasser de leurs machettes et de déguerpir, et ils ont obtempéré! Vous a-t-elle jamais parlé de cet incident?

— J'avoue que non.

— Et je peux vous dire qu'elle savait se servir de son Derringer. Si je ne me trompe, elle avait appris à tirer en Afrique.

— C'est exact.

— J'ai trouvé cette passion un peu bizarre.

— Quoi donc?

— Ce goût des armes à feu. C'est curieux, pour quelqu'un qui s'intéresse à la biologie. Cela dit, chacun gère son stress comme il le peut. Sur le terrain, face à la mort, la barbarie et la sauvagerie, la tension est souvent insoutenable.

Elle secoua à nouveau la tête, emportée par ses souvenirs.

— J'avais espéré pouvoir consulter son dossier chez MV, mais cela n'a pas été possible.

— Vous avez vu l'endroit. Comme vous vous en doutez, ce ne sont pas les champions de la paperasserie, encore moins de l'archivage. D'ailleurs, le dossier d'Hélène ne serait pas très épais.

— Pourquoi donc?

— Parce qu'elle travaillait seulement à temps partiel.

— Vous voulez dire… qu'elle ne travaillait pas à plein temps?

— L'expression « temps partiel » traduit mal la réalité. Le plus souvent, elle effectuait bien ses quarante heures, et même beaucoup plus sur le terrain, mais elle s'absentait régulièrement. Parfois plusieurs jours d'affilée. J'ai toujours cru qu'elle avait un autre job, ou alors qu'elle travaillait sur un projet quelconque, jusqu'à ce que vous me disiez qu'elle n'avait jamais eu d'autre employeur.

Kendall haussa les épaules.

— Je puis vous confirmer qu'elle n'en avait pas d'autre.

Pendergast conserva quelques instants le silence avant de reprendre.

— D'autres souvenirs d'ordre plus personnel, peut-être?

Kendall hésita.

— Hélène était quelqu'un de très secret. J'ai appris l'existence de son frère le jour où il est passé la voir au bureau. Un très beau garçon, d'ailleurs, qui effectuait des études de médecine, si je me souviens bien.

Pendergast hocha la tête.

— Judson.

— Il faut croire que le gène de la médecine courait dans la famille.

— En effet. Le père d'Hélène était médecin.

— Ça ne me surprend pas.

— Vous a-t-elle jamais parlé d'Audubon?

— Le peintre? Non, mais c'est drôle que vous me parliez de lui.

— Pour quelle raison?

— Parce que ça m'a fait repenser à la seule fois où j'ai vu Hélène prise de court.

Pendergast se pencha imperceptiblement vers son interlocutrice.

— Nous étions à Sumatra, à la suite d'un tsunami, et les dégâts étaient considérables.

Pendergast approuva.

— Je me souviens de cette mission. Nous étions jeunes mariés à l'époque.

— Il régnait là-bas le chaos le plus total et les équipes de MV dépêchées sur place travaillaient d'arrache-pied. Un soir, en rentrant dans la tente que je partageais avec Hélène, je l'ai trouvée toute seule sur un siège de camping. Elle dormait, avec sur les genoux un livre ouvert sur une reproduction d'oiseau. Ne voulant pas troubler son sommeil, je lui ai enlevé doucement l'ouvrage des mains. Le mouvement l'a réveillée en sursaut et elle s'est agrippée au livre, visiblement très énervée. Elle s'est tout de suite reprise et s'est mise à rire de l'incident en me disant que je l'avais effrayée.

— De quelle sorte d'oiseau s'agissait-il?

— Un petit spécimen, très coloré, avec un nom bizarre…

Elle s'arrêta, essayant de fouiller dans sa mémoire.

— Je me rappelle que c'était un oiseau associé à un État américain.

Pendergast tenta de deviner.

— Un râle de Virginie?

— Non, je m'en souviendrais.

— Un tohi de Californie.

— Non, un oiseau vert et jaune.

Les sourcils froncés, Pendergast prit le temps de réfléchir.

— Une conure de Caroline? demanda-t-il après un long silence.

— C'est ça! Je savais que ce n'était pas un oiseau ordinaire. Je lui ai dit à l'époque que j'ignorais la présence de perroquets aux États-Unis, mais elle a balayé ma remarque d'un geste de la main et nous avons changé de sujet de conversation.

— Je vois. Laissez-moi vous remercier, madame Kendall, conclut Pendergast en se levant après un court silence.

— Le jour où vous publierez cet hommage, pensez à m'en envoyer un exemplaire. J'étais très attachée à Hélène.

Pendergast lui répondit par une courbette.

— Je n'y manquerai pas, dit-il avant de quitter la pièce.

Quelques minutes plus tard, il regagnait la rue, la tête à des milliers de kilomètres de là.

18

Pendergast souhaita une bonne nuit à Maurice et se rendit dans la bibliothèque, emportant avec lui les restes du château-latour 1945 qu'il avait débouché au moment du dîner. Le vent violent qui soufflait depuis le golfe du Mexique faisait trembler la vieille maison, claquant les volets et secouant les branches des arbres. La pluie s'écrasait en rideaux épais sur les carreaux et de lourds nuages gonflés d'eau cachaient la lune.

Il s'approcha du meuble vitré abritant les ouvrages les plus précieux de la famille Pendergast : la deuxième édition du premier volume des œuvres de William Shakespeare, le *Dictionnaire* de Johnson en deux volumes dans son édition de 1755, un exemplaire du xvie siècle des *Très Riches Heures du duc de Berry*, contenant des reproductions des enluminures originales des frères Limbourg. Les volumes grand format des *Oiseaux d'Amérique* d'Audubon étaient rangés à part, dans le tiroir inférieur de la bibliothèque.

Pendergast enfila une paire de gants blancs, sortit de leur cachette les quatre grands ouvrages et les déposa l'un à côté de l'autre sur l'immense table. Chaque tome mesurait 90 cm sur 1,20 m. Il déplia la couverture du premier et découvrit une gravure exquise intitulée *Dinde sauvage, mâle*. Les couleurs avaient conservé toute leur fraîcheur d'origine et le trait était d'un réalisme tel qu'on aurait pu croire le volatile prêt à sauter sur la table. Cet exemplaire, d'une série limitée à deux cents, avait été commandé directement au naturaliste par l'arrière-arrière-grand-père Pendergast dont l'ex-libris figurait sur la page de garde. Trésor inestimable aux yeux des bibliophiles du Nouveau Monde, l'ouvrage était évalué à près de dix millions de dollars.

Pendergast entreprit d'en tourner lentement les pages : le *Coulicou à bec jaune*, la *Paruline orangée*, le *Roselin pourpré…* Il examinait les gravures les unes après les autres d'un œil avisé, savourant son plaisir. Parvenu à la planche 26, dédiée au *Perroquet de Caroline*, il tira de la poche de sa veste une feuille sur laquelle étaient griffonnées quelques notes :

Conure de Caroline (Conuropsis carolinensis)

Seul perroquet originaire de l'est des États-Unis. Espèce déclarée éteinte en 1939.

Dernier spécimen sauvage tué en Floride en 1904. Dernier spécimen en captivité, Incas, mort au zoo de Cincinnati en 1918.

Recherché pour ses plumes servant à orner les chapeaux féminins, considéré comme nuisible par les fermiers qui le tuaient, largement chassé comme animal domestique.

Principale raison de son extinction : comportement grégaire. Lorsqu'un individu était tué ou blessé par un chasseur et s'écrasait au sol, ses compagnons se précipitaient pour lui porter secours et étaient rapidement décimés.

Pendergast replia la feuille, l'enfouit dans sa poche et se servit un verre de bordeaux qu'il but lentement d'un air indifférent.

À sa grande honte, il comprenait désormais que sa rencontre avec Hélène ne devait rien au hasard. Il lui faudrait apprendre à vivre avec cette idée. Mais comment croire qu'elle ait pu l'épouser uniquement à cause des liens qu'avaient entretenus ses ancêtres avec John James

Audubon? Tout en étant convaincu qu'elle l'avait aimé, il s'apercevait que sa femme avait mené une double vie. Cette découverte était d'autant plus amère qu'Hélène était la seule personne à qui il avait accordé sa confiance, au point de se livrer entièrement. Il se versa un autre verre de vin, comprenant que cette confiance l'avait précisément empêché de soupçonner l'existence d'un tel secret.

Une multitude d'interrogations se bousculaient dans sa tête.

Que cachait réellement la fascination d'Hélène pour Audubon, et pourquoi s'était-elle évertuée à lui dissimuler son intérêt pour le naturaliste?

Quel rapport pouvait-il y avoir entre les célèbres gravures d'Audubon et cet obscur *psittacidae* de Caroline, disparu depuis près d'un siècle?

Qu'avait-il pu advenir de la première grande toile d'Audubon, le mystérieux *Cadre noir*, et pourquoi Hélène s'y intéressait-elle?

À ces questions s'ajoutait la plus inexplicable de toutes: pourquoi cette passion pour Audubon avait-elle causé la mort d'Hélène? Intuitivement, Pendergast avait la certitude que la résolution de cette énigme lui permettrait non seulement de connaître les raisons de la mort de sa femme, mais aussi l'identité de ses meurtriers.

Repoussant son verre de bordeaux, il se leva, se dirigea vers la petite table du téléphone et composa un numéro.

Son correspondant décrocha à la deuxième sonnerie.

— D'Agosta.

— Bonsoir, Vincent.

— Pendergast. Comment allez-vous?

— Puis-je vous demander où vous êtes, ce soir?

— Dans ma chambre de l'hôtel Copley Plaza, en train de recharger les batteries. Vous savez combien de types prénommés Frank ont fait leurs études au MIT en même temps que votre femme?

— Dites-moi.

— Trente et un. J'ai réussi à en retrouver seize, mais aucun ne se souvient d'elle. Cinq autres ne vivent plus aux

États-Unis, deux sont morts, et les huit derniers ont disparu sans laisser d'adresse, à en croire l'administration de l'université.

— Je vous propose de mettre ce Frank de côté provisoirement.

— Je ne demande que ça. Ensuite? La Nouvelle-Orléans, ou alors New York? J'aurais bien aimé pouvoir passer un peu de temps…

— Vous allez vous rendre à la plantation Oakley, au nord de Baton Rouge.

— La plantation quoi?

— Oakley Plantation House, à la sortie de St. Francisville.

Un long silence accueillit la requête de Pendergast.

— Quelle est ma mission là-bas? s'enquit enfin D'Agosta sur un ton dubitatif.

— Vous intéresser à un couple de perroquets empaillés.

Nouveau silence.

— Et vous?

— Je compte descendre au Grand Hôtel Bayou, à la recherche d'un tableau disparu.

19

Bayou Goula, Louisiane

Installé dans le parc bordé de palmiers que dominait la façade aristocratique du vieil hôtel, une jambe habillée de noir passée au-dessus de l'autre, les bras croisés, Pendergast attendait, aussi immobile que les statues qui dressaient leurs silhouettes d'albâtre à ses côtés. L'orage de la nuit avait laissé place à une journée chaude et ensoleillée, faussement annonciatrice de printemps. Sur l'allée de gravier blanc circulait une armée de valets et de caddies dans un ballet continu de voitures de luxe et de voiturettes de golf rutilantes. Un peu plus loin miroitait la surface azur d'une piscine autour de laquelle paressaient quelques clients venus profiter du soleil de cette fin de matinée en sirotant des bloody mary, à défaut de se baigner. Au-delà s'étendait la pelouse soignée d'un terrain de golf que sillonnaient des hommes en blazers de couleur, accompagnés de femmes aux tenues immaculées, sous le regard paresseux des eaux boueuses du Mississippi qui défilaient majestueusement à l'horizon.

— Monsieur Pendergast?

L'inspecteur leva les yeux et découvrit un quinquagénaire rondelet en costume sombre, la veste boutonnée sur une cravate bordeaux rehaussée d'un motif discret. Inondé de soleil, le crâne chauve de l'inconnu, ponctué de deux touffes de cheveux blancs lissés au-dessus des oreilles, donnait l'impression d'être doré à la feuille. Son visage rubicond, troué de petits yeux bleus, affichait un sourire raide et professionnel.

— Je vous souhaite le bonjour, l'accueillit Pendergast en se levant.

— Portby Chausson, directeur du Grand Hôtel Bayou.

Pendergast serra la main que lui tendait le petit homme.

— Enchanté de faire votre connaissance.

Chausson pointa un doigt rose et boudiné vers l'hôtel.

— Si vous voulez bien me suivre jusqu'à mon bureau.

Les deux hommes traversèrent un hall sonore habillé de marbre clair. Le directeur salua en passant deux hommes d'affaires pansus, au bras de compagnes distinguées, et poussa une porte anonyme située derrière la réception, révélant une pièce cossue de style baroque. D'un geste, il invita Pendergast à prendre place sur la chaise posée face à un bureau tarabiscoté.

— Je déduis à votre accent que vous êtes originaire de la région, commença Chausson en s'installant derrière son bureau.

— Je suis originaire de La Nouvelle-Orléans, acquiesça Pendergast.

— Ah, se contenta de répondre Chausson en se frottant les mains. J'ai cru comprendre que vous étiez récemment arrivé chez nous?

Le regard du petit homme se posa sur l'écran de son ordinateur.

— Monsieur Pendergast, je vous remercie d'avoir choisi notre établissement pour vous reposer. Je ne saurais trop louer votre bon goût: le Grand Hôtel Bayou est le palace le plus luxueux du delta.

Pendergast inclina la tête.

— Au téléphone, vous m'avez dit que nos formules Golf et Loisirs étaient susceptibles de vous séduire. Nous pouvons vous en proposer deux: la formule Platinum, d'une durée d'une semaine, et la formule Diamant qui s'étale sur quinze jours. La première est accessible à partir de 12 500 dollars, mais je vous inviterais volontiers à opter pour la seconde qui vous...

— Excusez-moi de vous interrompre, monsieur Chausson, mais si vous aviez l'amabilité de me laisser parler, nous gagnerions tous les deux un temps précieux.

Le directeur adressa à son interlocuteur un sourire interrogateur.

— J'espère que vous ne m'en voudrez pas d'avoir feint de m'intéresser à vos formules de golf.

Chausson afficha une expression neutre.

— Feint, dites-vous?

— Exactement. Je souhaitais uniquement attirer votre attention.

— Je ne comprends pas.

— Je vois mal ce que je pourrais vous dire de plus, monsieur Chausson.

Le visage du directeur s'assombrit.

— Dois-je comprendre que vous n'avez pas l'intention de séjourner au Grand Hôtel Bayou?

— Hélas oui. Je ne suis pas amateur de golf.

— Cet intérêt feint visait donc à… à me rencontrer?

— Je vois que votre lanterne s'éclaire enfin.

— Dans ce cas, monsieur Pendergast, j'ai bien peur que cet entretien n'ait plus de raison d'être. Bonjour à vous.

Pendergast se plongea quelques instants dans la contemplation de ses ongles manucurés.

— Il nous faut discuter affaires, au contraire.

— Dans ce cas, il suffisait de prendre contact avec moi sans faux-semblant.

— Si je l'avais fait, vous n'auriez jamais accepté de me recevoir.

Le visage de Chausson s'empourpra.

— Cette conversation n'a que trop duré. Je suis un homme occupé et, si cela ne vous dérange pas, je dois pourvoir aux intérêts de mes *vrais* clients.

Pendergast, nullement disposé à se lever, poussa un soupir de regret et tira de la poche de sa veste un étui en cuir qu'il déplia, révélant un badge doré.

131

Chausson écarquilla les yeux.

— Le FBI ?

Pendergast hocha la tête.

— Un crime aurait-il été commis ?

— Oui.

Des gouttes perlèrent sur le front de Chausson.

— Vous ne comptez tout de même pas… procéder à une arrestation dans mon établissement ?

— Pas exactement.

Chausson afficha son soulagement.

— S'agit-il d'une affaire criminelle ?

— Oui, mais sans rapport avec l'hôtel.

— Disposez-vous d'un mandat ?

— Non.

Chausson retrouva brusquement toute sa superbe.

— Dans ce cas, monsieur Pendergast, j'ai bien peur que nous soyons contraints d'en référer à nos conseils avant de pouvoir répondre favorablement à votre requête. C'est la règle en pareil cas. Croyez bien que j'en suis le premier désolé.

Pendergast rangea son badge.

— Quel dommage.

— Mon assistant va vous raccompagner, déclara le directeur d'un air fat en appuyant sur un bouton. Jonathan ?

— Dites-moi, monsieur Chausson. Est-ce vrai que le bâtiment principal de l'hôtel était autrefois la maison de maître d'un riche planteur de coton ?

— Mais oui, mais oui, répondit Chausson. Si vous voulez bien raccompagner M. Pendergast ? ajouta-t-il à l'intention d'un jeune homme mince qui venait de pénétrer dans la pièce.

— Bien, monsieur le directeur.

Pendergast ne semblait pas vouloir se lever pour autant.

— Monsieur Chausson, que diraient vos clients s'ils apprenaient que cet hôtel est en fait un ancien hôpital ?

À ces mots, le visage de Chausson se ferma.

— Je ne vois pas de quoi vous voulez parler.

— Un hôpital spécialisé dans diverses maladies conta-gieuses. Choléra, tuberculose, malaria, fièvre jaune…

— Jonathan! s'étrangla Chausson. M. Pendergast ne part pas tout de suite. Merci de refermer la porte derrière vous.

Le jeune homme battit en retraite et Chausson se pencha vers son visiteur, ses bajoues tremblant d'indignation.

— De quel droit osez-vous me menacer?

— Vous menacer? Quel vilain mot. « La vérité libère », monsieur Chausson. Je me propose donc de *libérer* votre aimable clientèle en lui apprenant la vérité. Loin de moi l'idée de la menacer.

Chausson resta immobile quelques instants, puis il s'en-fonça lentement dans son fauteuil. Une minute de silence s'écoula, suivie d'une autre.

— Que voulez-vous? s'enquit-il à mi-voix.

— Je suis ici précisément à cause de l'hôpital qui s'y trouvait. Je me demandais si vous auriez conservé les archives de l'établissement, plus particulièrement celles concernant un malade bien précis.

— Lequel, si je puis me permettre?

— John James Audubon.

Un pli barra le front du petit directeur qui frappa sa table de travail du plat de la main afin de manifester son agace-ment.

— Encore?

Pendergast posa sur lui un regard interloqué.

— Je vous demande pardon?

— Il suffit que je croie définitivement oublié ce satané personnage pour qu'on vienne me rappeler son exis-tence. Car je me doute que vous allez également me parler du tableau.

Pendergast ne répliqua rien.

— Je vous répondrai comme aux autres. Audubon a séjourné ici il y a cent quatre-vingts ans et cela fait plus d'un siècle que cette… institution médicalisée a fermé ses portes. Toutes les archives ont disparu depuis longtemps, sans même parler de ce tableau.

— C'est tout ? insista Pendergast.

Chausson opina du bonnet avec virulence.

— C'est tout.

Une moue attristée se dessina sur le visage de Pendergast.

— Quel dommage. Je vous souhaite le bonjour, monsieur Chausson, dit-il en se levant.

— Attendez une seconde, s'écria le directeur en jaillissant de son siège. Vous n'avez tout de même pas l'intention de dire à ma clientèle…

Il n'eut pas la force d'achever sa phrase.

— Vous m'en voyez sincèrement désolé.

Chausson l'arrêta d'un geste.

— Attendez ! Attendez un instant.

Il prit dans sa poche un mouchoir à l'aide duquel il s'essuya le front.

— Je crois qu'il reste une pile de vieux dossiers quelque part. Suivez-moi.

Sur ces mots, il sortit du bureau en poussant un soupir à fendre l'âme.

L'un derrière l'autre, les deux hommes traversèrent une salle de restaurant dallée de marbre et constellée de dorures avant de pénétrer dans une immense cuisine carrelée de blanc, au sol recouvert de dalles en caoutchouc. Au fond de la pièce, une porte métallique s'ouvrait sur un vieil escalier en fer au pied duquel s'étendait un couloir de brique humide et froid, mal éclairé, qui s'enfonçait dans la terre.

Au terme d'un parcours interminable entre des parois décrépites, Chausson s'immobilisa devant une porte bardée de fer qui s'ouvrit en grinçant sous sa poussée. Pendergast sur les talons, il s'avança dans le noir, au milieu d'effluves de champignon et de moisissure. D'une main, il tourna la poignée d'un antique commutateur en céramique et une lumière crue inonda un vaste espace, chassant une nuée de rongeurs. Le sol était jonché d'un bric-à-brac informe recouvert de toiles d'araignée.

— Il s'agit de l'ancienne chaufferie, expliqua Chausson en taillant prudemment sa route au milieu des débris et des déjections de rats.

Des liasses éventrées de vieux papiers jaunis par le temps et mangés de moisissure étaient empilées dans un coin.

— C'est tout ce qu'il reste des archives de l'hôpital, affirma Chausson d'un air presque triomphant. Je me demande même pourquoi toutes ces vieilleries n'ont pas été mises à la benne depuis longtemps.

Pendergast s'agenouilla près des vieux documents qu'il entreprit de feuilleter et de déchiffrer consciencieusement l'un après l'autre. Dix minutes s'écoulèrent, puis vingt. Chausson, au comble de l'agacement, suivait la course du temps sur sa montre sans que Pendergast semble s'en émouvoir le moins du monde. Il se releva enfin, une poignée de feuilles à la main.

— Puis-je vous les emprunter?

— Prenez ce que vous voulez.

Pendergast glissa son butin dans une enveloppe en papier kraft.

— Vous m'avez dit tout à l'heure qu'on vous avait déjà sollicité au sujet d'Audubon et d'un certain tableau.

Chausson hocha la tête.

— Pourrait-il s'agir du tableau connu sous le nom de *Cadre noir*?

Chausson acquiesça à nouveau.

— Les personnes en question. De qui s'agissait-il, et quand sont-elles venues ici?

— Le premier visiteur s'est présenté il y a une quinzaine d'années. Je venais de prendre la direction de l'établissement. La deuxième personne est venue me voir l'année suivante.

— De sorte que je suis seulement le troisième, déclara Pendergast. À votre énervement tout à l'heure, j'avais cru comprendre que les visites avaient été plus nombreuses. Parlez-moi du premier de ces hommes.

Chausson soupira.

135

— Il s'agissait d'un marchand de tableaux. Un personnage assez déplaisant. Dans mon métier, on apprend à juger les individus sur leur mine et cet homme-là m'effrayait.

Il marqua une courte pause avant de poursuivre.

— Il cherchait à réunir des informations relatives à la toile peinte par Audubon lors de son séjour ici. Il se disait prêt à me dédommager largement et s'est mis très en colère lorsque je lui ai répondu que je ne savais rien de toute cette histoire.

— A-t-il consulté ces archives? interrogea Pendergast.

— Non. À l'époque, je ne savais même pas qu'elles existaient.

— Avez-vous retenu son patronyme?

— Un certain Blast, je crois.

— Je vois. Et la deuxième personne?

— Cette fois, il s'agissait d'une femme. Jeune, mince et jolie, avec des cheveux très noirs. Elle s'est montrée infiniment plus aimable, mais je n'ai pas pu lui en dire beaucoup plus. En revanche, je l'ai laissée consulter ces documents.

— En a-t-elle emporté certains?

— J'ai refusé, de peur qu'ils n'aient de la valeur. J'aurais dû accepter, j'en serais débarrassé aujourd'hui.

Pendergast approuva gravement.

— La jeune femme, vous souvenez-vous de son nom?

— Non. Curieusement, elle ne me l'a pas dit. Je m'en suis fait la réflexion après coup.

— Avait-elle un accent similaire au mien?

— Pas du tout. Un accent du Nord au contraire. Comme les Kennedy, répliqua le directeur avec une moue dégoûtée.

— Je vois. Je vous sais gré de votre temps, le remercia Pendergast en pivotant sur ses talons. Ne vous dérangez pas pour moi, je retrouverai la sortie tout seul.

— Pas question, s'écria Chausson. Je tiens à vous raccompagner à votre voiture. *J'insiste!*

— N'ayez crainte, monsieur Chausson. Je ne soufflerai pas mot des origines de cet établissement à vos clients.

Sur ces mots, il s'inclina légèrement devant le petit homme, un sourire triste aux lèvres, et remonta à grandes enjambées le couloir mal éclairé.

20

St. Francisville, Louisiane

D'Agosta arrêta sa voiture à hauteur d'une vieille maison badigeonnée de blanc dont la façade faussement austère s'élevait au milieu d'arbres décharnés et de plates-bandes dévastées. Une pluie régulière tombait du ciel, dessinant des flaques dans les creux du macadam. Il attendit quelques instants que s'éteigne le dernier couplet de « Just You and I » à la radio, mécontent que Pendergast le prenne pour un simple coursier. Surtout qu'il ne connaissait rien aux oiseaux empaillés.

La chanson terminée, il s'arma d'un parapluie et descendit de l'auto de location. Quelques instants plus tard, il montait les marches conduisant à la plantation Oakley et découvrait une galerie aux ouvertures protégées des intempéries par des jalousies. Laissant son parapluie s'égoutter près de la porte, il s'ébroua, retira son imperméable qu'il accrocha à une patère et poussa la porte d'entrée.

— Professeur D'Agosta? l'accueillit une femme à tête d'oiseau en se levant de son bureau.

Elle trottina jusqu'à lui sur des jambes courtaudes en faisant résonner sur le parquet des chaussures pour pieds sensibles.

— Nous n'avons pas beaucoup de visiteurs à cette époque de l'année. Je m'appelle Lola Marchant, se présenta-t-elle, la main tendue.

D'Agosta fut surpris par la poigne vigoureuse de son interlocutrice. Poudrée et maquillée, les lèvres rouges, elle avait la soixantaine robuste.

— Vous devriez avoir honte d'avoir apporté le mauvais temps avec vous! plaisanta-t-elle en partant d'un grand rire cristallin. Mais ne vous inquiétez pas, les chercheurs passionnés par Audubon sont toujours les bienvenus. Cela nous change des touristes.

D'Agosta la suivit jusqu'à un salon de réception aux lambris peints en blanc, regrettant d'avoir menti à la pauvre femme au téléphone. Il connaissait si peu l'œuvre d'Audubon qu'il était certain de se trahir à la première question. Le mieux était encore de ne rien dire.

— Chaque chose en son temps, s'exclama Mme Marchant en présentant à D'Agosta un énorme registre. Je vous demanderai d'indiquer votre nom, ainsi que le motif de votre visite.

Le lieutenant s'exécuta.

— Merci! À présent, il est temps de passer aux choses sérieuses. Que souhaitez-vous voir?

D'Agosta émit un petit toussotement gêné.

— Je suis ornithologue, déclara-t-il en s'appliquant à ne pas écorcher le terme, et je voudrais voir les spécimens d'Audubon.

— Formidable! Je ne vous apprendrai rien en vous disant qu'Audubon n'a passé ici que quatre mois afin de réaliser des dessins à la requête d'Eliza Pirrie, la fille de M. et Mme James Pirrie, les propriétaires de la plantation Oakley. À la suite d'un désaccord avec Mme Pirrie, il est reparti pour La Nouvelle-Orléans en emportant dans ses bagages ses spécimens et ses croquis. Quand la plantation a accédé au rang de musée historique, il y a quarante ans, nous avons bénéficié d'une donation comprenant toute une série d'esquisses, de lettres, ainsi que certains de ses spécimens d'oiseaux. Depuis, nous nous sommes efforcés d'enrichir la collection, qui a fini par devenir l'une des plus belles de Louisiane!

Elle adressa à son visiteur un sourire radieux, essoufflée par son petit speech.

— Bien, bien, grommela D'Agosta en sortant un petit carnet afin de crédibiliser son personnage.

— Par ici, professeur.

Professeur. Le lieutenant sentit monter en lui une bouffée de honte.

Son cicérone se dirigea d'une démarche pesante jusqu'à l'escalier et ils montèrent l'un derrière l'autre au premier étage où les attendait une longue suite de chambres spacieuses, toutes meublées d'époque. Mme Marchant tira une clé de sa poche et ouvrit une porte donnant sur un vieil escalier étroit et raide menant au grenier de la vieille maison. L'espace, fraîchement repeint et impeccablement rangé, n'avait de grenier que le nom. Des vitrines de chêne anciennes étaient alignées le long de trois des murs tandis que d'autres, plus modernes, complétaient l'ameublement de l'immense pièce à son extrémité. Une lumière douce pénétrait par des chiens-assis aux fenêtres munies de verre cathédrale.

— Nous disposons de près d'une centaine d'oiseaux empaillés appartenant à la collection d'Audubon, expliqua la grosse femme en traversant le grenier d'un pas alerte. Audubon n'était malheureusement pas un taxidermiste de grand talent, de sorte que nombre de spécimens sont en piteux état, comme vous pourrez le constater. Nous avons veillé à les restaurer, mais les insectes les avaient déjà en partie rongés. Nous y voici.

Ils s'arrêtèrent devant une armoire monumentale ressemblant à un coffre-fort. Mme Marchant en tourna le cadran central avant de manœuvrer la poignée, et la lourde porte s'écarta avec un soupir sur une série de tiroirs en bois soigneusement étiquetés. Une forte odeur de naphtaline s'éleva dans l'air de la pièce. Mme Marchant ouvrit un tiroir au hasard, découvrant trois rangées d'oiseaux empaillés, une étiquette jaune fixée à la patte, du coton leur sortant des yeux.

— Il s'agit des étiquettes originales d'Audubon, précisa-t-elle. Je vous demanderai de ne pas toucher aux oiseaux sans autorisation, je les manipulerai moi-même. Alors! Lesquels souhaitez-vous voir en particulier?

D'Agosta consulta son petit carnet sur lequel il avait noté quelques noms d'oiseaux glanés sur un site consacré aux travaux d'Audubon.

— J'aimerais commencer par la paruline hochequeue, récita-t-il d'une voix docte.

— Formidable! s'écria la vieille femme en ouvrant un autre tiroir après avoir refermé le premier. Vous préférez l'examiner sur une table, ou bien directement dans sa niche?

— Inutile de la déplacer, répondit D'Agosta en ajustant une loupe oculaire.

Penché au-dessus de l'animal, il l'observa longuement en multipliant les petits grognements. L'oiseau, à moitié déplumé, des brins de paille mités lui sortant des entrailles, ne ressemblait plus à rien, mais D'Agosta s'appliqua à gribouiller des notes inintelligibles en feignant de s'intéresser au volatile.

— Je vous remercie, dit-il en se redressant. À présent, j'aurais voulu voir le chardonneret jaune.

— Avec plaisir.

Il répéta l'opération, la loupe vissée sur l'œil, tout en prenant des notes.

— J'espère que vous obtenez ce que vous cherchez, s'inquiéta Mme Marchant.

— Oui, tout à fait. Je vous remercie.

D'Agosta commençait à trouver le temps long et l'odeur de naphtaline lui soulevait le cœur.

— Maintenant, dit-il en feignant de consulter son carnet, j'aurais souhaité voir la conure de Caroline.

Sa requête fut accueillie par un silence gêné alors que la vieille femme rougissait.

— Je suis désolée, mais c'est un spécimen que nous ne possédons pas dans nos collections.

C'était le bouquet! Ils n'avaient même pas le seul spécimen qui l'intéressait vraiment.

— C'est curieux, mais il est cité dans tous les ouvrages comme étant conservé ici, dit-il plus sèchement qu'il ne l'aurait voulu. Vous devriez normalement en avoir deux.

— Nous ne les avons plus.

— Que sont-ils devenus? demanda-t-il sans chercher à dissimuler son exaspération.

Un long silence lui répondit.

— Ils ont malheureusement disparu.

— Disparu? Vous voulez dire qu'ils ont été perdus?

— Pas perdus, volés. L'incident remonte à longtemps, j'étais encore simple assistante à l'époque. Il ne nous reste plus que quelques plumes.

Enfin un indice intéressant. Son instinct de flic lui disait que Pendergast ne l'avait pas envoyé là par hasard.

— S'ils ont été volés, une enquête aura été diligentée.

— Oui, mais uniquement pour la forme. Allez expliquer à la police la valeur de deux oiseaux empaillés, même lorsqu'il s'agit d'une espèce éteinte.

— Avez-vous gardé un exemplaire du rapport de police?

— Nous sommes très à cheval sur la conservation de nos archives.

D'Agosta remarqua que la femme l'observait d'un œil curieux.

— Excusez-moi, professeur, ajouta-t-elle, mais puis-je savoir en quoi ce rapport vous intéresse? Le vol remonte à une douzaine d'années au moins.

D'Agosta réfléchissait à toute vitesse. Cette histoire de vol changeait tout. Prenant brusquement une décision, il plongea la main dans la poche de sa veste et exhiba son badge.

— Mon Dieu! s'exclama la conservatrice en ouvrant de grands yeux. Vous êtes de la police! Moi qui vous croyais ornithologue!

D'Agosta rempocha son badge.

— J'appartiens à la brigade criminelle de la ville de New York. Maintenant, soyez gentille et apportez-moi ce rapport d'enquête.

Elle hocha la tête d'un air hésitant.

— Pourquoi? Que s'est-il passé?

D'Agosta crut lire dans les yeux de son interlocutrice une lueur d'excitation.

— Il s'agit d'un meurtre, laissa-t-il tomber avec un petit sourire.

Mme Marchant se leva en hochant à nouveau la tête et revint quelques minutes plus tard avec un dossier. En l'ouvrant, D'Agosta découvrit un rapport de police bâclé, quelques lignes tracées à la hâte rapportant le vol des oiseaux. Il n'y avait pas eu effraction, aucun autre spécimen n'avait été dérobé et personne n'avait pensé à relever la moindre empreinte, encore moins à dresser une liste de suspects. La seule information utile était la période au cours de laquelle avait eu lieu le vol, entre le 1er septembre et le 1er octobre, les collections du musée étant inventoriées au début de chaque mois.

— Conservez-vous la liste de tous les chercheurs qui viennent travailler ici?

— Oui, mais nous prenons la peine de vérifier l'état des collections après leur départ, pour être sûrs qu'aucun spécimen n'a été abîmé.

— Dans ce cas, nous devrions pouvoir déterminer la période du vol avec davantage de précision. Apportez-moi vos registres.

— Tout de suite, s'empressa de répondre la vieille femme en se précipitant.

Quelques instants plus tard, l'écho de ses pas impatients résonnait dans l'escalier.

Elle revint rapidement, armée d'un grand volume relié de toile qu'elle déposa bruyamment sur la table avant de l'ouvrir à la date du mois concerné. Trois personnes avaient demandé à examiner les collections, et à la date du 22 septembre figuraient un nom et une adresse, rédigés d'une main généreuse:

Matilda V. Jones
18 Agassiz Drive
Cooperstown, NY 27490

Que je sois pendu si ça ne respire pas le pseudonyme, pensa le lieutenant. *Agassiz Drive, mon cul.* L'adresse était d'autant plus fantaisiste que les codes postaux de l'État de New York commencent tous par le chiffre 1.

— Dites-moi. Demandez-vous habituellement aux chercheurs de vous montrer une pièce d'identité quelconque, ou alors les références de l'institution qui les emploie?

— Ma foi, non. Nous leur accordons notre confiance, mais vous avez raison. Nous devrions être plus prudents, même si nous ne les laissons jamais sans surveillance. Je vois mal comment quelqu'un pourrait emporter un spécimen à notre barbe!

Et moi je connais un million de façons d'y arriver, songea D'Agosta sans laisser son interlocutrice deviner sa pensée. Le lieutenant se souvenait d'avoir vu Mme Marchant prendre un trousseau de clés accroché derrière le bureau d'accueil. Dans la journée, la porte de la vieille maison n'était jamais fermée, il s'était contenté de la pousser en arrivant. Il suffisait d'attendre que la conservatrice quitte son poste pour s'introduire dans le bâtiment, décrocher les clés et monter au grenier. Pis, la grosse femme l'avait laissé seul à portée de main des spécimens en allant chercher son registre. *Si ces oiseaux avaient la moindre valeur marchande, il n'y en aurait plus depuis longtemps*, se dit-il avec amertume.

Il pointa du doigt le volume toilé.

— Est-ce vous qui avez reçu cette chercheuse?

— Je vous l'ai dit, j'étais simple assistante à l'époque. Le conservateur, M. Hotchkiss, s'en sera chargé lui-même.

— Qu'est devenu ce Hotchkiss?

— Il est mort depuis plusieurs années.

D'Agosta reporta son attention sur la page. Si Matilda V. Jones avait usé d'un pseudonyme, elle n'avait pas cherché à déguiser son écriture. Avec un peu de chance, elle aurait pris une chambre dans les environs, il suffisait de vérifier les registres des hôtels les plus proches.

— Lorsque vous recevez la visite d'ornithologues, où descendent-ils habituellement?

— Nous leur recommandons Houma House, à St. Francisville. Il s'agit du seul établissement correct de la ville.

D'Agosta hocha la tête.

— Alors? s'enquit Mme Marchant. Vous trouvez ce que vous cherchez?

— Pourriez-vous photocopier cette page?

— Bien sûr, répondit-elle en se précipitant vers le petit escalier avec le lourd volume, laissant D'Agosta à nouveau seul.

Elle venait à peine de s'éclipser que le lieutenant sortait son téléphone et composait un numéro.

— Pendergast, prononça une voix à l'autre bout du fil.

— Bonjour, c'est Vinnie. Une petite question : le nom de Matilda V. Jones vous est-il familier?

La question fut accueillie par un silence épais, que Pendergast finit par rompre d'une voix à glacer la banquise.

— Où avez-vous trouvé ce nom, Vincent?

— C'est trop compliqué à vous expliquer maintenant. Vous connaissez ce nom?

— Oui, c'était celui du chat de ma femme. Un bleu russe.

Le cœur de D'Agosta bondit dans sa poitrine.

— L'écriture de votre femme... était-elle grande et arrondie?

— Oui, mais allez-vous m'expliquer de quoi il retourne?

— Les deux conures de Caroline du musée de la plantation Oakley ont disparu. Et figurez-vous que c'est votre femme qui les a volés.

— Je vois, répliqua Pendergast sur un ton plus glacial encore.

— Excusez-moi, je dois raccrocher, s'empressa de murmurer D'Agosta en entendant des pas dans l'escalier.

Il venait tout juste de remettre le portable dans sa poche lorsque Mme Marchant apparut, une photocopie à la main.

— Alors, lieutenant, j'espère bien que vous mettrez la main sur notre coupable, déclara-t-elle avec son sourire le plus charmeur.

D'Agosta remarqua qu'elle avait pris le temps de retoucher son maquillage. Cette histoire valait largement tous les épisodes d'*Arabesque* à la télévision.

D'Agosta fourra la photocopie dans son attaché-case et se leva.

— J'ai bien peur que non, dit-il. La piste a eu tout le temps de refroidir, mais que cela ne m'empêche pas de vous remercier.

21

Plantation Penumbra

— Vous êtes certain, Vincent? Absolument certain?

D'Agosta hocha la tête.

— Je suis même allé compulser les registres de l'hôtel local, le Houma House. Après avoir examiné les collections de la plantation Oakley, votre femme a pris une chambre, sous son vrai nom, cette fois. Ils auront sans doute demandé à voir une pièce d'identité, surtout si elle réglait en liquide. Je ne vois pas pourquoi elle aurait passé la nuit là-bas, à moins d'avoir l'intention d'y retourner le lendemain pour subtiliser les oiseaux.

Il tendit une feuille à Pendergast.

— Voici la photocopie du registre de la plantation Oakley.

Pendergast jeta un coup d'œil au document.

— Il s'agit bien de l'écriture de ma femme, laissa-t-il tomber en reposant la feuille. Êtes-vous certain de la date du vol?

— Le 23 septembre, ou juste après.

— C'est-à-dire approximativement six mois après mon mariage avec Hélène.

Un silence gêné s'abattit sur le salon du premier étage. D'Agosta détourna le regard, enregistrant successivement la peau de zèbre sur le sol, les trophées accrochés aux murs, la haute vitrine dans laquelle reposait le fusil d'Hélène.

Maurice passa la tête par la porte.

— Encore du thé, messieurs?

D'Agosta secoua la tête. Il trouvait le domestique déconcertant, avec son comportement de mère poule.

— Je vous remercie, Maurice. Tout va bien pour l'instant, répondit Pendergast.

— Très bien, monsieur.

— Et vous, questionna D'Agosta, qu'avez-vous trouvé?

Pendergast croisa les mains avec une infinie lenteur et les posa sur ses genoux.

— Je me suis rendu au Grand Hôtel Bayou, qui accueillait autrefois l'hôpital Meuse St. Claire, où Audubon a peint le *Cadre noir*. J'ai appris que ma femme s'était rendue sur place afin d'en savoir davantage sur ce tableau. Un inconnu patibulaire, collectionneur ou marchand, s'était également enquis de cette même toile un an avant Hélène.

— D'autres personnes s'intéressaient donc au *Cadre noir*.

— Et même de près, semble-t-il. Je suis parvenu à mettre la main sur quelques documents intéressants dans les sous-sols de l'hôpital.

Pendergast tendit la main vers une serviette en cuir et sortit une pochette plastique contenant une feuille jaunie par le temps dont la partie inférieure avait été mangée par la moisissure.

— Ceci est le résultat d'un rapport du docteur Arne Torgensson, le médecin d'Audubon lors de son séjour à l'hôpital. On y trouve notamment le passage suivant:

L'état du malade s'est grandement amélioré, tant du point de vue de son équilibre physique que de celui de son état mental. Il se déplace normalement à présent et amuse les autres malades à qui il raconte ses aventures dans les territoires vierges du continent. La semaine dernière, il a commandé des huiles, un cadre et une toile afin de réaliser une œuvre. Et quelle œuvre! La vigueur des coups de pinceau, le choix des couleurs, tout ici est remarquable. On y voit un très étrange…

Pendergast rangea la pochette plastique dans la serviette.

— Comme vous pouvez le constater, la partie la plus importante manque, c'est-à-dire la description de l'œuvre. Impossible donc d'en connaître la nature.

D'Agosta but une gorgée de thé en regrettant de ne pas avoir une bonne Bud à la place.

— Personnellement, ça me paraît évident. Le tableau représentait une conure de Caroline.

— Je vous écoute, Vincent.

— Ça expliquerait le vol des deux oiseaux empaillés à la plantation Oakley. C'était le seul moyen de retrouver, ou plutôt d'*identifier* le tableau.

— Votre logique manque de rigueur. Pourquoi avoir *volé* ces oiseaux ? Les observer aurait amplement suffi.

— Pas si quelqu'un d'autre est sur la même piste que vous, se défendit D'Agosta. Votre femme n'était pas la seule à s'intéresser au tableau. Dans une course au trésor de ce genre, le moindre avantage par rapport à l'adversaire peut se révéler payant. Ce même adversaire qui aura probablement ass…

Il s'arrêta juste à temps.

— Ce tableau nous fournit sans doute ce qui nous manquait, déclara l'inspecteur, avant d'ajouter dans un murmure :

— *Le mobile.*

Un silence pesant retomba sur la pièce.

— Inutile de brûler les étapes, reprit Pendergast en tirant de la serviette les lambeaux d'un autre document. J'ai également retrouvé cet extrait du rapport rédigé par le médecin d'Audubon à sa sortie de l'hôpital. Un court fragment, malheureusement :

… a quitté l'établissement le 14 novembre 1821. Au moment de son départ, il a offert un tableau,

tout juste achevé, au docteur Torgensson, directeur de l'hôpital Meuse St. Clair, en remerciement de ses bons soins. Plusieurs médecins et patients ont assisté au départ, au cours duquel ont été échangés des adieux très...

Pendergast remisa la feuille dans le porte-documents qu'il referma pour de bon.

— Vous avez une idée de l'endroit où pourrait se trouver ce satané tableau? l'interrogea D'Agosta.

— Le médecin d'Audubon s'est par la suite retiré dans sa maison de Royal Street, qui constituera ma prochaine étape. Nous disposons d'un autre élément intéressant. Si vous vous souvenez, le frère d'Hélène nous a appris qu'elle s'était rendue à New Madrid, dans le Missouri.

— Oui.

— New Madrid a été l'épicentre d'un tremblement de terre de grande ampleur en 1812. Plus de 8 sur l'échelle de Richter. La géographie de toute la région s'en est trouvée bouleversée, des lacs sont apparus, le cours du Mississippi a même été modifié. La moitié de la ville a été détruite, mais ce n'est pas tout.

— Quoi d'autre?

— John James Audubon se trouvait à New Madrid lorsque le tremblement de terre a eu lieu.

D'Agosta se carra dans son fauteuil.

— Et alors?

Pendergast écarta les mains.

— Simple coïncidence? Peut-être.

— J'ai essayé d'en savoir plus sur Audubon, mais je n'ai jamais été doué pour les recherches. Vous pourriez m'en dire un peu plus sur lui?

— Beaucoup plus, même. Un rapide exposé vous éclairera.

Pendergast prit le temps de rassembler ses pensées.

— Audubon était le fils illégitime d'un capitaine de vaisseau français et de sa maîtresse. Né en Haïti, il a été élevé en

150

France par sa marâtre avant de gagner l'Amérique à l'âge de dix-huit ans afin d'échapper à l'enrôlement dans les armées de Napoléon. Il a tout d'abord vécu près de Philadelphie où il s'est intéressé à l'étude et au dessin des oiseaux avant d'épouser une jeune fille du cru, Lucy Bakewell. Les Audubon se sont ensuite installés dans les territoires vierges du Kentucky où il a monté un commerce, tout en consacrant le plus clair de son temps à collectionner des oiseaux qu'il disséquait et empaillait. Accessoirement, il en exécutait des croquis et des peintures, mais ses œuvres de jeunesse révèlent un artiste malhabile et peu inspiré. Les nombreuses esquisses de cette époque montrent des volatiles aussi inanimés que leurs modèles empaillés.

« Audubon était un homme d'affaires médiocre et, lorsque son commerce a fait faillite en 1820, il a emménagé avec les siens dans un vieux cottage créole de Dauphine Street, à La Nouvelle-Orléans, où la famille Audubon peinait à joindre les deux bouts.

— Le cottage de Dauphine Street, murmura D'Agosta. C'est donc comme ça qu'il a rencontré vos ancêtres?

— Exactement. Audubon était un jeune homme aussi charmant qu'entreprenant, fine lame, excellent tireur, et joli garçon par-dessus le marché. Il s'est lié d'amitié avec mon arrière-arrière-grand-père Boethius, en compagnie de qui il allait souvent à la chasse. Au début de l'année 1821, Audubon est tombé gravement malade, si malade qu'il a fallu le conduire à l'hôpital Meuse St. Clair en charrette, dans un état comateux. La convalescence a été longue et c'est au cours de cette période qu'il a peint ce fameux *Cadre noir* dont nous ne savons rien.

« À peine remis et sans le sou, Audubon a eu l'idée de se lancer dans une entreprise de grande ampleur : reproduire à taille réelle l'intégralité de la faune aviaire américaine. Lucy nourrissant les siens grâce à ses dons de préceptrice, Audubon s'est mis en route, armé d'un fusil, d'une boîte de couleurs et de papier. Il a recruté un assistant et s'est embarqué sur le Mississippi, réalisant des centaines de portraits d'oiseaux d'un réalisme saisissant, un travail que personne n'avait entrepris jusqu'alors.

Pendergast but une gorgée de thé avant de poursuivre son récit.

— En 1826, il s'est rendu en Angleterre où il a déniché un graveur capable de réaliser des gravures sur cuivre de ses aquarelles avant de sillonner l'Europe et l'Amérique à la recherche de souscripteurs pour ce qui allait devenir *Les Oiseaux d'Amérique*. Malheureusement, il commençait à perdre l'esprit, de sorte que ses fils ont été contraints de prendre le relais. Le malheureux a vu ses capacités mentales décliner de façon terrifiante et il a passé les dernières années de sa vie dans la folie avant de mourir à New York, à l'âge de soixante-cinq ans.

D'Agosta émit un petit sifflement.

— Une histoire pour le moins intéressante.

— Je ne vous le fais pas dire.

— Et personne n'a la moindre idée de ce qu'est devenu le *Cadre noir* ?

Pendergast fit non de la tête.

— Il s'agit du Graal des spécialistes d'Audubon. Je compte me rendre demain dans l'ancienne demeure d'Arne Torgensson, située à quelques kilomètres de Port Allen, avec l'espoir de retrouver la piste du tableau.

— À partir des dates que vous avez citées, vous pensez toujours…

D'Agosta s'interrompit afin de choisir les mots justes, sachant à quel point le sujet était sensible.

— Vous pensez toujours que l'intérêt de votre femme pour Audubon et le *Cadre noir* remonte à… à la période qui a précédé votre rencontre ?

Pendergast garda le silence.

— Si vous voulez vraiment que je vous aide, insista D'Agosta, vous ne pouvez pas continuer à vous fermer comme une huître chaque fois que j'aborde une question qui fâche.

Pendergast soupira.

— Vous avez entièrement raison, Vincent. Il semble qu'Hélène ait été très tôt fascinée, voire obsédée, par Audubon. Ce désir de tout savoir de lui, de se rapprocher de son œuvre, est en partie à l'origine de notre rencontre. Il semble qu'elle ait souhaité par-dessus tout retrouver le *Cadre noir*.

— Pourquoi vous l'avoir caché?

— Il me semble…, tenta Pendergast d'une voix rauque avant de s'interrompre. Il me semble qu'elle aura voulu éviter de m'avouer que notre rencontre n'était pas liée à un heureux hasard, mais à une manœuvre de sa part, imaginée avec un certain cynisme.

D'Agosta regretta presque d'avoir posé la question en voyant l'air sombre de son compagnon.

— Si elle entendait mettre la main sur le *Cadre noir* avant quelqu'un d'autre, suggéra-t-il, elle aura très bien pu se sentir menacée. Son comportement a-t-il changé au cours des semaines qui ont précédé sa mort? Était-elle nerveuse, ou alors plus agitée que d'habitude?

— Oui, concéda Pendergast d'une voix lente. J'ai toujours attribué cette agitation à son travail, à la préparation du safari.

Il secoua la tête, le front barré d'un pli.

Un léger toussotement résonna dans le dos de D'Agosta. Encore ce Maurice.

— J'aurais souhaité vous informer que je me retirais pour la nuit, s'éleva la voix du vieux serviteur. Puis-je encore vous être utile?

— Une seule question, Maurice, répliqua Pendergast. J'étais souvent absent pendant les semaines qui ont précédé mon dernier voyage avec Hélène.

— Vous vous trouviez à New York où vous acheviez les préparatifs du safari, acquiesça Maurice.

— Ma femme aurait-elle dit, ou suggéré, quoi que ce soit sortant de l'ordinaire pendant mon absence? Un coup de téléphone ou bien une lettre qui auraient pu la perturber, par exemple.

Le vieil homme plongea dans ses souvenirs.

— Non, monsieur. Mais il est vrai qu'elle semblait assez agitée, surtout après ce voyage.

— Un voyage? s'étonna Pendergast. Quel voyage?

— Un matin, j'ai été réveillé par le bruit de sa voiture dans l'allée. Vous vous rappelez le raffut que faisait son auto, monsieur. Elle n'avait laissé aucune note et ne m'avait prévenu de rien. C'était un dimanche matin aux environs de 7 heures. Elle est rentrée deux jours plus tard sans souffler mot de son périple, mais j'ai gardé le souvenir d'une personne différente. Un détail la perturbait, dont elle ne voulait pas parler.

— Je vois, dit Pendergast en échangeant un regard avec D'Agosta. Je vous remercie, Maurice.

— De rien, monsieur. Bonne nuit, conclut le vieux factotum en s'éloignant dans le couloir d'un pas silencieux.

22

D'Agosta quitta l'Interstate 10 en empruntant la sortie de la Belle Chasse Highway. La route était presque déserte et il roulait à vive allure, toutes vitres ouvertes, profitant de cette belle journée de février, la radio branchée sur une station diffusant de vieux standards rock. Il ne s'était pas senti aussi bien depuis longtemps. Bercé par le ronronnement du moteur, il vida d'un trait un café acheté chez Krispy Kreme et reposa le gobelet dans l'encoche du tableau de bord. Les deux doughnuts à la citrouille avalés un peu plus tôt avaient alimenté sa bonne humeur, et tant pis pour sa ligne.

Il avait passé une heure au téléphone la veille au soir avec Laura Hayward. Leur conversation s'était chargée de lui remonter le moral et il avait dormi du sommeil du juste. À son réveil, Pendergast avait déjà quitté Penumbra et Maurice l'attendait avec un solide petit déjeuner : œufs, bacon et flocons d'avoine.

D'Agosta s'était tout d'abord rendu à La Nouvelle-Orléans où il avait réussi à amadouer ses collègues du sixième district. Ceux-ci avaient commencé par le regarder d'un œil soupçonneux en apprenant qu'il était envoyé par un membre de la famille Pendergast, mais leur comportement avait changé du tout au tout lorsqu'ils avaient compris avoir affaire à un type normal, si bien qu'ils étaient allés jusqu'à le laisser accéder librement à leurs fichiers informatiques. En l'espace d'une heure, il avait retrouvé la trace du marchand de tableaux qui s'intéressait au *Cadre noir*, un certain John W. Blast de Sarasota, en Floride. La conservatrice des collections Oakley avait eu le nez fin, il s'agissait bien d'un personnage douteux, arrêté à cinq reprises sous de multiples chefs d'inculpation : chantage, faux, recel, trafic d'espèces protégées, coups et blessures. Le dénommé Blast devait avoir de l'argent, ou bien un bon avocat, car il s'en était tiré à chaque fois. Le temps d'imprimer le détail de son dossier de police et D'Agosta s'arrêtait chez Krispy Kreme avant de reprendre la route de la plantation.

Pendergast serait content.

Il constata que ce dernier était déjà rentré en apercevant la Rolls-Royce, garée à l'ombre d'un bosquet de cyprès. L'instant d'après, il montait les marches du porche et s'engageait dans le grand hall d'entrée.

— Pendergast ? appela-t-il.

Pas de réponse.

Il traversa le hall en passant la tête dans les pièces de réception. Vides.

— Pendergast ? répéta-t-il.

Avec ce temps de rêve, il est peut-être sorti se balader, se dit-il.

Il gravit l'escalier quatre à quatre, franchit le palier et s'arrêta net en croyant apercevoir une silhouette familière dans le salon plongé dans la pénombre. Pendergast, prostré, occupait le même fauteuil que la veille.

— Pendergast ? dit-il. Je pensais que vous étiez sorti et que…

Il fronça les sourcils en découvrant le visage atone de son ami. Il s'effondra dans le fauteuil voisin, sa bonne humeur envolée.

— Que se passe-t-il ?

Pendergast soupira lentement.

— Je me suis rendu chez Torgensson, Vincent. Il n'y a pas de tableau.

— Pas de tableau ?

— Une entreprise de pompes funèbres a remplacé la maison. L'intérieur a été entièrement réaménagé, il ne subsiste plus une seule poutre d'origine. Plus rien. Rien de rien, ajouta-t-il, les lèvres pincées. La piste s'arrête là.

— Qu'est-il advenu du médecin? Il a très bien pu déménager, il suffit de se renseigner.

Pendergast laissa s'écouler un long moment avant de répondre.

— Le docteur Torgensson est mort en 1852, totalement ruiné. Avant de sombrer dans la folie à cause de la syphilis, il a vendu tous ses biens.

— S'il s'est débarrassé du tableau, il doit bien rester une trace de la transaction.

Pendergast posa sur lui un regard mauvais.

— Il ne reste *aucune* trace. Il peut fort bien avoir échangé ce tableau contre du charbon pour se chauffer, s'il ne l'a pas réduit en lambeaux dans un accès de folie. Ou alors le tableau a survécu pour mieux disparaître lorsque le bâtiment a été réhabilité. Je suis dans une impasse.

Et voilà qu'il laisse tout tomber pour s'enfermer dans le noir, songea D'Agosta.

Depuis tant d'années qu'il connaissait Pendergast, il ne l'avait jamais vu dans un tel état de découragement. C'était d'autant plus ridicule que rien n'était perdu.

— Hélène aussi s'est lancée à la recherche de ce tableau, remarqua-t-il d'un ton plus sec qu'il ne l'aurait voulu. Elle y a même consacré des années de sa vie, alors que vous êtes sur la piste du *Cadre noir* depuis quelques jours à peine.

Comme Pendergast ne réagissait pas, il insista.

— Prenons le problème sous un autre angle. Au lieu de chercher à retrouver ce tableau, efforçons-nous de suivre votre femme dans ses déplacements. Maurice nous a dit qu'elle était partie trois jours, où a-t-elle bien pu se rendre? Si ça se trouve, elle était sur les traces du *Cadre noir*.

— Quand bien même vous auriez raison, le contra Pendergast d'une voix apathique, les faits remontent à plus de douze ans.

— Nous pouvons tout de même essayer, insista D'Agosta. Et puis il nous reste John W. Blast, le marchand de tableaux, qui a pris sa retraite à Sarasota.

Une lueur d'intérêt s'alluma dans le regard de Pendergast.

D'Agosta tapota la poche de sa veste.

— Il s'agit du type qui s'était mis en chasse du *Cadre noir*. Vous avez tort de dire que nous sommes dans une impasse.

— En trois jours, elle a très bien pu aller n'importe où.

— Et alors, bon sang? Vous allez renoncer pour si peu? s'énerva D'Agosta en scrutant le visage de son interlocuteur.

Brusquement, il se retourna et passa la tête par la porte du salon.

— Maurice? cria-t-il à tue-tête. Holà! Maurice!

Pour une fois qu'on avait besoin de lui, l'autre ostrogoth n'était pas là.

Un léger bruit monta des profondeurs de la maison silencieuse, suivi de pas dans l'escalier de service. Une minute plus tard, Maurice apparaissait au détour du couloir.

— Je vous demande pardon? s'enquit-il, tout essoufflé, en posant sur D'Agosta un regard interrogateur.

— Vous nous avez parlé hier soir du voyage effectué inopinément par Hélène.

— Oui, approuva Maurice.

— Vous n'auriez pas d'autres détails? Je ne sais pas, moi. Une note d'hôtel, ou alors un reçu de station d'essence.

— Non, monsieur, je ne vois pas.

— Elle ne vous a rien dit, à son retour? Pas un mot?

Maurice répondit non de la tête.

— Je suis désolé, monsieur.

Pendergast, enfoncé dans son fauteuil, paraissait plus abattu que jamais. Une chape de plomb s'abattit sur le salon.

— À bien y réfléchir, un détail me revient en mémoire, reprit Maurice. Même si je doute que cela puisse vous aider.

— Dites toujours, s'enflamma aussitôt D'Agosta.

— Eh bien…, hésita le vieux domestique.

D'Agosta aurait voulu le prendre par le revers de sa veste et le secouer comme un prunier.

— C'est-à-dire que… Elle m'a appelé le matin de son départ. Elle était sur la route.

Pendergast se leva lentement.

— Poursuivez, Maurice, dit-il à mi-voix.

— Ce devait être un peu avant 9 heures et je prenais mon café dans le petit séjour quand le téléphone a sonné. C'était Mme Pendergast, elle avait oublié sa carte de l'Automobile Club dans son bureau. Elle avait une roue crevée et souhaitait que je lui indique le numéro figurant sur la carte afin d'appeler le dépanneur.

Maurice lança un coup d'œil en direction de Pendergast.

— Monsieur se souviendra que madame avait des dons mécaniques limités.

— C'est tout?

Maurice opina de la tête.

— Je suis allé chercher la carte, je lui ai donné son numéro d'adhérente, et elle m'a remercié.

— Rien d'autre? insista D'Agosta. Des bruits derrière elle au téléphone? Des voix, peut-être?

— C'était il y a si longtemps, monsieur, remarqua Maurice en rassemblant péniblement ses souvenirs. Il me semble avoir entendu des bruits de circulation, peut-être même un klaxon. Elle appelait sans doute d'une cabine en bord de route.

Personne ne disait plus rien, le découragement se lisait sur le visage de D'Agosta.

— Vous souvenez-vous de sa voix ce jour-là? demanda Pendergast. Vous a-t-elle paru nerveuse, ou agitée?

— Non, monsieur, au contraire. Elle a même affirmé avoir eu de la chance d'avoir crevé à cet endroit.

— De la chance? répéta Pendergast. Et pourquoi donc?

— Parce qu'elle allait pouvoir déguster un *egg cream*[1] en attendant qu'on vienne la dépanner.

_____

1. L'*egg cream* est une boisson traditionnelle new-yorkaise. En dépit de son nom, elle ne contient pas d'œufs, puisqu'il s'agit d'un lait chocolaté allongé d'eau gazeuse. (*N.d.T.*)

À ces mots, Pendergast retrouva toute son énergie. Il passa comme une flèche devant D'Agosta et Maurice, interdits, traversa le palier en courant et descendit le grand escalier quatre à quatre.

Lorsque D'Agosta parvint à son tour dans le hall d'entrée, il entendit du bruit dans la bibliothèque et découvrit Pendergast en train de fouiller les étagères en jetant à bas des piles de livres dans sa précipitation. Armé de l'ouvrage qu'il cherchait, un atlas routier de Louisiane, l'inspecteur se rua vers la table la plus proche dont il balaya le contenu d'un geste afin de dégager de la place. Penché sur l'atlas ouvert à la bonne page, un crayon et une règle à la main, il prit toute une série de mesures en les notant au fur et à mesure sur une feuille.

— *Voilà!* murmura-t-il soudain en posant le doigt sur un point précis de la carte.

L'instant d'après, il avait disparu de la bibliothèque.

D'Agosta traversa derrière lui la salle à manger, la cuisine, l'office, le garde-manger et l'arrière-cuisine jusqu'au jardin. Sans ralentir, Pendergast coupa en direction d'une grange transformée en garage, à en juger par la demi-douzaine de portes qui s'ouvraient en façade. Il ouvrit la première à la volée, immédiatement englouti par l'obscurité qui régnait à l'intérieur du bâtiment.

Quelques instants plus tard, D'Agosta découvrait un immense espace traversé par des odeurs de foin et d'huile de moteur. Le temps de s'habituer à la pénombre et il devina trois voitures sous des bâches. Pendergast arracha l'une d'elles d'un geste sec et la carrosserie rouge vif d'une décapotable apparut à la vue.

— Wow! ne put s'empêcher de murmurer D'Agosta avec un sifflement admiratif. Une vieille Porsche. Quelle merveille!

— Un modèle Spyder 550 de 1954, précisa Pendergast. La voiture d'Hélène.

L'inspecteur sauta sur le siège conducteur, récupéra la clé sous le tapis de sol, la glissa dans l'antivol et mit le contact tandis que D'Agosta prenait place sur le siège passager. Le moteur rugit à la première sollicitation.

— Béni soit ce cher Maurice d'avoir veillé à son entretien, s'éleva la voix de Pendergast au-dessus du bruit du moteur.

Le temps de laisser chauffer le moteur quelques instants et il sortit du garage. Il mit les gaz et la décapotable exécuta un bond en avant en envoyant dans son sillage une poignée de gravier qui crépita sur la façade de la grange. Collé à son siège par l'accélération, D'Agosta eut tout juste le temps de voir la silhouette de Maurice, tout de noir vêtu, les regarder passer depuis les marches de l'arrière-cuisine.

— Où allons-nous? demanda-t-il.

Pendergast le regarda. Dans ses yeux dansait une flamme que D'Agosta lui connaissait bien: celle du chasseur.

— Grâce à vous, Vincent, nous avons pu localiser la meule de foin. Il ne nous reste plus qu'à trouver l'aiguille.

23

La voiture de sport filait sur les petites routes de campagne louisianaises. Marais, bayous, plantations et marécages défilaient à toute vitesse sur le passage de l'auto. C'est tout juste si Pendergast prenait le temps de ralentir les rares fois où ils traversaient un village, le vrombissement du moteur provoquant immanquablement la curiosité des passants. Son crâne dégarni balayé par le vent, D'Agosta regrettait que son compagnon ne se soit pas soucié de relever la capote. Il se demandait surtout pourquoi Pendergast n'avait pas choisi le confort de la Rolls, plutôt que cette voiture à ras de terre dans laquelle il ne se sentait guère en sécurité.

— Ça vous ennuierait de me dire où nous allons? hurla-t-il dans l'espoir de couvrir le hurlement du vent.

— À Picayune, dans le Mississippi.

— Qu'y a-t-il de si important à Picayune?

— Hélène s'y trouvait lorsqu'elle a téléphoné à Maurice.

— Vous en êtes sûr?

— À quatre-vingt-quinze pour cent.

— Comment le savez-vous?

Pendergast rétrograda, le temps de négocier un mauvais virage.

— Le fait qu'Hélène a bu un *egg cream* en attendant le dépanneur.

— Et alors?

— Alors? L'*egg cream* est une mauvaise habitude de Yankee dont je n'ai jamais su la guérir. On en trouve rarement en dehors de New York, sinon dans certaines régions de Nouvelle-Angleterre.

— Continuez.

— Il n'y a… je devrais dire, il n'y avait à l'époque que trois endroits servant des *egg creams* près de La Nouvelle-Orléans. Hélène les connaissait tous, elle naviguait constamment de l'un à l'autre. Il m'arrivait de l'accompagner. En consultant la carte en fonction de l'heure, du jour et de l'habitude qu'avait Hélène de conduire vite, j'ai calculé que Picayune était l'endroit le plus probable.

D'Agosta hocha la tête. Une fois expliqué, le raisonnement de son compagnon paraissait tout simple.

— Pourquoi quatre-vingt-quinze pour cent de chances seulement?

— Il n'est pas impossible qu'elle ait effectué une halte en chemin ce matin-là, pour une raison quelconque. Ou bien qu'elle ait été arrêtée par la police. Hélène collectionnait les PV pour excès de vitesse.

La petite ville de Picayune, ses maisons basses alignées sagement, se trouvait juste de l'autre côté de la frontière avec le Mississippi. Un écriteau à l'entrée de la bourgade annonçait fièrement : « Une perle dans la couronne du Sud ». Sur une autre pancarte s'affichaient les portraits des vedettes de la Fête des roses, la saison précédente. À mesure que la décapotable parcourait les rues calmes et ombragées, D'Agosta observait le décor avec curiosité. Pendergast ralentit en arrivant au centre-ville.

— Le lieu a légèrement changé, remarqua-t-il en regardant de droite et de gauche. Ce cybercafé n'existait pas, évidemment, de même que ce restaurant créole. En revanche, je reconnais cet endroit qui propose des *po'boys* à l'écrevisse, une spécialité de sandwich locale.

— Vous veniez souvent ici avec Hélène?

— Pas avec elle, mais je suis passé ici à plusieurs reprises par la suite. L'un des camps d'entraînement du FBI se trouve à quelques kilomètres. Ah! Nous y voici.

Pendergast s'engagea sur une rue tranquille et rangea la Porsche le long du trottoir. Il s'agissait d'un quartier résidentiel, à l'exception d'un restaurant en parpaings qu'entourait un parking en mauvais état. Une enseigne en précisait le nom : Jake's Yankee Chowhouse. Montée légèrement de travers sur la façade, elle avait perdu ses couleurs et une partie de sa peinture, le restaurant ayant visiblement fermé ses portes des années plus tôt. Les fenêtres donnant sur l'arrière étaient pourtant munies de voilages et une parabole, boulonnée sur l'un des murs du bâtiment, signalait la présence d'habitants.

— Commençons par tenter notre chance en appliquant la méthode douce, murmura Pendergast en scrutant les environs avec une légère moue.

Brusquement, il enfonça la pédale d'accélérateur à plusieurs reprises. Le moteur émit un rugissement en faisant voler les feuilles mortes accumulées dans le caniveau tandis que la décapotable vibrait comme une carlingue d'avion.

— Holà ! cria D'Agosta en haussant la voix. Vous avez décidé de réveiller les morts ?

Pendergast continua son manège pendant quelques secondes, et des têtes apparurent aux fenêtres tout le long de la rue.

— Non, répondit-il en lâchant le pied de l'accélérateur. Je me contenterai des vivants.

Un coup d'œil lui permit d'évaluer ses chances en observant les visages tournés dans sa direction.

— Trop jeune, remarqua-t-il en posant les yeux sur le premier. Et celui-ci sera trop bête... Ah ! Voilà qui semble nettement plus prometteur. Suivez-moi, Vincent.

Il descendit de voiture et se dirigea d'un pas nonchalant vers la troisième maison, de laquelle un personnage d'une soixantaine d'années en tee-shirt jaunissant observait son manège, sourcils froncés. L'homme tenait d'une main la télécommande de sa télévision et, de l'autre, une bière.

D'Agosta comprit brusquement pourquoi Pendergast avait tenu à prendre la Porsche de sa femme.

— Excusez-moi, monsieur, dit Pendergast en s'approchant de la maison. Auriez-vous l'amabilité de me dire si vous connaissiez le véhicule dans lequel...

— Tu peux te l'foutre au cul, ton *véhicule*, fusa la réponse tandis que l'homme rentrait chez lui en claquant la porte.

D'Agosta remonta son pantalon en s'humectant les lèvres.

— Vous voulez que je m'occupe de ce connard?

— Ce ne sera pas utile, Vincent, le tempéra Pendergast en tournant ses regards vers le restaurant.

Une vieille femme à la silhouette épaisse, attirée par le bruit, s'était plantée sur le porche devant lequel deux flamants roses en plastique montaient la garde. Un cigarillo dans une main et un magazine dans l'autre, elle examinait les deux intrus à travers une paire de vieilles lunettes papillon.

— Je ne serais pas surpris que nous ayons pris au piège le perdreau que j'espérais.

Les deux hommes traversèrent le parking mangé de mauvaises herbes sous le regard taciturne de la vieille femme.

— Bonjour, madame, commença Pendergast en s'inclinant légèrement.

— Bonjour vous-même, répliqua son interlocutrice.

— Par le plus grand des hasards, seriez-vous la propriétaire de ce bel établissement?

— Peut-être, dit-elle en tirant l'embout de plastique blanc du cigarillo.

Pendergast lui montra la Porsche d'un geste ample.

— J'aurais souhaité savoir si vous reconnaissiez ce véhicule.

Elle quitta ses visiteurs des yeux pour regarder brièvement la décapotable à travers ses lunettes sales.

— Peut-être, répéta-t-elle.

Une porte claqua plus loin dans la rue, et une fenêtre se referma.

— Où avais-je la tête? reprit Pendergast. J'oubliais de vous proposer un léger dédommagement en échange d'un temps que j'imagine précieux.

Comme par magie, un billet de vingt dollars apparut entre ses doigts, qu'il tendit à la femme. Éberlué, D'Agosta vit celle-ci le prendre et le glisser entre ses deux seins, aussi généreux que ridés.

— Je l'ai déjà vue trois fois, cette voiture. Mon fils a toujours été dingue des bagnoles de sport étrangères. C'est lui qui tenait le bar. Il s'est tué dans un accident d'auto à la sortie de la ville y a quelques années. La première fois que votre bagnole s'est arrêtée ici, j'ai cru qu'il allait devenir fou. Faut dire qu'y avait de quoi, tout le monde est sorti pour aller voir.

— Vous souvenez-vous de la personne qui la conduisait?

— Une jeunesse. Un beau brin de fille, même.

— Vous ne sauriez pas ce qu'elle a commandé, par hasard? insista Pendergast.

— Je risque pas d'oublier. Elle voulait un *egg cream*, même qu'elle disait qu'elle v'nait exprès de La Nouvelle-Orléans pour ça. Tout ce trajet pour un *egg cream*.

Un court silence s'installa.

— Vous m'avez dit avoir vu cette voiture à trois reprises, reprit Pendergast. Vous souvenez-vous de la dernière fois?

La vieille femme aspira une bouffée de son cigarillo tout en fouillant dans les recoins de sa mémoire.

— Cette fois-là, elle est arrivée à pied. Elle avait crevé.

— Permettez-moi de vous féliciter pour la justesse de vos observations.

— Une voiture et une fille comme ça, ça s'oublie pas. Mon Henri lui a offert son *egg cream* et, quand elle est revenue avec la voiture, elle l'a laissé s'asseoir au volant. Mais elle l'a pas laissé conduire, elle a dit qu'elle avait pas le temps.

— Où se rendait-elle donc?

— Elle trouvait pas l'embranchement de De Soto.

— De Soto? Je crains fort de ne pas connaître cette ville.

— Je vous parle pas d'une ville, mais du parc national De Soto. Faut dire que le chemin était pas indiqué et qu'il l'est toujours pas.

Pendergast ne laissait rien paraître de l'excitation croissante qu'il devait ressentir, et c'est d'un geste nonchalant que D'Agosta le vit allumer le cigarillo que la vieille femme venait de sortir d'une boîte.

— Elle se rendait donc dans un parc national? reprit-il en remisant le briquet dans sa poche.

La grosse femme retira le cigarillo de sa bouche et le regarda en mastiquant des gencives avant de visser à nouveau l'embout plastique entre ses lèvres.

— Non.

— Puis-je vous demander où elle allait?

La vieille feignit de chercher dans ses souvenirs.

— Attendez un peu… faut dire que ça fait longtemps…

Un second billet de vingt dollars apparut comme par magie, qui alla rejoindre son jumeau dans sa cachette.

— Sunflower, prononça la vieille femme.

— Sunflower? répéta Pendergast.

Son interlocutrice acquiesça.

— Sunflower, Mississippi. Vous prenez la sortie de De Soto et c'est trente kilomètres plus loin, juste avant d'arriver aux marais, expliqua-t-elle.

— Je vous suis très reconnaissant, la remercia Pendergast en se tournant vers D'Agosta. Vincent, je vous propose de ne pas perdre davantage de temps.

Ils regagnaient la décapotable lorsque la voix de la vieille résonna dans leur dos.

— Au vieux puits de mine, c'est l'embranchement de droite.

24

Sunflower, Mississippi

— Z'avez choisi, mon chou ? s'enquit la serveuse.

D'Agosta reposa le menu sur la table.

— Le poisson-chat.

— Frit, au four, au gril ?

— Au gril, je suppose.

— Sage décision, réagit la serveuse en notant la commande sur son carnet avant de se tourner vers le compagnon du lieutenant. Et vous, monsieur ?

— Un *pine bark stew*, commanda Pendergast. Sans *hush puppies*[1].

— Z'avez raison, commenta-t-elle en gribouillant sur son carnet avant de repartir en cuisine en se déhanchant.

D'Agosta la suivit du regard, puis il poussa un soupir et but une gorgée de bière. L'après-midi avait été long et pénible. Sunflower était une ville de trois mille habitants, bordée d'un côté par une forêt de chênes et de l'autre par le Black Brake, un immense marais de cyprès. Une bourgade quelconque, avec des trottoirs en pin usés, de petites masures enfermées derrière des clôtures en bois, et des autochtones assoupis sur les porches des maisons. Un

---

1. Il s'agit de deux spécialités sudistes. Le *pine bark stew* (littéralement « ragoût d'écorce de pin ») est une sorte de bouillabaisse originaire de la côte atlantique ; les *hush puppies* sont des croquettes de farine de maïs frites. (*N.d.T.*)

village fatigué de gens durs à la tâche, à l'écart du reste du monde.

Pendergast et D'Agosta avaient commencé par prendre leurs quartiers dans l'unique hôtel du cru avant d'enquêter séparément sur les raisons qui auraient pu pousser Hélène à passer trois jours dans un tel trou.

Après les avoir servis, la chance semblait brusquement les abandonner aux portes de Sunflower. D'Agosta avait passé cinq heures à interroger des témoins indifférents qui le conduisaient invariablement dans des impasses. La petite ville ne comptait ni musée, ni collection privée, ni société savante, ni marchand de tableaux, et John James Audubon n'y avait jamais séjourné. Personne n'avait gardé le moindre souvenir d'Hélène Pendergast, la photo de la jeune femme recueillant systématiquement des regards ternes. Même la voiture avait cessé d'opérer son charme.

Lorsqu'il avait enfin retrouvé Pendergast dans le petit restaurant de l'hôtel à l'heure du dîner, il était presque aussi découragé que son compagnon l'était le matin même. Son humeur maussade avait même déteint sur le ciel dont le bleu immaculé était passé à un noir inquiétant.

— Que dalle, répondit D'Agosta au regard inquisiteur que lui adressait Pendergast, avant de lui détailler sa journée. J'en suis à me demander si la vieille de Picayune ne s'est pas trompée. Ou bien si elle ne vous a pas raconté des conneries pour empocher vingt dollars de plus. Et vous?

La serveuse arrivait au même moment avec la commande, et elle déposa les assiettes sur la table avec un joyeux « Voilà ! ». Pendergast observa son ragoût en silence, puis il y trempa sa cuillère afin d'en examiner la composition de plus près.

— Une autre bière, mon chou? proposa la serveuse à D'Agosta, un sourire radieux aux lèvres.

— Pourquoi pas?

— Une eau gazeuse? suggéra-t-elle en se tournant vers Pendergast.

— Tout va bien, je vous remercie.

La femme s'éloigna de sa démarche sautillante et D'Agosta insista.

— Alors? Votre enquête?

— Un instant.

Pendergast sortit son portable et composa un numéro.

— Maurice? Nous passerons la nuit à Sunflower, dans le Mississippi… Oui, tout à fait. Bonne nuit.

Il rempocha le téléphone.

— J'ai bien peur que mes efforts aient été couronnés par le même insuccès que les vôtres.

Curieusement, une lueur dans le regard, soulignée par un petit sourire, contredisait sa déception apparente.

— Vous pouvez me dire pourquoi je ne vous crois pas? réagit D'Agosta après un temps de silence.

— Je vous demanderai d'observer la petite expérience que je vais tenter sur notre serveuse.

Celle-ci revenait précisément avec une Bud qu'elle déposa devant D'Agosta.

— Ma chère, s'enquit Pendergast avec son plus bel accent du Sud. J'aurais aimé vous poser une question.

Elle se tourna vers lui, un sourire ravi aux lèvres.

— Bien sûr, mon chou.

Pendergast tira cérémonieusement un petit carnet de la poche de sa veste.

— Je travaille pour un journal de Gulfport et j'effectue actuellement une enquête sur une ancienne famille d'ici, dit-il en ouvrant le carnet sans quitter la serveuse des yeux.

— Quelle famille?

— Les Doane.

La réaction n'aurait pas été plus spectaculaire si Pendergast lui avait annoncé son intention de commettre un hold-up. Le visage de la serveuse se ferma à double tour et son sourire s'effaça instantanément.

— Connais pas, désolée, marmonna-t-elle avant de s'éloigner en direction de la cuisine.

Pendergast glissa le carnet dans sa poche et reporta son attention sur D'Agosta.

— Que dites-vous de ma petite expérience?

— Comment pouviez-vous savoir qu'elle allait réagir comme ça? Elle ment, c'est évident.

— Exactement, mon cher Vincent, répliqua Pendergast en avalant une gorgée d'eau gazeuse. Mais tout le monde ici réagit avec la même réticence. Avez-vous remarqué à quel point les gens étaient soupçonneux, lorsque vous les avez interrogés cet après-midi?

D'Agosta prit le temps de réfléchir. Aucun de ceux qu'il avait vus ne s'était montré particulièrement coopératif, c'est vrai, mais il avait attribué ce détail à la méfiance naturelle des habitants vis-à-vis de ce Yankee indiscret.

— À mesure que j'enquêtais, poursuivit Pendergast, je m'étonnais du degré de fermeture croissant des autochtones, jusqu'au moment où un vieux monsieur m'a expliqué avec véhémence qu'en dépit de tout ce qu'on avait pu me dire les racontars colportés au sujet de la famille Doane étaient infondés. J'ai naturellement tenté d'en savoir davantage, et mon vieillard s'est refermé comme une huître, avec la même vivacité que notre serveuse il y a un instant.

— Alors, qu'avez-vous fait?

— Je me suis rendu dans les bureaux du journal local où j'ai demandé à consulter les archives. On a refusé de m'aider et il m'aura fallu montrer ceci, précisa-t-il en sortant son badge, pour avoir enfin accès à leurs collections. Là, je me suis aperçu que des pages de certains journaux publiés au cours des mois qui ont suivi le passage d'Hélène avaient été soigneusement découpées. J'ai pris soin de relever les dates concernées et me suis aussitôt rendu à la bibliothèque municipale de Carnes, la petite ville voisine. Leurs collections étaient fort heureusement intactes, et c'est ainsi que j'ai pu reconstituer l'histoire.

— Quelle histoire? interrogea D'Agosta.

— L'étrange saga de la famille Doane. M. Doane, un romancier fortuné, a voulu un jour s'installer à Sunflower afin d'écrire le roman du siècle, loin des tentations de la civilisation. Les Doane ont acheté l'une des plus grandes maisons de la ville, érigée par un baron de l'abattage du bois à l'époque où Sunflower possédait une scierie florissante. Doane avait deux enfants. Le premier, un garçon, est sorti du lycée local avec les meilleures notes jamais enregistrées par un élève de l'établissement, tandis que les dons poétiques de la fille lui permettaient de voir certaines de ses œuvres publiées. J'en ai lu quelques-unes, effectivement remarquables. Quant à Mme Doane, elle peignait des paysages qui lui ont valu un certain renom. Bref, la ville n'a pas tardé à manifester une certaine fierté à l'endroit de ces citoyens d'adoption qui avaient les honneurs de la presse, accumulaient les récompenses, participaient aux inaugurations et organisaient des collectes pour les bonnes œuvres du cru.

— La femme peignait aussi des tableaux d'oiseaux ? s'enquit D'Agosta.

— Pas à ma connaissance. Les Doane ne s'intéressaient apparemment ni à Audubon, ni à la peinture animalière. Quoi qu'il en soit, six mois après la visite d'Hélène, les articles à la gloire des Doane ont brusquement disparu des colonnes du journal.

— La famille en avait peut-être assez de se trouver constamment sous les feux de la rampe.

— Je ne crois pas. La famille Doane a fait l'objet d'un dernier article, à peu près un an plus tard, continua Pendergast. Il y était précisé que le fils avait été arrêté par la police au terme d'une chasse à l'homme dans le parc national voisin, sur l'accusation d'avoir commis deux meurtres à la hache.

— Le lycéen modèle ? s'étonna D'Agosta.

Pendergast acquiesça.

— Ma lecture achevée, j'ai profité de ma présence à Carnes pour poser quelques questions autour de moi. Cette fois, on m'a abreuvé de médisances et de ragots. On me parlait de folie meurtrière, de menaces et de chantage, au point qu'il devenait ardu de séparer le bon grain de l'ivraie. Seule certitude, les membres de la famille Doane sont morts les uns après les autres de façon peu engageante.

— Tous?

— La mère s'est suicidée, le fils s'est éteint dans le couloir de la mort en attendant son exécution, et la fille est décédée dans un asile d'aliénés au terme d'une grève du sommeil de deux semaines. Quant au père, il a été le dernier à disparaître, abattu par le shérif de Sunflower.

— Vous savez dans quelles circonstances?

— Il avait apparemment pris l'habitude de hanter les rues de la ville en accostant les jeunes femmes et menaçant les passants. On m'a laissé entendre que le shérif avait proprement exécuté Doane, avec la bénédiction des édiles locaux. Officiellement, le shérif et ses adjoints ont abattu M. Doane chez lui alors qu'il résistait à son arrestation. Il n'y a jamais eu d'enquête.

— Seigneur, laissa tomber D'Agosta. Je comprends mieux la réaction de la serveuse et l'hostilité ambiante.

— Je ne vous le fais pas dire.

— Que s'est-il réellement passé, à votre avis? L'eau du cru leur aurait mal réussi?

— Je n'en ai pas la moindre idée, mais je suis convaincu qu'Hélène rendait visite aux Doane lorsqu'elle a séjourné ici.

— Vous allez un peu vite en besogne, vous ne trouvez pas?

Pendergast hocha la tête.

— Peut-être, mais réfléchissez un instant. Les Doane sont les *seuls* individus remarquables d'une bourgade extrêmement banale. À part eux, cet endroit est un désert. J'ai l'intime conviction qu'ils constituent le chaînon manquant que nous recherchons.

La serveuse les interrompit, qui débarrassa précipitamment la table avant de s'éloigner en ignorant le geste de D'Agosta, prêt à commander un café.

— Je me demande ce qu'il faut faire pour avoir un kawa dans cet endroit, bougonna le lieutenant.

— Je peux me tromper, Vincent, mais je doute que vous réussissiez à commander un « kawa » ou quoi que ce soit d'autre dans cet établissement.

D'Agosta poussa un soupir.

— Qui occupe la maison des Doane, à présent?

— Personne. Elle a été barricadée et abandonnée depuis la mort de M. Doane.

— Alors nous allons là-bas, déclara D'Agosta sur un ton qui n'avait rien d'interrogatif.

— Exactement.

— Quand ça?

Pendergast adressa un signe à la serveuse.

— Dès que cette personne à l'éloquence muette aura eu l'amabilité de nous apporter l'addition.

25

Loin de voir arriver la serveuse, Pendergast et D'Agosta virent s'avancer le gérant de l'hôtel. Il posa l'addition sur la table et informa les deux hommes, sans autre forme de procès, qu'il ne serait pas en mesure de leur fournir des chambres comme convenu.

— Qu'est-ce que vous voulez dire? s'étonna D'Agosta.

— Nous avons un groupe ce soir, rétorqua le gérant. Ils avaient déjà une réservation, quelqu'un a oublié de le noter à la réception. Vous avez sans doute remarqué, nous n'avons pas beaucoup de chambres.

— Je suis désolé pour eux, fulmina D'Agosta, mais les chambres sont prises.

— On me dit que vous n'avez pas eu le temps d'y déposer vos bagages. J'ai procédé au remboursement de vos cartes de crédit. Je suis désolé, conclut le gérant sur un ton qui contredisait ses paroles.

D'Agosta allait lui dire vertement sa façon de penser lorsque Pendergast l'arrêta en lui posant une main sur le bras.

— Très bien, approuva l'inspecteur en déposant sur la table un billet couvrant le montant du dîner. Bonsoir à vous.

D'Agosta attendit que le gérant se soit éloigné pour fusiller du regard son compagnon.

— Vous allez vous laisser marcher sur les pieds par cette tête de nœud? Il nous a tout bonnement foutus dehors parce qu'on a voulu remuer cette vieille histoire.

En guise de réponse, Pendergast lui montra la rue d'un mouvement de menton. Intrigué, D'Agosta regarda par la fenêtre et vit le gérant pénétrer dans le bureau du shérif, situé sur le trottoir opposé.

— Mais c'est quoi, cet endroit! s'écria-t-il. On va bientôt voir débarquer les habitants avec des piques, ou quoi?

— Cette ville ne nous intéresse nullement, le calma Pendergast. Inutile de se compliquer l'existence. Je vous propose de partir au plus vite, avant que le shérif ne trouve un prétexte pour nous obliger à quitter la région.

Les deux hommes rejoignirent le parking situé derrière l'hôtel. Le ciel était de plus en plus menaçant, le vent secouait les branches des arbres et des grondements de tonnerre résonnaient dans le lointain. Pendergast prit la précaution de remonter la capote de la Porsche pendant que D'Agosta s'installait côté passager, puis il s'assit derrière le volant, démarra et s'éloigna du centre-ville en empruntant des ruelles sombres afin d'éviter les artères principales.

La maison des Doane était située à près de trois kilomètres de la ville, et l'on y accédait par une ancienne allée bourgeoise transformée en chemin creusé d'ornières. Pendergast avançait prudemment, veillant à ce que le châssis rabaissé du Spyder ne touche pas la terre durcie. Deux rangées d'arbres entremêlaient leurs branches squelettiques au-dessus des deux policiers. D'Agosta, secoué sur son siège, en arrivait à regretter l'antique Land Rover.

Pendergast franchit un dernier virage et la maison apparut à la lueur des phares sous un ciel chargé de nuages d'encre. La surprise se lut sur les traits de D'Agosta : la bâtisse était grande, mais personne n'aurait songé à lui trouver la moindre élégance. Coincé entre deux tours disproportionnées, un quadrillage de madriers et de poutres grossièrement taillés dessinait une façade trapue trouée de petites fenêtres. Un belvédère anachronique, ceint de grilles hérissées de pointes, surmontait le tout. La maison avait été plantée sur une butte au pied de laquelle s'étendait une forêt sinistre conduisant aux marais du Black Brake. Un éclair traversa le ciel, habillant fugitivement la silhouette du bâtiment d'une lueur fantomatique.

— Je m'attendais à découvrir un château, pas une cabane en rondins, s'étonna D'Agosta.

— Souvenez-vous que le premier propriétaire des lieux était un baron de l'industrie du bois.

Pendergast assortit sa remarque d'un geste en direction du toit.

— Ce belvédère lui servait indéniablement à surveiller son domaine. J'ai lu qu'il possédait près de vingt-cinq mille hectares de terre, dont une bonne partie des cyprès du Black Brake, avant que le gouvernement n'en fasse l'acquisition pour le transformer en réserve naturelle.

Il arrêta la Porsche devant la maison, jeta un coup d'œil dans le rétroviseur et jugea plus prudent de la garer sur l'arrière.

— Vous pensez que quelqu'un pourrait venir nous déranger? l'interrogea D'Agosta.

— Inutile d'attirer l'attention sur nous.

La pluie s'était mise à tomber en grosses gouttes qui tambourinaient sur le pare-brise et la capote de toile. Pendergast descendit le premier, rapidement imité par D'Agosta, et les deux policiers se réfugièrent en courant sous le porche. Le lieutenant observa d'un air inquiet les poutres branlantes en se disant que seul un écrivain aurait pu choisir un décor aussi romanesque. Les volets des minuscules fenêtres étaient tous fermés, la porte cadenassée et protégée par une chaîne. La végétation avait envahi les abords immédiats du bâtiment dont elle adoucissait les formes austères, des guirlandes de mousse se chargeant de cacher une partie des poutres de la façade.

Pendergast tourna et retourna le cadenas dans tous les sens avant d'insérer une tige à l'intérieur du cylindre. Un léger mouvement de la main, et le cadenas s'écarta en grinçant. Pendergast retira la chaîne qu'il laissa choir à terre. La porte était fermée à clé et il dégagea le pêne avec la même agilité, puis il tourna la poignée et poussa le battant qui s'ouvrit lentement sur des gonds rouillés. Armé d'une torche pêchée dans sa poche, il s'avança. Depuis le temps qu'il fréquentait l'inspecteur, D'Agosta avait appris à ne jamais partir en mission sans deux accessoires indispensables : une arme et une lampe électrique. Cette dernière à la main, il suivit Pendergast à l'intérieur de la maison.

Les deux hommes se retrouvèrent dans une vaste cuisine à l'ancienne au milieu de laquelle se dressait une table en bois. Une gazinière, un réfrigérateur et un lave-linge montaient la garde au fond de la pièce, mais l'apparence de normalité s'arrêtait là. Les placards éventrés avaient été vidés de leur contenu, des restes d'assiettes et des débris de verres jonchaient les étagères, le plan de travail et le sol au milieu d'un champ de bataille de grains de riz, de haricots secs et de céréales moisies éparpillées par les rats. Les chaises, renversées, avaient été réduites en miettes, les cloisons trouées à coups de marteau ou à coups de poing. Le plâtre tombait du plafond par plaques en laissant sur le carrelage un voile de poussière blanche constellé de crottes de rongeurs. D'Agosta parcourut la pièce avec le pinceau de sa lampe et s'immobilisa brusquement sur une épaisse flaque de sang coagulé. En remontant le long du mur, la lumière révéla, à hauteur d'homme, des trous irréguliers provoqués par un fusil de gros calibre, parmi des projections de sang et de chair.

— C'est ici que Doane sera tombé sous les balles du shérif de Sunflower, commenta D'Agosta. On dirait qu'il s'est défendu.

— Cela m'a tout l'air d'être le lieu de la fusillade, en effet, murmura Pendergast en retour. Il n'y a pourtant pas eu lutte. Les dégâts sont survenus avant.

— Comment expliquez-vous ça ?

Pendergast contempla la scène avant de répondre.

— Une descente dans la folie. Allons, Vincent. Poursuivons notre visite, proposa-t-il en posant le faisceau de sa torche sur une porte.

Les deux hommes parcoururent lentement le rez-de-chaussée en fouillant successivement la salle à manger, le salon, le séjour, l'office. Le même chaos régnait partout : meubles renversés, verres brisés, livres aux pages arrachées... Dans une chambre, les deux policiers trouvèrent un vieux matelas, couvert de taches de graisse, près duquel gisaient des boîtes de sardines vides, des emballages de barres chocolatées, des canettes de bière. Un coin de la chambre avait servi de latrine à son occupant, sans le plus petit souci d'hygiène. Aucun tableau n'ornait les murs de la maison, avec ou sans cadre noir, et la seule tentative de décoration était une frénésie de dessins, un curieux entrelacs de lignes brisées et de gribouillis inquiétants réalisés à l'aide d'un gros feutre violet.

— Seigneur ! remarqua D'Agosta. Que pouvait bien vouloir Hélène à ces gens ?

— C'est extrêmement curieux, concéda Pendergast, surtout si l'on considère qu'à l'époque de sa venue ici les Doane faisaient la fierté des habitants de Sunflower. Souvenez-vous, cette descente dans la folie n'est intervenue que plus tard.

Le tonnerre grondait dangereusement au-dehors, souligné par des éclairs dont la lueur aveuglante traversait les volets. Les deux hommes descendirent à la cave où se manifestaient des signes de démence comparables à ceux observés au rez-de-chaussée. Au terme d'une fouille sans résultat, ils gagnèrent l'étage. Le désordre y était moins flagrant, en dépit de certains détails alarmants. Dans la chambre du fils, face à un mur couvert de diplômes, de prix d'excellence et de récompenses, s'alignaient des têtes de cochons, de chiens et de rats desséchées par le temps. Elles avaient été grossièrement clouées à même le mur et de longues traînées brunâtres s'écoulaient de chacun de ces trophées monstrueux, maculant les têtes momifiées disposées en dessous.

La chambre de la fille était peut-être plus angoissante encore par son dépouillement. Seule une anthologie de poésie en plusieurs volumes reliés de rouge avait survécu sur une étagère.

À l'extrémité du couloir se trouvait une porte fermée à clé.

Pendergast sortit sa trousse de cambrioleur et crocheta la serrure, mais la porte refusait toujours de s'ouvrir.

— C'est bien notre veine, grommela D'Agosta.

— Si vous observez la partie supérieure du chambranle, vous constaterez que la porte a été vissée, en plus d'être verrouillée, déclara Pendergast en lâchant la poignée. Nous verrons cela plus tard, commençons par jeter un coup d'œil au grenier.

Les combles de la vieille maison étaient constitués d'un dédale de pièces minuscules et basses de plafond, remplies de vieux meubles et de bagages moisis. L'inspection des cartons et des malles, dans un tourbillon de poussière, ne dévoila que des vêtements usés et des piles de journaux anciens attachés avec de la ficelle. Au fond d'une boîte à outils éculée, Pendergast dénicha un tournevis qu'il glissa dans sa poche.

— Je vous propose de visiter les deux tours, suggéra-t-il en époussetant son costume noir d'une main dégoûtée. Nous nous occuperons en dernier de cette pièce barricadée.

Chacune des tours était essentiellement composée d'une cage d'escalier traversée de courants d'air et de recoins pleins de toiles d'araignée, de crottes de rat, et de livres aux pages jaunies entassés pêle-mêle. Les marches conduisaient à une petite pièce munie de fenêtres, étroites comme des meurtrières, dominant la forêt zébrée d'éclairs. D'Agosta avait du mal à dissimuler sa perplexité. Quelle mouche avait bien pu piquer Hélène de se rendre dans un tel repaire de fous? Encore fallait-il qu'elle ait effectivement rendu visite aux Doane, ce qui n'était pas établi.

Les deux hommes retrouvèrent le bâtiment principal où les attendait la porte mystérieuse. Éclairé par la torche de D'Agosta, Pendergast commença par retirer deux longues vis à l'aide du tournevis, puis il poussa le battant.

D'Agosta resta interdit sur le seuil. On aurait cru pénétrer dans un œuf de Fabergé: la pièce, de petites dimensions, regorgeait de trésors qui luisaient dans la pénombre. Les fenêtres, condamnées à l'aide de planches et soigneusement protégées par des bandes de toile, avaient empêché la poussière de s'immiscer, au point que chaque objet avait conservé son lustre malgré les années. Les murs étaient couverts de tableaux, des tapis ravissants habillaient le sol au milieu d'une foison de sculptures délicates et de meubles anciens d'une beauté à couper le souffle sur lesquels reposaient des bijoux étincelants, lovés sur des carrés de velours noir.

Au centre de la pièce il y avait un canapé orné de motifs floraux abstraits. Le travail du cuir était si spectaculaire, le résultat si hypnotique que D'Agosta n'arrivait pas à en détacher son regard. À quelques mètres de là, une série de sculptures en bois exotique, figurant des visages longilignes, se dressaient au milieu de parures en or, de pierres précieuses et de perles noires étincelantes.

D'Agosta s'avança dans un silence hébété, les yeux sollicités de toutes parts. Sur une console était rangée une collection de petits ouvrages à la reliure rouge, aux titres délicatement dorés à la feuille. Le lieutenant en prit un au hasard et découvrit une longue suite de poèmes, rédigés d'une belle écriture, datés et signés par Karen Doane. Les tapis tissés à la main formaient plusieurs couches sur le parquet ancien, dans une débauche de motifs géométriques aux couleurs chatoyantes. Il balaya les tableaux accrochés aux murs avec le pinceau de sa lampe : des paysages d'une grande poésie représentant les forêts qui entouraient la maison, mais aussi des cimetières, des natures mortes, d'autres paysages fantastiques tout droit échappés d'un monde de rêve. D'Agosta s'approcha de l'un d'entre eux, les yeux plissés, et remarqua que la mention « M. Doane » figurait au bas de la toile.

Pendergast le rejoignit en silence.

— Melissa Doane, murmura-t-il dans son dos. La femme de notre romancier. Ces tableaux seraient donc son œuvre.

— Tous ? s'étonna D'Agosta en désignant d'un mouvement de torche les autres murs de la petite pièce.

La même signature s'étalait au bas de chacun des paysages, et aucun d'entre eux n'était encadré de noir.

— J'ai bien peur que nous ayons fait fausse route, remarqua-t-il en laissant doucement retomber la main qui tenait la lampe.

Pendergast exécuta lentement le tour de la pièce et s'arrêta devant la console sur laquelle il y avait les petits livres. Il les feuilleta rapidement, puis il quitta l'étrange musée et remonta le couloir jusqu'à la chambre de la fille. Les volumes rouges alignés sur l'étagère étaient identiques à ceux qu'il venait d'examiner. Il saisit le dernier d'une main osseuse, le feuilleta et constata que toutes les pages étaient vierges. Il le reposa, recommença son manège avec le précédent et ne découvrit que des pages striées de lignes horizontales tracées à la règle.

À l'exception de quelques personnages en fil de fer dessinés sur la page de garde, le volume voisin se limitait lui aussi à ces rayures étranges ; le suivant contenait des phrases éparses, rédigées d'une main irrégulière, qui montaient et descendaient de façon erratique.

Pendergast choisit un passage au hasard et lut à voix haute :

Je ne peux
Dormir, je ne dois pas
Dormir. Ils sont là qui murmurent
Des choses. Ils me montrent
Des choses. Impossible de les faire
Taire, impossible de les faire
Taire. Si je m'endors je vais
Mourir. Sommeil = Mort
Rêve = Mort
Impossible de les faire
Taire

Pendergast feuilleta les pages suivantes et constata que le délire de leur auteur se poursuivait avant de se perdre dans un maelström de mots sans queue ni tête et de gribouillis incompréhensibles. Il reposa le volume d'un air pensif avant d'en saisir un autre, vers le début de la rangée, et l'ouvrit au hasard. L'écriture, décidée et régulière, était celle d'une jeune fille qui ornait ses marges de dessins de fleurs et de visages souriants, les *i* surmontés de ronds rassurants.

Pendergast lut une date à voix haute et D'Agosta effectua un rapide calcul dans sa tête.

— C'est à peu près six mois avant la venue d'Hélène.

— Exactement. À l'époque, les Doane venaient d'arriver à Sunflower.

Pendergast reprit sa lecture en choisissant un paragraphe caractéristique du ton général.

> *Mattie Lee m'a encore mise en boîte au sujet de Jimmy. C'est vrai qu'il est mignon, mais je ne suis vraiment pas sensible à ses tenues gothiques, sans parler de la musique trash metal qu'il écoute tout le temps. Il se coiffe les cheveux en arrière et fume en tenant sa cigarette près de la cendre. Il trouve que ça lui donne un genre. Je trouve surtout que ça donne l'impression d'un ringard qui cherche à se donner un genre. Pire, ça donne l'impression d'un pauvre mec qui ressemble à un ringard cherchant à se donner un genre.*

— Simple prose de lycéenne, commenta D'Agosta en fronçant les sourcils.

— Avec un soupçon incisif inhabituel, peut-être, répondit l'inspecteur en parcourant la suite en diagonale. Ah! s'exclama-t-il brusquement en découvrant un commentaire rédigé trois mois après le précédent :

> *En rentrant du lycée, j'ai trouvé papa et maman dans la cuisine en train d'examiner un oiseau sur le plan de travail. Devinez quel genre d'oiseau ?* Un

perroquet ! *Un gros perroquet tout gris, avec une petite queue rouge et une bague métallique à la patte. Une bague portant seulement un numéro. Un perroquet apprivoisé qui vient se percher sur le bras de celui qui l'appelle. Il n'arrêtait pas de me regarder et de m'observer. Papa a consulté son encyclopédie et nous a dit qu'il s'agissait d'un gris du Gabon. Il pense qu'il doit s'agir d'un perroquet apprivoisé pour être aussi peu sauvage. Il est arrivé vers midi, les parents l'ont trouvé perché sur une branche du pêcher près de la porte de derrière, il manifestait sa présence en criant. J'ai supplié papa de nous laisser le garder, il a accepté tant qu'on n'aurait pas retrouvé son propriétaire. Il veut passer une annonce, je lui ai conseillé le journal de Tombouctou et ça l'a fait rire. J'espère qu'on ne retrouvera jamais son maître. On lui a fabriqué un petit nid dans une vieille boîte, papa ira à Hattiesburg demain lui acheter une vraie cage. En sautillant sur le plan de travail de la cuisine, il a trouvé un muffin de maman et s'est rué dessus en poussant un glousse-ment, alors je l'ai baptisé Muffin.*

— Un perroquet, marmonna D'Agosta. Qui aurait pu croire un truc pareil ?

Pendergast poursuivit la lecture en diagonale du journal intime de la jeune fille. Arrivé à la dernière page, il saisit le volume suivant en prenant soin d'examiner la date de chaque nouvelle entrée. Il s'arrêta soudainement en rete-nant sa respiration.

— Vincent ! Voici le texte correspondant à la date du 9 février, c'est-à-dire le jour de la visite d'Hélène :

Le pire jour de toute ma vie !!!
Après le déjeuner, une dame a frappé à la porte de la maison. Elle était venue en décapotable rouge et elle avait l'air déguisée, avec des gants de cuir. Elle avait entendu dire qu'on avait un perroquet

et demandait à le voir. Papa lui a montré Muffin (dans sa cage) et elle a voulu savoir comment il était arrivé là. Elle posait toutes sortes de questions sur lui, d'où il venait, s'il était apprivoisé, s'il se laissait approcher quand on voulait le prendre, qui jouait le plus souvent avec lui, ce genre de trucs. Elle l'a regardé sous toutes les coutures en multipliant les questions pendant une éternité. Elle voulait examiner sa bague, mais papa lui a demandé si c'était elle la propriétaire. Elle a répondu oui et qu'elle comptait le récupérer, mais papa a trouvé ça bizarre. Quand il lui a demandé de nous donner le numéro gravé sur la bague, elle en a été incapable, elle n'avait rien pour prouver qu'elle était la maîtresse de Muffin et elle nous a servi toute une salade, comme quoi elle était chercheuse dans un laboratoire, que le perroquet s'était échappé. Papa n'en croyait pas un mot et il a refusé de lui donner Muffin tant qu'elle ne lui fournirait pas la preuve de ce qu'elle avançait. La femme n'a pas eu l'air plus étonnée que ça, et puis elle m'a regardée d'un air triste en me demandant si c'était moi qui m'occupais de Muffin. J'ai dit oui, elle a réfléchi, et puis elle a demandé à papa s'il pouvait lui recommander un hôtel correct en ville. Il lui a répondu qu'il n'y en avait qu'un et qu'il allait chercher le numéro dans l'annuaire de la cuisine. Il avait à peine tourné le dos que la femme s'est précipitée sur la cage de Muffin. Elle l'a enfournée dans un grand sac-poubelle noir, est sortie en trombe de la maison, a jeté le sac-poubelle à côté d'elle dans la voiture avant de démarrer sur les chapeaux de roue! Muffin n'arrêtait pas de crier pendant tout ce temps. Je suis sortie de la maison en hurlant, papa est arrivé, on a pris sa voiture et on a voulu lui donner la chasse, mais elle avait disparu. Papa a téléphoné au shérif que l'idée de retrouver un oiseau volé n'avait pas l'air de passionner des masses, surtout si c'était vraiment l'oiseau de la bonne femme. Muffin a disparu, purement et simplement.

Je suis montée dans ma chambre et j'ai pleuré comme une Madeleine sans pouvoir m'arrêter.

Pendergast referma le journal de l'adolescente et le glissa dans la poche de sa veste. Au même instant, un éclair traversa le ciel et un coup de tonnerre fit trembler la vieille bâtisse sur ses bases.

— Incroyable, remarqua D'Agosta. Hélène aurait donc volé ce perroquet, après avoir volé les perroquets empaillés d'Audubon. Pourquoi a-t-elle agi ainsi?

Pendergast ne répliqua pas.

— Vous avez souvenir de ce perroquet? insista le lieutenant. Elle l'avait avec elle quand elle est rentrée à Penumbra?

Pendergast répondit non de la tête.

— Et ce laboratoire de recherche dont parle la gamine?

— Elle ne travaillait pas dans un laboratoire, Vincent. Elle œuvrait pour le compte de Médecins Voyageurs.

— Vous comprenez pourquoi elle a fait ça, vous?

— Pour la première fois de mon existence, j'avoue être démuni.

À la lueur d'un nouvel éclair, D'Agosta découvrit une expression de parfaite incompréhension sur les traits de son compagnon.

26

New York

Laura Hayward laissait volontiers ouverte la porte de son bureau afin de signifier à ses subordonnés de la brigade criminelle qu'elle n'avait pas oublié ses origines humbles, à l'époque où elle était simple flic dans le métro new-yorkais. Tout en ayant connu une ascension méritée, elle avait conscience que le fait d'être femme avait constitué un atout dans un milieu secoué, dix ans plus tôt, par quelques affaires retentissantes de discrimination au travail.

En prenant son poste, ce matin-là à 6 heures, elle n'en avait pas moins refermé sa porte, bien décidée à consacrer tous ses efforts à l'enquête sur les meurtres de plusieurs parrains de la mafia russe qui monopolisait une bonne part de l'activité du service.

Vers midi, la tête farcie d'images d'une brutalité absurde, elle se leva avec l'intention d'aller prendre l'air dans le petit square attenant au One Police Plaza. Elle ouvrit la porte de son bureau et traversa la grande salle où elle tomba sur un petit groupe rassemblé dans un coin.

Les flics la saluèrent plus froidement qu'à l'ordinaire et elle crut surprendre des regards en biais.

— C'est bon, de quoi s'agit-il? demanda-t-elle, bille en tête, en se plantant devant ses hommes.

Un silence embarrassé lui répondit.

— Jamais vu une bande de mauvais menteurs pareils, insista-t-elle sur un ton qu'elle voulait léger. Vous ne feriez pas le poids au poker, les gars.

Un sergent se lança après une ultime hésitation.

— Capitaine, c'est au sujet de ce… de cet inspecteur du FBI, Pendergast.

Le sourire de Hayward se figea. Son mépris pour l'inspecteur n'était un secret pour personne dans le service, pas plus que sa relation avec D'Agosta, qui faisait souvent équipe avec Pendergast. Ce dernier avait le chic pour mettre Vincent dans la merde et Hayward avait le pressentiment croissant que leur équipée en Louisiane se conclurait sur une note désastreuse, comme d'habitude. Elle tenta néanmoins de conserver une expression neutre.

— Et alors? Qu'a encore inventé l'inspecteur Pendergast? demanda-t-elle d'une voix plutôt fraîche.

— C'est pas lui directement, reprit le sergent. C'est au sujet de l'une de ses proches. Une certaine Constance Greene. Sa nièce, ou un truc du genre. Elle s'est fait mettre au trou et elle a donné le nom de Pendergast au moment de son arrestation.

Un silence gêné ponctua la déclaration du sergent.

— Mais encore? le relança Hayward.

— Elle rentrait d'un voyage à l'étranger et elle a pris un billet sur le *Queen Mary 2* à Southampton, elle et son bébé.

— Son bébé?!!

— Ouais. Un bébé de deux ou trois mois. Quand elle a voulu passer les contrôles à l'arrivée à New York, ils ont constaté que le bébé avait disparu. Les services de l'immigration ont immédiatement contacté le NYPD par radio pour qu'on vienne la chercher. Elle est accusée de meurtre.

— De meurtre?

— Oui. Elle aurait jeté son bébé par-dessus bord quelque part au milieu de l'Atlantique.

27

Au-dessus du golfe du Mexique

Le Boeing 767 flottait à 34 000 pieds dans un ciel sans nuages, au-dessus d'une mer d'un bleu parfait qui scintillait sous le soleil de cet après-midi de rêve.

— Une autre bière, monsieur? demanda l'hôtesse en se penchant aimablement vers D'Agosta.

— Avec plaisir.

L'hôtesse se tourna vers le compagnon du lieutenant.

— Et vous, monsieur?

— Rien, merci, répliqua Pendergast.

D'un geste, il indiqua à la jeune femme de remporter la petite assiette de saumon fumé posée sur sa tablette.

— Ce poisson est presque tiède. Cela vous ennuierait-il de m'en apporter un frais, je vous prie?

— Pas du tout, s'empressa de répondre l'hôtesse en repartant avec l'assiette.

D'Agosta attendit qu'elle soit revenue pour se carrer confortablement dans son fauteuil en étendant paresseusement les jambes. Il n'avait jamais voyagé en première classe avant de connaître Pendergast, mais il en aurait volontiers pris l'habitude.

Un signal sonore retentit et le commandant annonça aux passagers que l'atterrissage à l'aéroport de Sarasota-Bradenton était prévu dans une vingtaine de minutes.

D'Agosta avala une gorgée de bière d'un air pensif. Dix-huit heures et plus d'un millier de kilomètres le séparaient de Sunflower, mais le souvenir de l'étrange demeure de la famille Doane, avec sa collection de merveilles perdue au milieu d'un océan de ruines, ne l'avait pas quitté. De son côté, Pendergast conservait un mutisme songeur.

— J'ai une théorie, tenta une nouvelle fois D'Agosta.

L'inspecteur le gratifia d'un coup d'œil.

— Si vous voulez mon avis, la famille Doane est une fausse piste.

— Tiens donc, répliqua Pendergast en goûtant du bout des dents sa nouvelle assiette de saumon.

— Réfléchissez. Ces gens-là sont devenus cinglés des mois, voire des *années* après la visite d'Hélène. Pourquoi voudriez-vous que cette visite ait un rapport avec ce qui s'est passé ensuite? Tout ça pour un perroquet?

— Vous avez peut-être raison, répondit mollement Pendergast. Ce qui me déroute le plus, c'est cet éclair de génie soudain chez tous les membres de la famille avant... avant leur déchéance.

— Vous savez comme moi que la folie est souvent hérédit...

D'Agosta se mordit la langue.

— Quoi qu'il en soit, reprit-il, ce sont toujours les plus brillants qui sombrent dans la folie.

— *Nous autres poètes entamons l'existence dans la joie. Seulement plus tard surviennent la dépression et la folie*[1], récita Pendergast en se tournant vers son voisin. Ainsi donc, vous attribuez leur folie à cette créativité?

— C'est au moins le cas de la fille Doane.

— Je vois. De sorte que le vol de ce perroquet n'aurait aucun lien avec ce qui est arrivé par la suite à cette famille. C'est bien là votre hypothèse?

— Plus ou moins. Qu'en pensez-vous? s'enquit D'Agosta dans l'espoir d'amener son compagnon à sortir du bois.

---

1. Extrait du poème « Resolution and Independence » de William Wordsworth (1802). (*N.d.T.*)

— Je pense que je n'aime guère les coïncidences, Vincent.

D'Agosta eut une hésitation.

— Je me posais une autre question. Hélène était-elle… je veux dire, lui arrivait-il de… enfin, de se comporter bizarrement, parfois?

Le visage de Pendergast se ferma.

— Je ne suis pas certain de bien comprendre.

— C'est juste que…, bafouilla D'Agosta. Tous ces déplacements étranges, tous ces secrets, le vol des deux oiseaux empaillés dans un musée, et puis celui de ce perroquet. Hélène aurait-elle pu avoir une sorte de dépression nerveuse? Quand j'étais à Rockland, les gens avaient l'air de dire que les membres de sa famille n'étaient pas tout à fait normaux…

Il n'alla pas plus loin, sentant la température ambiante chuter de plusieurs degrés.

— Hélène Esterhazy n'était sans doute pas une femme ordinaire, mais je puis vous assurer qu'il s'agissait de l'une des personnes les plus rationnelles et les plus *saines* qu'il m'a été donné de croiser dans ma vie, répliqua Pendergast d'une voix pincée.

— Bon, bon, s'empressa d'approuver D'Agosta, regrettant de s'être avancé sur un terrain aussi miné.

— Notre temps serait mieux utilisé à évoquer la mission qui nous attend, poursuivit Pendergast. Voici quelques éléments que je souhaite partager avec vous au sujet de ce *monsieur*, ajouta-t-il en sortant de la poche de sa veste une enveloppe contenant une feuille de papier. John Woodhouse Blast. Âgé de cinquante-huit ans. Né à Florence en Caroline du Sud. Résidant actuellement au 4112 Beach Road à Siesta Key. Au nombre de ses métiers successifs : marchand de tableaux, propriétaire d'une galerie d'art, spécialiste d'import-export, mais aussi graveur et imprimeur.

Il replia la feuille.

— Ses gravures étaient d'un genre assez particulier, précisa-t-il.

— C'est-à-dire?

— Il avait une prédilection certaine pour les portraits de présidents américains morts.

— Vous voulez dire qu'il fabriquait des *faux billets*?

— Les services secrets l'en ont soupçonné, sans pouvoir en apporter la preuve. Blast a également fait l'objet d'une enquête pour contrebande de défenses d'éléphant et de cornes de rhinocéros, un trafic illégal depuis la Convention de 1989 sur les espèces protégées. Cette fois encore, on n'a rien pu prouver.

— Ce type-là est une vraie anguille.

— Il est à tout le moins imaginatif, résolu, et dangereux.

Pendergast marqua un léger temps d'arrêt avant d'enchaîner.

— Un dernier détail qui a son importance. Son nom: John Woodhouse Blast.

— Eh bien?

— Il s'agit d'un descendant direct de John Woodhouse Audubon, le propre fils de John James Audubon.

— Quoi?!!

— John Woodhouse était lui-même peintre. C'est à lui que l'on doit d'avoir achevé le dernier opus de son père, *Les Quadrupèdes vivipares d'Amérique du Nord*, dont il a peint près de la moitié des illustrations suite au brusque déclin d'Audubon.

D'Agosta émit un petit sifflement.

— Si ça se trouve, ce Blast considère le *Cadre noir* comme son héritage.

— C'est précisément la conclusion à laquelle j'étais parvenu. Il aura passé la majeure partie de sa vie à chercher ce tableau, une quête à laquelle il semble avoir renoncé depuis quelques années.

— De quoi vit-il?

— Je n'ai pas réussi à le savoir. Notre homme ne semble guère porté sur les confidences.

Pendergast jeta un coup d'œil à travers le hublot.

— Il va nous falloir être prudents, Vincent. Très prudents.

28

Sarasota, Floride

D'Agosta ouvrit des yeux d'enfant en découvrant Siesta Key : des avenues étroites bordées de palmiers, des pelouses vert émeraude glissant jusqu'à des bras de mer azur, des canaux sinueux sur lesquels se balançaient mollement des bateaux de plaisance. La plage elle-même était immense, le sable blanc et soyeux comme du sucre en poudre d'une extrémité à l'autre d'un axe nord-sud noyé dans une brume de beau temps. D'un côté, les vagues d'un océan de rêve ; de l'autre, la longue procession des immeubles de location et des hôtels de luxe, avec une juste proportion de piscines, de villas et de restaurants.

La journée touchait à sa fin et tout semblait figé sur la plage où baigneurs, amateurs de châteaux de sable et promeneurs regardaient le couchant dans un ensemble parfait. D'Agosta se décida à imiter le mouvement général. Le soleil s'abîmait lentement dans les eaux du golfe du Mexique, dessinant à l'horizon un demi-cercle orange. C'était la première fois que le lieutenant voyait l'astre diurne se coucher autrement que caché derrière les gratte-ciel de Manhattan ou le paysage urbain du New Jersey, et il était le premier surpris de la rapidité du phénomène : la minute précédente, le soleil se trouvait là, qui descendait lentement derrière la ligne sans fin de l'horizon… et puis il disparaissait, laissant dans son sillage des traînées roses phosphorescentes. Il se passa la langue sur les lèvres, à la recherche de l'air salin. Il se voyait bien prendre sa retraite avec Laura dans un paradis tel que celui-là, une fois accumulées les annuités nécessaires.

L'appartement de Blast se trouvait au dernier étage d'un immeuble de grand standing dominant le front de mer. Les deux hommes sortirent de l'ascenseur et Pendergast appuya sur la sonnette. Au terme d'une attente interminable, un léger grattement leur signala que quelqu'un les observait à travers le judas, suivi d'un bruit de clé dans la serrure. Le battant s'écarta et un personnage fluet, ses cheveux d'un noir brillant ramenés en arrière, apparut sur le seuil.

— Oui?

Pendergast lui tendit son badge, imité par D'Agosta.

— Monsieur Blast?

L'homme prit le temps de lire les insignes de ses visiteurs, puis il posa sur Pendergast un regard curieux, dépourvu de tout sentiment de peur.

— Pouvons-nous entrer?

L'homme hésita un instant, puis il écarta la porte. Les deux policiers traversèrent l'entrée et pénétrèrent dans un vaste séjour décoré de façon tapageuse. De lourds rideaux dorés encadraient une immense baie vitrée donnant sur l'océan, une épaisse moquette blanche bouclée couvrait le sol et une légère odeur d'encens imprégnait l'air. Deux loulous de Poméranie, un noir et un blanc, observaient les intrus, confortablement installés sur une ottomane.

D'Agosta reporta son attention sur leur hôte. Celui-ci ne ressemblait nullement à son ancêtre. Petit et précieux, il avait une fine moustache et un teint anormalement pâle, étant donné le lieu, et se déplaçait avec une agilité qui cadrait mal avec la décadence nonchalante de son cadre de vie.

— Asseyez-vous, je vous en prie, proposa-t-il à ses visiteurs avec un léger accent sudiste, désignant une paire de fauteuils recouverts de velours cramoisi.

Les deux policiers acceptèrent l'invitation tandis que Blast s'affalait dans un divan de cuir blanc.

— Que puis-je pour votre service?

Pendergast laissa s'écouler quelques secondes avant de répondre.

— Nous souhaiterions vous parler du *Cadre noir*.

Blast écarquilla très légèrement les yeux. Après un temps de silence, il écarta les lèvres sur de petites dents blanches et brillantes dans un sourire qui n'avait rien d'amène.

— Vous souhaitez me le vendre?

Pendergast secoua la têtc.

— Non, nous souhaiterions uniquement l'examiner.

— Il est toujours préférable de connaître ses concurrents, répliqua Blast.

Pendergast lança une jambe au-dessus de l'autre.

— C'est curieux que vous parliez de concurrence. C'est une autre raison de notre venue.

Blast pencha la tête d'un air interrogateur.

— Hélène Esterhazy Pendergast, poursuivit l'inspecteur en articulant chaque syllabe.

Blast, immobile, scruta le visage de ses visiteurs l'un après l'autre.

— Excusez-moi, mais puisque nous parlons de noms, puis-je avoir les vôtres?

— Je suis l'inspecteur Pendergast. Le lieutenant D'Agosta est mon collaborateur.

— Hélène Esterhazy Pendergast, répéta Blast. Une parente, peut-être?

— Il s'agissait de mon épouse, acquiesça froidement Pendergast.

Le petit homme écarta les mains.

— C'est la première fois que j'entends ce nom. *Désolé*, ajouta-t-il en français en se levant. À présent, si vous avez terminé…?

Pendergast jaillit de son siège. Inquiet à l'idée que son compagnon s'en prenne physiquement à leur hôte,

195

D'Agosta se préparait à s'interposer lorsqu'il constata avec soulagement que l'inspecteur, les mains dans le dos, se dirigeait vers la baie vitrée. Le temps d'admirer la vue, Pendergast se retourna et visita nonchalamment la pièce en regardant longuement les tableaux, à la façon d'un visiteur dans un musée. Planté devant le canapé en cuir, Blast observait son manège sans mot dire. Pendergast gagna le hall d'entrée et s'immobilisa devant une porte de placard. Plongeant soudainement la main dans la poche de son costume noir, il prit un objet à l'aide duquel il s'affaira près de la serrure et la porte s'ouvrit.

Blast se précipita.

— Que diable…? s'écria-t-il d'une voix courroucée.

Pendergast écarta successivement plusieurs vêtements et tira du placard un long manteau de fourrure tigré.

— De quel droit vous permettez-vous de vous immiscer dans ma vie privée? s'exclama Blast.

— Une véritable peau de tigre, remarqua Pendergast avec un sourire. Un article digne d'une princesse.

Sous le regard de Blast rouge de colère, il passa en revue toute sa garde-robe.

— Ocelot, margay… uniquement des espèces menacées. Des manteaux récents, confectionnés depuis la convention CITES de 1989, sans même parler de la loi de 1972 sur les animaux en voie de disparition.

Le temps de remettre en place les fourrures et il referma le placard.

— Je suis certain que les fonctionnaires du Fish & Wildlife Service seraient ravis de découvrir votre petite collection. Il suffirait de les appeler pour le savoir.

D'Agosta fut le premier surpris de la réaction de Blast. Loin de protester, il parut soulagé, allant jusqu'à adresser à Pendergast un sourire qui n'était pas dénué d'admiration.

— Je vous en prie, dit-il en désignant le fauteuil de son interlocuteur. Je vois que nous n'en avons pas encore terminé.

Les deux hommes reprirent leurs places respectives.

— Mettons que je sois en mesure de vous aider…
Qu'adviendrait-il de ma petite collection? s'inquiéta Blast
en montrant du menton le placard.

— Tout dépend du résultat de cette conversation.

Blast se vida les poumons lentement en émettant un sifflement aigu.

— Au risque de me répéter, elle se nommait Hélène
Esterhazy Pendergast.

— Oui, oui, je me souviens fort bien de votre femme,
reconnut le petit homme en croisant ses doigts manucurés.
Vous ne m'en voudrez pas de vous avoir menti, mais l'expérience m'a appris à me montrer prudent.

— Poursuivez, répliqua Pendergast avec froideur.

Blast haussa les épaules.

— Votre femme et moi étions intéressés par le même
objet. J'ai perdu vingt ans de ma vie à chercher le *Cadre
noir*, et le fait qu'elle s'y intéresse également n'était
pas pour me rassurer. Je ne vous apprendrai rien en vous
disant que je suis l'arrière-arrière-arrière-petit-fils d'Audubon. Ce tableau me revient de droit, je suis le seul à pouvoir
le revendiquer.

« Audubon a peint le *Cadre noir* à l'époque où il se
trouvait hospitalisé, mais il ne l'a pas emporté avec lui. Il
semble qu'il l'ait offert à l'un des trois médecins qui se sont
occupés de lui. Le premier a disparu complètement. Le
deuxième est retourné à Berlin et le tableau, s'il s'était trouvé
en sa possession, avait toutes les chances d'avoir été détruit
pendant la guerre. Mon seul espoir reposait sur le troisième
médecin, le docteur Torgensson. Et c'est ainsi que j'ai croisé
la route de votre femme, précisa-t-il en écartant les mains.
À vrai dire, je ne l'ai vue qu'une seule fois.

— Où et quand?

— Il y a une quinzaine d'années. Un peu moins, peut-
être. Nous nous sommes rencontrés à Port Allen, où
Torgensson avait une propriété.

— Que s'est-il passé lors de cette rencontre? insista Pendergast d'une voix tendue.

— Je lui ai dit ce que je viens de vous dire : que ce tableau me revenait de droit et que le plus sage était de renoncer à ses recherches.

— Qu'a répondu Hélène ?

Blast prit longuement sa respiration. Pendergast, pendu à ses lèvres, ne disait rien. On aurait pu croire que le temps s'était arrêté.

— C'est le plus curieux de l'affaire. Vous vous souvenez de ce que vous m'avez dit tout à l'heure au sujet du *Cadre noir* ? Vous avez dit : « Nous souhaiterions uniquement l'examiner. » Eh bien, figurez-vous qu'elle a prononcé exactement la même phrase. À l'entendre, elle n'avait aucune envie de *posséder* ce tableau. Elle souhaitait seulement l'*examiner*, elle se fichait éperdument que je le récupère à terme. C'était ce que je voulais entendre, et nous nous sommes serré la main, comme des amis, si je puis dire.

Le petit homme conclut sa phrase par son petit sourire carnivore.

— Quelles ont été ses paroles, précisément ?

— Je m'en souviens très bien. Elle m'a dit : « J'ai cru comprendre que vous cherchiez ce tableau depuis longtemps. Sachez que je souhaite seulement pouvoir l'examiner. Si jamais je le trouve, je serai ravie de vous le donner. En échange, promettez-moi de me laisser l'étudier si vous le dénichez le premier. » Inutile de vous le dire, ce petit arrangement me convenait parfaitement.

— Conneries ! explosa D'Agosta en quittant son fauteuil. Hélène aurait passé des années à chercher ce tableau pour le seul plaisir de le *regarder* ? Impossible. Vous mentez !

— C'est pourtant la vérité, se défendit Blast.

— Que s'est-il passé ensuite ? reprit Pendergast.

— C'est tout. Je vous jure que c'est la vérité. Nous sommes repartis chacun de notre côté et je ne l'ai jamais revue.

— Jamais ? répéta Pendergast.

— Jamais. Et je ne sais rien de plus.

— Vous en savez infiniment plus, réagit Pendergast en souriant. Mais avant d'aller plus loin, monsieur Blast, laissez-moi vous donner une information que vous ne semblez pas connaître, pour preuve de ma bonne foi.

Après le bâton, la carotte, songea aussitôt D'Agosta, se demandant où Pendergast voulait en venir.

— Je détiens la preuve que votre ancêtre a bien fait don de ce tableau au docteur Torgensson.

Blast se pencha en avant, le regard brillant d'intérêt.

— La preuve, dites-vous?

— Oui.

— Dans ce cas, je suis plus convaincu que jamais de la disparition du *Cadre noir*. Il aura disparu lors de l'incendie qui a ravagé sa maison.

— Vous parlez sans doute de sa propriété de Port Allen. Je ne savais pas qu'elle avait brûlé.

Blast l'observa longuement.

— Il y a beaucoup d'éléments qui vous échappent, monsieur Pendergast. La demeure de Port Allen n'était *pas* la dernière résidence du docteur Torgensson.

— Vraiment? s'étonna Pendergast.

— Au cours des dernières années de sa vie, Torgensson a connu de sérieuses difficultés financières. Une nuée de créanciers le harcelaient : sa banque, les commerçants locaux, jusqu'à la municipalité qui lui réclamait des arriérés d'impôts. Expulsé de sa maison de Port Allen, il s'est installé dans une masure près de la rivière.

— Comment savez-vous tout ça? l'interrogea D'Agosta.

Pour toute réponse, Blast se leva et quitta la pièce. D'Agosta l'entendit fouiller dans un tiroir. Quelques minutes plus tard, il regagnait le salon, un dossier à la main qu'il tendit à Pendergast.

— Ce sont les derniers états de compte de Torgensson. Jetez donc un coup d'œil à la lettre qui les accompagne.

Pendergast tira du dossier une feuille jaunie par le temps dont le bord supérieur, tout déchiré, indiquait qu'elle avait été arrachée à un bloc. Il s'agissait d'une note à en-tête de l'agence Pinkerton dont il entama la lecture :

Il l'a en sa possession. Le type en question l'a bien, mais nous n'avons pas réussi à mettre la main dessus. On a fouillé son taudis de fond en comble, il est aussi vide que la maison de Port Allen. Pas le moindre objet de valeur, encore moins de peinture d'Audubon.

Pendergast rangea la feuille, jeta un œil aux documents qui l'accompagnaient, et referma le dossier.

— Je suppose que vous aurez *emprunté* ce rapport afin de retarder les recherches de vos concurrents.

— Je ne suis pas payé pour aider mes ennemis, rétorqua Blast en reprenant le dossier. En fin de compte, ça ne m'aura servi à rien.

— Puis-je vous demander pourquoi? s'enquit Pendergast.

— Peu après son emménagement dans ce cabanon, la foudre est tombée dessus et tout a brûlé. Torgensson a péri dans l'incendie. S'il avait trouvé le moyen d'enfouir le *Cadre noir* quelque part, la cachette a disparu depuis longtemps. C'est ce qui m'a poussé à abandonner les recherches. Non, monsieur Pendergast, j'ai bien peur que le *Cadre noir* n'existe plus. Je suis bien placé pour le savoir, j'ai passé vingt années de mon existence à sa recherche.

— Je n'en crois pas un mot, grommela D'Agosta dans l'ascenseur. Il prétend qu'Hélène ne voulait pas de ce tableau pour mieux nous convaincre qu'il n'avait aucune raison de s'en prendre à elle. Ce salaud essaie de se couvrir, il a trop peur qu'on le soupçonne de l'avoir tuée. C'est aussi simple que ça.

Pendergast ne répondit pas.

— Le type est pourtant malin, je suis surpris qu'il n'ait pas trouvé d'argument plus convaincant, poursuivit D'Agosta. Ils cherchaient le tableau tous les deux et il aura jugé qu'Hélène était trop près du but. Blast était bien décidé à ce que personne ne lui conteste son héritage. Affaire classée. Et puis pensez un peu à toute cette histoire de contrebande de fourrures et d'ivoire. Il connaît du monde en Afrique, il a très bien pu se servir de ses relations pour commanditer son assassinat.

Les portes de la cabine d'ascenseur s'écartèrent et les deux hommes traversèrent le hall de l'immeuble avant de retrouver la moiteur de la nuit. Des vagues léchaient paresseusement la grève et des milliers de lumières brillaient aux fenêtres, allumant un incendie mordoré sur la plage. La musique d'un orchestre mariachi leur parvenait depuis un restaurant voisin.

— Comment étiez-vous au courant? continua D'Agosta alors qu'ils marchaient dans la rue.

Pendergast sortit de sa rêverie.

— Je vous demande pardon?

— Les manteaux de fourrure dans le placard?

— J'ai été alerté par l'odeur.

— L'odeur?!!

— Tous ceux qui ont possédé un manteau de ce genre vous le confirmeront, la fourrure des grands félins possède une odeur légèrement musquée bien particulière. Je le sais, pour m'être souvent caché avec mon frère dans le placard à fourrures de ma mère, lorsque nous étions enfants. Je savais notre ami coupable de contrebande d'ivoire et de cornes de rhinocéros. De là à imaginer qu'il s'était également intéressé au commerce des fourrures, il n'y avait qu'un pas, et je l'ai franchi.

— Je comprends.

— Allons, Vincent. Caramino's se trouve à deux rues d'ici. Il paraît qu'on y trouve les meilleures pinces de crabe caillou de toute la côte. Un mets de roi lorsqu'il est servi avec de la vodka glacée. J'ai peur d'en avoir bien besoin.

29

New York

Les deux témoins convoqués par le capitaine Hayward se levèrent dans un bel ensemble en apercevant la jeune femme qui pénétrait dans la vieille salle d'attente des sous-sols du One Police Plaza, au cœur de la zone réservée aux salles d'interrogatoire.

Hayward fronça les sourcils en voyant un sergent de la Criminelle les imiter.

— C'est bon, c'est bon, bougonna-t-elle. Vous pouvez vous rasseoir, je ne suis pas le président.

Sans doute ses galons dorés étaient-ils intimidants aux yeux des employés d'une compagnie transatlantique, mais tant de cérémonie la mettait mal à l'aise.

— Désolée de vous déranger un dimanche. Sergent, si vous le voulez bien, je les entendrai l'un après l'autre.

Elle passa dans la salle d'interrogatoire la moins sinistre, réservée aux témoins que l'on n'avait aucune raison de mettre sur la sellette. Une pièce spartiate, meublée d'un bureau, de deux chaises, et d'une table basse. Le fonctionnaire chargé de filmer l'interrogatoire lui signala qu'il était prêt en levant le pouce.

— Merci de vous être déplacé, approuva Hayward. Surtout dans un délai aussi bref.

Au nombre des bonnes résolutions de début d'année, elle s'était promis de mieux contrôler sa mauvaise humeur chronique avec ses subordonnés. Quant à la hiérarchie, elle n'avait jamais pris de gants avec ses supérieurs et ne voyait pas de raison de changer de politique. Carotte pour les petits, bâton pour les grands.

Elle passa la tête par l'entrebâillement de la porte.

— Vous pouvez envoyer le premier.

Le sergent s'avança avec un officier de marine en uniforme auquel la jeune femme offrit de s'asseoir.

— Je sais qu'on vous a déjà questionné, mais vous ne m'en voudrez pas de recommencer. J'essaierai d'aller vite. Thé, café?

— Non merci, capitaine, répondit l'officier.

— Vous êtes le responsable de la sécurité du paquebot, c'est bien ça?

— Affirmatif.

L'homme, un sexagénaire débonnaire au crâne surmonté d'une épaisse tignasse blanche, s'exprimait avec un accent british délicieux. Il avait tout du fonctionnaire de police en retraite d'une petite ville anglaise. Ce qu'il était sans doute.

— Racontez-moi ce qui s'est passé.

Hayward avait toujours aimé entamer les interrogatoires en déblayant le terrain.

— Eh bien, capitaine, le paquebot avait à peine pris la mer qu'on attirait mon attention sur une passagère au comportement étrange, Mme Constance Greene.

— Étrange de quelle façon?

— Elle avait pris place à bord avec son bébé de trois mois, ce qui était déjà curieux en soi. Je n'ai pas le souvenir d'avoir vu une passagère effectuer la traversée avec un nourrisson. Surtout une mère célibataire. Dès son arrivée à bord, Mme Greene s'en est apparemment prise à une autre passagère qui faisait mine d'approcher son bébé. D'un peu trop près, sans doute.

— Comment avez-vous réagi?

— Je suis allé trouver Mme Greene dans sa cabine, croyant avoir affaire à une mère hyperprotectrice, vous savez ce que c'est. Il faut bien reconnaître que l'autre passagère était une vieille femme pour le moins indiscrète.

— Comment vous a-t-elle paru? Je veux parler de Mme Greene.

— Calme et pondérée.

— Et le bébé?

— Il se trouvait dans un berceau. Il a dormi tout au long de ma visite, mais je ne suis pas resté longtemps.

— Ensuite?

— Ensuite, Mme Greene s'est enfermée pendant trois ou quatre jours, après quoi elle est sortie normalement jusqu'à l'arrivée. Il n'y a pas eu d'autre incident à ma connaissance, jusqu'à ce qu'elle se présente à l'Immigration sans le bébé. Le bébé avait été ajouté sur son passeport, c'est la règle lors d'une naissance à l'étranger.

— Vous a-t-elle semblé saine d'esprit?

— Tout à fait, d'après ce que j'ai pu en juger. Je l'ai même trouvée extrêmement posée pour une jeune femme de son âge.

Le témoin suivant, l'un des commissaires du bord, ne put que confirmer les dires de son collègue. La passagère avait pris place à bord avec un bébé sur lequel elle veillait jalousement, était demeurée recluse pendant la moitié de la traversée avant d'effectuer le reste de son séjour le plus normalement du monde en arpentant les coursives et prenant ses repas au restaurant, toutefois sans son bébé. La jeune femme, de nature taciturne, ne parlait à personne et repoussait systématiquement toute marque de gentillesse à son égard.

— J'ai pensé que c'était une de ces riches excentriques, précisa le commissaire du bord. Vous savez, ces gens qui croient tout pouvoir se permettre au prétexte qu'ils ont énormément d'argent. Sauf que…

Voyant qu'il hésitait, Hayward le poussa à terminer sa pensée.

— Je vous écoute.

— Vers la fin de la traversée, je commençais à la trouver un peu… un peu folle.

Hayward s'immobilisa devant la porte de la petite cellule. Sans avoir jamais rencontré Constance Greene, elle en avait beaucoup entendu parler par Vinnie. Elle fut stupéfaite de découvrir une toute jeune femme de vingt-deux ou vingt-trois ans tout au plus, les cheveux ramassés en un chignon à la fois élégant et vieillot, assise avec raideur sur la couchette de la cellule.

— Puis-je entrer?

Constance Greene leva la tête. Laura Hayward s'enorgueillissait de pouvoir lire dans les yeux de ses interlocuteurs, mais le regard de la jeune femme restait insondable.

— Je vous en prie.

Hayward prit place sur l'unique chaise de la pièce. Elle avait peine à croire que cette femme ait pu jeter son propre enfant dans les eaux de l'Atlantique.

— Je suis le capitaine Hayward.

— Enchantée de faire votre connaissance, capitaine.

L'urbanité désuète de la jeune femme était curieusement décalée dans un cadre tel que celui-ci, et Hayward en éprouva un certain malaise.

— Je suis une amie du lieutenant D'Agosta, que vous connaissez déjà, et il m'est arrivé de travailler à plusieurs reprises avec votre... euh, votre oncle, l'inspecteur Pendergast.

— Il ne s'agit pas de mon oncle, corrigea-t-elle Hayward d'une voix guindée. Aloysius est mon tuteur légal. Nous ne sommes pas apparentés.

— Très bien. Avez-vous de la famille?

— Non, répliqua sèchement la jeune femme, presque trop vite. Ils sont tous morts depuis très longtemps.

— Je suis désolée. Pour commencer, j'aurais besoin que vous me fournissiez quelques éléments. Nos services semblent avoir du mal à vous identifier. Vous connaissez votre numéro de sécurité sociale?

— Je n'en ai pas.

— Alors, votre lieu de naissance.

— Je suis née à New York. Water Street, plus précisément.

— Le nom de la maternité.

— Je suis née chez mes parents.

— Je vois, répondit Hayward, découragée.

Il serait toujours temps de laisser les services compétents débrouiller ça plus tard. De toute façon, elle avait voulu gagner du temps, afin de retarder le plus possible le moment des questions difficiles.

— Constance, je dois vous préciser que je travaille au sein de la brigade criminelle et que cette affaire ne relève pas de ma compétence directe. Je suis ici uniquement de façon officieuse, vous n'êtes en rien obligée de répondre à mes questions. Vous comprenez?

— Je comprends très bien, merci.

Chaque fois que son interlocutrice ouvrait la bouche, Hayward était frappée par le ton désuet sur lequel elle s'exprimait, par sa façon de se tenir, par ce regard d'une maturité sans rapport avec sa jeunesse.

Elle prit longuement sa respiration.

— Avez-vous réellement jeté votre bébé par-dessus bord?

— Oui.

— Pourquoi?

— C'était un enfant maléfique. Comme son père.

— Le père est…?

— Il est mort.

— Son nom, s'il vous plaît?

Une chape de silence s'abattit sur la pièce. Les yeux verts de Constance ne quittaient pas le regard de Hayward et cette dernière comprit que jamais elle n'obtiendrait de réponse à sa question.

— Pourquoi êtes-vous rentrée à New York? Vous viviez à l'étranger, rien ne vous obligeait à revenir ici.

— Aloysius va avoir besoin de mon aide.

— Comment ça?

L'immobilité de Constance était effrayante à voir.

— Je ne le sens pas prêt à affronter la trahison qui l'attend.

30

Savannah, Georgie

Dans le confort raffiné de sa tanière, perdu au milieu de ses antiquités et de ses bibelots précieux, Judson Esterhazy observait Whitfield Square désert par l'une des hautes fenêtres de la pièce. Une pluie fine et glaciale givrait les feuilles des palmiers nains et s'égouttait sur la coupole du kiosque avant d'aller grossir les mares sillonnant les pavés de Habersham Street. D'Agosta était frappé par le changement survenu chez le frère d'Hélène depuis leur dernière visite. La courtoisie du personnage s'était évaporée, les traits de son beau visage s'étaient creusés, son regard s'était enfiévré.

— Elle n'a jamais mentionné sa passion pour les perroquets en général, et la conure de Caroline en particulier?

Esterhazy secoua la tête.

— Jamais.

— Et le *Cadre noir*? Elle ne vous en a jamais parlé? Même incidemment?

Nouveau signe de dénégation.

— C'est vous qui m'apprenez l'existence de ce tableau. Je suis aussi dérouté que vous.

— Je me doute à quel point tout ça doit être pénible pour vous.

Esterhazy se retourna. La mâchoire tremblante, il avait peine à contenir sa rage.

— Le plus pénible est encore d'avoir découvert l'existence de ce Blast. Vous dites qu'il possède un casier judiciaire?

— Pas exactement, puisqu'il n'a jamais été condamné.

— Ça ne fait pas de lui un innocent pour autant.

— Bien au contraire, concéda D'Agosta.

Esterhazy lança un coup d'œil dans sa direction.

— Vous ne m'avez pas dit qu'on l'avait inculpé pour coups et blessures?

D'Agosta acquiesça.

— Lui aussi était à la recherche de ce… ce *Cadre noir*?

— C'était même une obsession.

Esterhazy serra les poings et reprit son poste à la fenêtre.

— Judson, intervint Pendergast pour la première fois. Souviens-toi de ce que je t'ai dit…

— Tu as perdu ta femme, gronda Esterhazy sans se retourner, et moi j'ai perdu ma sœur. Tu ne t'en es peut-être pas entièrement remis, mais tu as appris à l'accepter. De là à savoir que ce…

Il inspira longuement.

— Quand je pense que ce criminel est probablement lié d'une manière ou d'une autre à…

— Nous n'en avons pas la preuve, rectifia Pendergast.

Isolé dans ses pensées, les yeux perdus dans le lointain, la mâchoire serrée, Esterhazy ne répondit pas.

31

Sarasota, Floride

Cinq cents kilomètres plus au sud, lui aussi à sa fenêtre, John Woodhouse Blast observait les baigneurs et les promeneurs, la grève ourlée de rouleaux blancs et soyeux, la plage qui s'étendait à perte de vue. Il pivota sur ses talons et traversa le vaste séjour, s'arrêtant brièvement devant un miroir doré. Le visage tiré qui le regardait trahissait l'agitation d'une nuit sans sommeil.

Comment toute cette belle mécanique avait-elle pu dérailler après tout ce temps? Il s'attendait si peu à découvrir devant sa porte le visage blafard de l'ange de la vengeance... Il s'était pourtant montré prudent.

La sonnerie du téléphone le fit sursauter. Il se rua sur l'appareil et décrocha sous le regard des deux loulous de Poméranie, allongés sur le canapé.

— C'est Victor. Quoi de neuf?

— Bon Dieu, Victor! Où étais-tu?

— J'avais des affaires à régler, répondit l'autre d'une voix râpeuse. Pourquoi, y a un problème?

— Un putain de problème, même. J'ai reçu la visite d'un fouille-merde du FBI.

— On le connaît?

— Un certain Pendergast. Il avait un flic du NYPD avec lui.

— Qu'est-ce qu'ils voulaient?

— À ton avis? Il en sait trop, Victor. *Bien trop*. Il va fal-loir s'occuper de lui, et tout de suite.

— Tu veux dire…

L'homme à la voix rauque hésita.

— Exactement. C'est le moment de tout mettre en ordre.

— Tout?

— Tout. Pas besoin de dessin. Arrange-toi comme tu veux, mais on n'a plus le temps de traîner.

Blast raccrocha violemment le téléphone et retourna à la fenêtre où l'attendait un ciel d'un bleu parfait.

32

Le chemin de terre sinuait à travers le bois de pins avant de déboucher sur une prairie bordée des marais inextricables. L'homme arrêta le Range Rover dans l'herbe, descendit de son véhicule et récupéra à l'arrière un étui à fusil, un portfolio et un sac à dos. Il se dirigea vers une butte de terre et déposa ses affaires dans l'herbe, tira du portfolio une cible en papier avec laquelle il traversa le pré en comptant ses enjambées. Le soleil de midi traversait le feuillage des cyprès, dessinant des éclats lumineux sur les eaux verdâtres du marécage.

L'homme stoppa devant le tronc lisse d'un arbre sur lequel il accrocha la cible. La température était particulièrement clémente pour une journée d'hiver, le thermomètre devait flirter avec les vingt degrés, et il flottait dans l'air une odeur d'eau croupissante et de bois moisi. Une nuée de corbeaux croassait bruyamment au milieu des branches. La maison la plus proche se trouvait à plus de quinze kilomètres de là et pas un souffle de vent ne troublait l'azur.

L'homme regagna le monticule, ouvrit l'étui – un modèle Pelican rigide – et sortit un Remington 40-XS. Le fusil pesait dans les sept kilos, le prix à payer pour une précision de 0,75 MOA.

Un genou à terre, le chasseur déplia le bipied, le régla et le verrouilla, puis il s'allongea dans l'herbe touffue, chercha longuement un emplacement stable pour l'arme, ferma un œil, appliqua l'autre à l'entrée de la lunette Leupold et visa la cible clouée sur l'arbre. Jusque-là, tout allait bien. D'une main, il tira de la poche arrière de sa veste une boîte de cartouches Winchester 308 qu'il posa à sa droite. Il prit une balle, l'inséra dans la chambre, répéta l'opération par trois fois jusqu'à ce que le magasin soit plein et referma la culasse avant de placer à nouveau l'œil devant la lunette.

Il visa la cible, s'appliquant à respirer le plus lentement possible afin de ralentir les battements de son cœur. Le léger tremblement qui agitait l'arme, perceptible à travers le réticule de la lunette, se calma progressivement à mesure que son corps se décontractait. Il posa le doigt sur la détente, appuya faiblement, se vida les poumons et tira entre deux battements de cœur. Une détonation, un léger soubresaut. Il éjecta la douille, recommença le même exercice et tira une deuxième fois. L'écho du coup de feu se perdit rapidement au-dessus des marécages. Le temps de tirer deux autres balles et le magasin était vide. L'homme se releva, récupéra les douilles qu'il glissa dans sa poche et rejoignit la cible.

Un beau tir groupé, les trous suffisamment proches dessinaient un cercle irrégulier en dessous et à gauche du cœur de cible. L'homme sortit de sa poche une règle en plastique, mesura ce léger décalage et traversa lentement le champ en sens inverse afin de limiter l'effort au maximum. À nouveau en position allongée, il reprit le fusil et régla la hauteur de la lunette à l'aide de la molette en tenant compte de la mesure qu'il venait de prendre.

Cette fois, les quatre projectiles pénétrèrent le cœur de cible quasiment par le même trou. Satisfait, le tireur récupéra le carré de carton, le roula en boule et l'enfouit au fond d'une poche avant d'aller se remettre en position de tir.

Le moment était venu de s'amuser un peu. Dès la première détonation, les corbeaux s'étaient réfugiés avec force croassements à l'autre extrémité du pré, trois cents mètres plus loin. Grâce à la lunette, l'homme les voyait distinctement sous un immense pin jaune, occupés à picorer les graines éparpillées au milieu des aiguilles mortes. Il choisit un corbeau au hasard, dont il suivit les mouvements dans le réticule. Son doigt se referma sur la détente, le coup partit et l'oiseau s'effaça dans un nuage de plumes en abandonnant des lambeaux de chair rouge sur le tronc d'arbre le plus proche. Le reste de la nuée s'envola en hurlant avant de disparaître à tire-d'aile au-dessus des arbres.

À la recherche d'une nouvelle proie, l'homme balaya lentement les marais avec l'objectif de sa lunette avant de trouver ce qu'il cherchait : à cent cinquante mètres de là, un énorme crapaud se chauffait au soleil sur une feuille de nénuphar. Il répéta l'exercice une fois encore en tirant après avoir relâché tous les muscles de son corps. Un brouillard rosé s'éleva dans l'air immobile et retomba sur l'eau dans un arc de cercle parfait. Quelques minutes plus tard, une troisième balle arrachait la tête d'un mocassin d'eau dont le long corps battit brièvement la surface avant de couler.

Il restait une dernière balle, mais les détonations successives avaient troublé la quiétude des marais et il lui faudrait attendre que la nature reprenne ses droits.

Il retourna au Range Rover ct sortit du coffre un étui en toile dont il tira un CZ Bobwhite de calibre 12 muni d'une crosse savamment ouvragée. Il s'agissait de l'arme la moins précieuse de sa collection, mais elle était d'une efficacité redoutable et c'est le cœur lourd qu'il sortit du Range Rover un étau et une scie à métaux.

Assis sur le rebord du coffre, il posa sur ses genoux le fusil dont il enduisit le double canon d'huile avant de le mesurer à l'aide d'un mètre ruban. Une fois marqué l'emplacement idoine, il se mit au travail avec la scie.

Son travail terminé, il lima l'extrémité du canon raccourci avec une queue-de-rat en veillant à en biseauter le bord intérieur, puis il frotta l'arme longuement avec de la laine d'acier avant de la huiler. Il ouvrit la culasse, épousseta le reste de limaille et glissa deux cartouches dans l'arme. Ramassant le double canon scié, il s'approcha du marais et le lança de toutes ses forces dans l'eau, puis il épaula le fusil et appuya sur la détente.

Une explosion assourdissante retentit, accompagnée d'un mouvement de recul d'une force inouïe. Une arme sans finesse aucune, mais diantrement efficace. Le temps de tirer la seconde balle et il rouvrit la culasse, glissa les cartouches vides dans sa poche, rechargea l'arme et la vida à nouveau. Il lui en avait coûté de mutiler le fusil, mais tout fonctionnait à merveille.

De retour au véhicule tout-terrain, il rangea l'arme dans son étui et sortit un sandwich et une thermos de son sac à dos, savourant lentement le foie gras truffé, arrosé à intervalles réguliers de thé au lait sucré, tout en évitant de réfléchir à ce qui l'attendait. Il achevait son déjeuner lorsqu'une buse à queue rousse s'éleva des marais en dessinant de grands cercles paresseux au-dessus des arbres. À vue de nez, l'oiseau se trouvait à deux cent cinquante mètres.

Le tireur tenait enfin l'occasion qu'il attendait.

Allongé dans l'herbe, il visa la buse avec le fusil de sniper, mais le champ de la lunette était trop étroit à cette distance et il ne parvenait jamais à capturer longtemps le volatile dans le réticule. Comme la buse traçait des ellipses régulières, le mieux était encore de viser un point fixe et d'attendre qu'elle passe dans son champ de vision pour tirer.

Quelques instants plus tard, la buse dégringolait du ciel et un nuage de plumes redescendait paresseusement dans son sillage en se balançant au gré du vent.

Le tireur replia le bipied, ramassa les douilles en prenant soin de les compter, rangea le fusil dans son étui, les restes de son repas dans le sac à dos, et regagna le 4 × 4 après s'être assuré qu'il n'abandonnait rien derrière lui, sinon un rectangle d'herbes écrasées.

Il pouvait enfin laisser monter en lui les bouffées d'adrénaline dont il aurait besoin à l'heure de la curée.

33

Port Allen, Louisiane

D'Agosta marqua un temps d'arrêt devant l'office du tourisme et suivit du regard Court Street jusqu'au fleuve que réchauffait le soleil de ce bel après-midi. Comment croire que le médecin de John James Audubon ait pu connaître une fin aussi brutale, un siècle et demi plus tôt, au milieu de ce paysage idyllique ?

— À l'origine, l'endroit était baptisé Saint-Michel, récita la voix de Pendergast à côté de lui. Les débuts de Port Allen remontent à l'année 1809, mais la moitié de la ville a été rongée par le Mississippi en l'espace de cinquante ans. Je vous propose de nous promener au bord de l'eau.

Il s'éloignait déjà et D'Agosta lui emboîta le pas en maugréant. Il se serait volontiers passé de cette nouvelle étape en Louisiane. Comment ce diable de Pendergast parvenait-il à conserver son énergie intacte après une semaine à sauter de voiture en avion en prenant à peine le temps de dormir ?

Ils avaient commencé par se rendre dans l'ancienne propriété du docteur Torgensson, une charmante demeure en brique aujourd'hui reconvertie en funérarium. Ils s'étaient ensuite rendus à la mairie où Pendergast avait joué son numéro de charme coutumier afin d'obtenir l'autorisation d'examiner de vieux registres et des plans anciens. Et voilà qu'ils arpentaient les rives du Mississippi, tout près de l'endroit où le docteur Torgensson avait connu une fin de vie misérable, entre alcool et syphilis.

La digue qui contenait les caprices du fleuve était à la fois spacieuse et majestueuse, et la vue spectaculaire. Baton Rouge découpait sa silhouette de l'autre côté du Mississippi dont les eaux couleur chocolat vibraient au rythme des remorqueurs et des trains de péniches.

— Ce que vous voyez là-bas est l'écluse de Port Allen, précisa Pendergast en tendant la main en direction d'une large ouverture fermée par deux énormes portes jaunes. C'est la plus importante de sa catégorie, elle permet de relier le Mississippi au canal de l'Intercoastal Waterway.

Ils poursuivirent leur déambulation sur quelques centaines de mètres. À mesure qu'il avançait, bercé par la petite brise qui caressait l'eau, D'Agosta se sentait revivre. Les deux hommes firent halte devant un petit kiosque aux panneaux d'information recouverts d'affiches et de tracts.

— Quel dommage! s'exclama Pendergast. Nous avons raté la Lagniappe Dulcimer Fête, un festival de tympanon annuel.

D'Agosta jeta un regard en coin à son compagnon. Pour quelqu'un qui avait encaissé aussi mal le meurtre de sa femme, il semblait curieusement imperméable aux malheurs de Constance, dont Hayward s'était fait l'écho auprès d'eux la veille par téléphone. D'Agosta avait beau fréquenter Pendergast depuis longtemps, il avait souvent l'impression de ne pas vraiment le connaître. Comment expliquer qu'il se montre aussi indifférent au sort de sa pupille le jour où elle se retrouvait en prison, accusée d'infanticide?

Pendergast ressortit du petit kiosque de sa démarche nonchalante et s'approcha d'une vieille écluse à moitié noyée.

— Au début du XIXᵉ siècle, le centre-ville s'étendait sur plusieurs dizaines de mètres dans cette direction, dit-il en désignant les eaux tumultueuses du Mississippi. Aujourd'hui, le fleuve a tout emporté.

Les deux hommes rebroussèrent chemin et remontèrent Commerce Avenue avant de bifurquer à gauche sur Court Street, puis à droite sur Atchafalaya.

— À l'époque où le docteur Torgensson a dû quitter sa maison pour se réfugier dans une simple cabane, Saint-Michel avait été rebaptisé West Baton Rouge. Ce quartier était une cité ouvrière sordide, coincée entre les voies de chemin de fer et l'embarcadère.

Il consulta son plan, avança de quelques dizaines de mètres et s'arrêta.

— Si je ne m'abuse, nous y voilà, annonça-t-il d'une voix traînante.

Un minuscule centre commercial se dressait devant eux, composé d'un McDonald's, d'une boutique de téléphonie mobile et d'une bâtisse trapue peinte de couleurs criardes : Pappy's Donette Hole, une franchise de doughnuts dont D'Agosta avait déjà remarqué plusieurs succursales dans la région. Deux voitures étaient garées devant chez Pappy's, et le drive-in du McDonald's ne désemplissait pas.

— C'est ici ?!! s'étonna D'Agosta.

Pendergast hocha la tête et tendit le doigt en direction de la boutique de téléphonie mobile.

— C'est plus précisément *là* que se trouvait la masure de Torgensson.

D'Agosta examina les façades l'une après l'autre. Sa bonne humeur retrouvée se dissipait déjà.

— Blast avait raison, bougonna-t-il. C'est vraiment sans aucun espoir.

Pendergast glissa les mains dans les poches de sa veste et pénétra successivement dans les trois commerces. D'Agosta, incapable de trouver la force de l'imiter, se contenta de l'observer, planté au milieu du petit parking. Cinq minutes plus tard, l'inspecteur était de retour. Sans un mot, il scruta l'horizon en pivotant imperceptiblement sur lui-même, jusqu'à exécuter un tour complet. Son manège terminé, il recommença en s'arrêtant cette fois à mi-chemin.

— Regardez donc ce bâtiment, Vincent, déclara-t-il.

D'Agosta suivit son regard et posa les yeux sur l'office de tourisme.

— Et alors? demanda D'Agosta.

— De toute évidence, il s'agissait autrefois d'une station de pompage. Ce style néogothique signale un bâtiment remontant à l'époque où l'endroit se nommait encore Saint-Michel.

Il marqua une pause.

— Oui, murmura-t-il enfin. J'en suis convaincu.

D'Agosta attendait la suite.

Pendergast se retourna et tendit l'index dans la direction opposée. De l'endroit où ils se trouvaient, on apercevait la digue et la vieille écluse abandonnée, avec le Mississippi en toile de fond.

— Comme c'est étrange, continua Pendergast. Ce petit centre commercial se trouve *exactement* sur une ligne reliant l'ancienne station de pompage à l'écluse.

Sans s'expliquer davantage, l'inspecteur repartit d'un pas vif vers le fleuve et D'Agosta l'imita.

Une fois au bord de l'eau, les deux hommes examinèrent l'écluse et découvrirent un énorme conduit de pierre cimentée.

Pendergast se redressa.

— C'est bien ce que je pensais. Il s'agit d'un ancien aqueduc, abandonné et condamné à l'époque où la partie orientale de Saint-Michel a été submergée par le fleuve. Voilà qui est extraordinaire!

— C'est vous qui le dites, marmonna D'Agosta qui avait le plus grand mal à partager l'enthousiasme de son compagnon.

— Mais enfin, Vincent, c'est évident! Le taudis de Torgensson aura été construit *après* que cet aqueduc a été condamné.

D'Agosta haussa les épaules, perplexe.

— Dans ces contrées, il n'est pas rare que les aqueducs désaffectés servent de cave. Lorsque des bâtiments étaient érigés au-dessus, j'entends.

— Vous voulez dire que l'aqueduc se trouverait toujours…?

— Exactement. Lorsque la masure de Torgensson a été construite en 1855, on aura profité de la présence de ce tunnel abandonné. Ces vieux aqueducs étaient de section carrée, et non circulaire, et ils étaient bâtis avec de la pierre et du mortier. Il suffisait donc d'y appuyer un double mur de brique pour construire des fondations en un clin d'œil. *Et voilà!* s'écria-t-il en français. La bicoque disposait d'une cave!

— Vous croyez que c'est là que se trouve le *Cadre noir*? s'anima D'Agosta, le souffle court. Dans la cave de Torgensson?

— Pas *dans* sa cave. Souvenez-vous de la lettre que nous a montrée Blast. « On a fouillé son taudis de fond en comble, il est aussi vide que la maison de Port Allen. Pas le moindre objet de valeur, encore moins de peinture d'Audubon. »

— Mais alors, pourquoi vous exciter autant?

Pendergast avait une façon de s'exprimer à moitié qui lui mettait les nerfs à fleur de peau.

— Réfléchissez, Vincent : nous disposons de plusieurs bâtiments alignés au-dessus d'un ancien aqueduc, tous construits sur les restes du tunnel en question. Cela signifie qu'il existe des portions de tunnel *entre* les maisons.

— Des sections de tunnel *inexplorées*.

— Parfaitement. Des pans entiers de l'aqueduc condamnés et inutilisés. Torgensson peut fort bien y avoir dissimulé le *Cadre noir*.

— Pourquoi avoir pris tant de précautions?

— Nous sommes en droit de penser que ce tableau avait une telle valeur aux yeux du médecin qu'il aura refusé de s'en séparer, en dépit du dénuement dans lequel il se trouvait, au point de le dissimuler dans *un endroit aisément accessible*.

— Sauf que la maison a entièrement brûlé quand la foudre s'est abattue dessus.

— Certes. Mais si nous poussons notre logique jusqu'à son terme, il avait déjà mis le tableau en sécurité dans une portion de tunnel voisine de sa cave.

— Dans ce cas, il ne nous reste plus qu'à visiter la cave de la boutique de téléphonie.

Pendergast tempéra son ardeur en lui posant une main sur le bras.

— Hélas, le magasin en question ne possède plus de cave. Je m'en suis assuré tout à l'heure. Il est probable qu'elle aura été bouchée à la suite d'un incendie.

Une fois de plus, D'Agosta se sentit gagné par le découragement.

— On ne va tout de même pas revenir avec un bulldozer pour raser cette satanée boutique dans l'espoir de retrouver la cave?

— Sans doute. Mais rien ne nous empêche de nous introduire dans la portion de tunnel intermédiaire à partir de la cave du bâtiment voisin.

Dans le regard de l'inspecteur brillait une lueur que son compagnon ne lui avait pas vue depuis un bon moment.

— Je ne sais pas si vous êtes comme moi, Vincent, mais je me sens brusquement une forte envie de doughnuts.

34

St. Francisville, Louisiane

Le docteur Blackletter ajusta le servomoteur sur les roues arrière, s'assura à deux reprises du branchement, relia le boîtier de commande au port USB de son ordinateur portable et lança le logiciel de diagnostic. Tout semblait fonctionner. Il appuya sur une touche et le robot – un méchant petit appareil composé d'une série de processeurs, de moteurs et de capteurs montés sur quatre grosses roues en caoutchouc – se mit en route pendant très exactement cinq secondes avant de s'immobiliser.

Morris Blackletter laissa échapper un cri de joie.

Des années auparavant, il avait lu une étude affirmant que beaucoup de retraités se passionnent pour des domaines radicalement différents de ceux auxquels ils ont consacré leur existence professionnelle. S'il n'y avait pas cru à l'époque, il se reconnaissait pleinement dans cette description à présent.

Blackletter avait passé sa vie à décrypter les mystères du corps humain, d'abord au sein de Médecins Voyageurs, puis dans divers laboratoires de recherche. Et voilà qu'il jouait avec de petits robots, c'est-à-dire l'inverse des êtres de chair et de sang qui avaient monopolisé si longtemps son attention.

Quel contraste avec toutes ces années passées à se battre contre des épidémies, parfois au prix de sa propre santé, dans des pays du tiers-monde rongés par la chaleur et les insectes, les guerres civiles et la corruption. Il avait sauvé des centaines, peut-être même des milliers de vies, mais combien d'autres étaient morts? Et puis il y avait le reste, ce drame auquel il ne voulait plus penser. Ce drame qui le poussait désormais à fuir la chair et le sang dans l'espoir de trouver un semblant de paix auprès de machines en plastique et en silicone…

Il secoua machinalement la tête, fermement décidé à chasser de son esprit le sentiment de culpabilité qui l'étreignait. Le passé appartenait au passé, d'autant que ses intentions à l'époque étaient bonnes. Un sourire éclaira son visage.

Il leva la main et claqua des doigts. Le capteur acoustique du robot pivota en direction du son.

— Robo veut biscuit, grinça une voix métallique désincarnée.

Satisfait, Blackletter quitta son bureau et se dirigea vers la cuisine afin de se préparer une dernière tasse de thé avant de dormir. Il s'immobilisa soudainement, l'oreille tendue.

Le craquement d'une lame de parquet.

Blackletter reposa lentement la théière sur le plan de travail. Le vent, peut-être? Impossible, tout était calme dehors.

Quelqu'un dans la rue? Le bruit était trop proche, trop net.

Ou alors un effet de son imagination. Le cerveau, lorsqu'il n'est pas stimulé spontanément, a une fâcheuse tendance à recréer artificiellement des sons. Il bricolait dans son bureau depuis plusieurs heures, et…

Un nouveau craquement. Cette fois, le doute n'était plus permis, le bruit venait de l'intérieur de la maison.

— Qui est là? appela-t-il.

Un cambrioleur? Peu probable. Sa maison était loin d'être la plus voyante du quartier.

Alors qui?

Le plancher craqua de plus belle, régulièrement, délibérément. Le bruit provenait du salon, situé sur le devant de la maison.

Blackletter coula un regard en direction du téléphone. La base était vide. *Vacherie de téléphone sans fil.* Où avait-il bien pu laisser le combiné? Il le revoyait, posé près de l'ordinateur.

Il se précipita dans son bureau et se rua sur le téléphone au moment précis où un personnage élancé vêtu d'un imperméable interminable émergeait de la pénombre.

— Qu'est-ce que vous faites chez moi? coassa-t-il. Qu'est-ce que vous voulez?

L'inconnu écarta les pans de son imperméable et un fusil à canon scié apparut dans sa main. Une arme de chasse munie d'une crosse en bois noir, ornée de motifs en cachemire sculptés.

Blackletter, hypnotisé par le reflet bleuté du double canon d'acier, recula d'un pas.

— Attendez, murmura-t-il. Non! Vous vous trompez… laissez-moi vous expliquer…

Le canon pivota à l'horizontale et une double détonation assourdissante troubla l'air de la pièce alors que l'arme crachait successivement ses deux projectiles. Blackletter, projeté en arrière, s'écrasa contre le mur et s'écroula sous une pluie de bibelots et de photos encadrées, posées sur des étagères.

La porte d'entrée se refermait déjà.

Le robot, alerté par la déflagration, se dirigea imperturbablement vers la forme inanimée de son maître.

— Robo veut biscuit, prononça-t-il d'une voix altérée par l'épaisse couche de sang qui recouvrait son minuscule haut-parleur. Robo veut biscuit.

35

Port Allen

Le lendemain se révéla aussi pluvieux et morose que le jour précédent avait été lumineux. Loin de s'en formaliser, D'Agosta se rassura en songeant que le temps avait toutes les chances de chasser les amateurs de doughnuts. Le plan mis au point par Pendergast ne lui disait rien de bon.

Au volant de la Rolls, l'inspecteur sortit de l'autoroute et rejoignit le centre de Port Allen. Les roues de l'auto chuintaient sur l'asphalte détrempé. Installé à côté de lui, D'Agosta feuilletait un exemplaire du journal de La Nouvelle-Orléans, le *Star-Picayune*.

— Je ne vois pas pourquoi on ne pourrait pas agir de nuit, insista-t-il.

— L'établissement est équipé d'une alarme. En outre, le bruit s'entendrait plus facilement.

— Je vous laisse leur parler. J'ai comme l'impression que mon accent du Queens ferait tache par ici.

— Votre remarque est fort judicieuse, Vincent.

D'Agosta vit son compagnon jeter un nouveau coup d'œil dans le rétroviseur.

— On a du monde aux trousses?

Pendergast lui répondit par un petit sourire. Il avait troqué son sempiternel costume noir contre un jean et une chemise à carreaux de gros drap. Au lieu de ressembler à un entrepreneur de pompes funèbres, il avait l'air d'un fossoyeur.

D'Agosta découvrit un gros titre en tournant les pages du journal : « Un chercheur en retraite assassiné chez lui ».

— Hé, Pendergast, dit-il après avoir lu les premiers paragraphes en diagonale. Écoutez un peu ça. Le type que vous vouliez rencontrer, Morris Blackletter, l'ancien patron d'Hélène. Il a été retrouvé assassiné chez lui.

— Assassiné ? De quelle façon ?

— Abattu d'un coup de fusil de chasse.

— Un cambriolage qui aurait mal tourné ?

— L'article ne le précise pas.

— Il venait sans doute de rentrer de vacances. Dommage que nous n'ayons pas eu le temps de l'interroger, je suis persuadé que son témoignage nous aurait été utile.

— Quelqu'un s'est chargé de nous couper l'herbe sous le pied. Quelqu'un dont je crois savoir le nom, répliqua D'Agosta en secouant la tête. On devrait peut-être retourner en Floride secouer un peu ce Blast.

Pendergast tourna dans Court Street en direction du fleuve.

— J'ai du mal à imaginer quel pourrait être le mobile de Blast.

— C'est pourtant simple. Il suffit qu'Hélène ait parlé à Blackletter des menaces de Blast, suggéra D'Agosta en repliant le journal qu'il coinça entre les deux sièges. Vous ne trouvez pas curieux que ce type se fasse assassiner le lendemain du jour où on débarque chez Blast ? C'est vous qui refusez de croire aux coïncidences, d'habitude.

Pendergast, l'air pensif, rangea la Rolls sur un parking à une rue de leur destination. Les deux hommes sortirent sous une pluie fine et Pendergast ouvrit le coffre. Sans un mot, il tendit au lieutenant un casque de chantier jaune et un grand sac de toile, puis il se coiffa à son tour d'un casque et s'attacha autour de la taille une lourde ceinture de cuir à laquelle étaient pendus divers outils : lampes de poche, pinces, mètre ruban…

— Êtes-vous prêt ? interrogea-t-il.

Le plus grand calme régnait à l'intérieur du Pappy's Donette Hole. Deux serveuses rondelettes attendaient le chaland derrière le comptoir où un client isolé venait de passer commande d'une douzaine de FatOnes aux deux chocolats. Pendergast attendit que l'homme ait payé et se soit éloigné, puis il s'avança en faisant tinter sa ceinture à outils.

— Le gérant est dans le coin? demanda-t-il d'une voix rude avec un épais accent du Sud.

L'une des serveuses se dirigea vers l'arrière sans mot dire. Elle était de retour une minute plus tard avec un type d'âge moyen aux avant-bras couverts de poils blonds. Il transpirait abondamment en dépit de la fraîcheur ambiante.

— Ouais? dit-il en essuyant ses mains pleines de farine sur un tablier constellé de taches de graisse et de pâte.

— C'est vous, le gérant?

— Ouais.

Pendergast tira une pièce d'identité de la poche arrière de son jean.

— Bureau d'urbanisme du comté de West Baton Rouge, service du cadastre. Je m'appelle Addison et lui, c'est Steele.

Le gérant examina attentivement le document fabriqué par Pendergast la veille et poussa un grognement.

— Qu'est-ce qu'vous voulez?

Pendergast rempocha le papier et sortit une liasse de feuilles à en-tête.

— En vérifiant les permis de construire des immeubles du quartier Saint-Michel, on a relevé des irrégularités sur plusieurs bâtiments, dont le vôtre. De *grosses* irrégularités.

Le gérant posa les yeux sur la liasse que lui tendait son interlocuteur, les sourcils froncés.

— Quel genre d'irrégularités?

— Au niveau des fondations et de la structure du bâtiment.

— Je vois pas comment vous pouvez dire ça, se défendit l'autre. On est inspectés régulièrement par les types de l'hygiène…

— Je vous parle pas d'hygiène, l'interrompit Pendergast sur un ton sarcastique. Le relevé cadastral montre que le bâtiment ne disposait pas d'un permis en bonne et due forme quand il a été construit.

— Attendez une minute. Depuis douze ans que…

— Vous croyez que ça sert à quoi, les vérifications? s'énerva Pendergast en brandissant ses papiers sous le nez luisant de sueur de son interlocuteur. Y a des irrégularités et on parle même de *corruption*. C'est dire!

— Hé! Une minute, c'est pas à moi qu'il faut dire ça. Je suis uniquement le gérant, c'est la franchise qui s'occupe…

— Peut-être, mais c'est vous que j'ai en face de moi, insista Pendergast en se penchant en avant. C'est pas la mer à boire, on a juste besoin d'aller voir à la cave pour constater les dégâts, dit-il en fourrant les papiers dans sa poche de chemise. Et *tout de suite*.

— La cave, vous dites? Je vous retiens pas, les gars, mais c'est pas ma faute si y a un problème. Je suis que le gérant.

Le malheureux transpirait abondamment.

— Joanie va vous conduire pendant que Mary Kate s'occupe des clients et…

— Oh non! le coupa Pendergast. Pas de clients tant qu'on aura pas fini.

— Pas de clients? répéta le gérant. Et comment je fais pour vendre des doughnuts, moi?

Pendergast s'approcha à le toucher.

— Vous voulez peut-être qu'il arrive un accident? Les premières analyses montrent que la structure du bâtiment est pas saine. Je vous signale que c'est *obligatoire* de refuser l'accès de l'établissement au public tant qu'on est pas sûr de la solidité des fondations.

— Je sais pas, marmonna le gérant, de plus en plus perplexe. Va falloir que je voie avec le siège. On a jamais fermé en journée comme ça et le contrat de franchise prévoit que…

— Vous savez pas? Moi, ce que je sais, c'est qu'on n'a pas l'intention d'attendre que vous ayez appelé tout le saint-frusquin pour faire notre boulot. C'est quoi, votre problème? insista Pendergast d'un air menaçant. Vous savez ce qui vous attend si le sol s'écroule sous le poids d'un client pendant qu'il mange une boîte de…

Pendergast interrompit sa phrase, le temps de consulter le menu affiché au-dessus du comptoir.

— Une boîte de FatOnes chocolat-banane double crème?

Le gérant secoua la tête, interdit.

— C'est vous qui êtes responsable. Personnellement. Homicide par imprudence. Ou même homicide tout court.

Le gérant recula d'un pas. Le front couvert de sueur, il peinait à respirer.

Pendergast laissa s'installer un silence inquiétant.

— Voilà ce que je vous propose, finit-il par suggérer, brusquement compréhensif. Le temps que vous fermiez la boutique, on inspecte rapidement les lieux avec mon collègue Steele. Si c'est pas aussi grave qu'on croit, vous aurez qu'à rouvrir pendant qu'on rédige notre rapport.

Le soulagement du gérant se lut sur son visage. Il se tourna vers ses employées.

— Bon. Mary Kate, ferme la porte. Pendant ce temps-là, Joane, tu conduis ces messieurs à la cave.

Pendergast et D'Agosta suivirent la jeune femme à travers la cuisine, la réserve et les toilettes du personnel jusqu'à une petite porte derrière laquelle les attendait un escalier en béton qui s'enfonçait en pente raide dans le noir. Joanie actionna un interrupteur, découvrant un cimetière d'équipements de restauration et de matériels de cuisine en mauvais état. La cave, particulièrement vétuste, était bornée par deux murs de pierre grossièrement cimentés et deux cloisons de brique. Des poubelles en plastique étaient alignées au pied des marches et de vieilles bâches traînaient dans un coin.

Pendergast se tourna vers la serveuse.

— Merci, Joanie. Inutile de prendre des risques en restant là. Refermez bien la porte derrière vous.

La grosse fille hocha la tête avant de s'éclipser.

Pendergast s'approcha de l'un des murs de brique.

— Sauf erreur de ma part, dit-il à son compagnon en reprenant sa voix normale, nous devrions trouver le mur de la cave d'Arne Torgensson quatre mètres plus loin. La portion de l'ancien aqueduc qui les sépare pourrait bien receler la cachette aménagée par ce bon docteur.

D'Agosta laissa tomber sur le sol le lourd sac à outils.

— Je dirais qu'on a deux minutes avant que l'autre abruti appelle ses patrons et que la merde se mette à voler en escadrille.

— J'ai toujours été frappé par le pittoresque de vos métaphores, murmura Pendergast pensivement en examinant les briques à la loupe tout en sondant la cloison à l'aide d'un marteau. Je pense néanmoins pouvoir nous économiser un temps précieux.

— Ah oui ? Comment ça ?

— En informant notre gérant préféré que la situation est infiniment plus inquiétante que nous ne le pensions. Non seulement il va devoir fermer ses locaux à la clientèle, mais le personnel devra également quitter le bâtiment, le temps que nous achevions notre inspection.

Le bruit de ses pas dans l'escalier laissa bientôt place à un profond silence tandis que D'Agosta patientait dans la pénombre humide de la cave. Quelques instants plus tard lui parvenaient des éclats de voix et de vives protestations. La clameur s'éteignit et Pendergast réapparut en haut des marches. Il verrouilla soigneusement la porte dans son dos et rejoignit son compagnon à qui il tendit une lourde masse prélevée dans le sac à outils.

— Vincent, annonça-t-il, un léger sourire aux lèvres. À vous l'honneur.

36

Pendergast s'approcha de la cloison dont il sonda les briques les unes après les autres dans la pénombre. Au terme de quelques minutes d'exploration, l'inspecteur poussa un grognement de satisfaction en se redressant.

— Ici, déclara-t-il en désignant une brique à mi-hauteur.

D'Agosta prit son élan, le manche de la masse en arrière.

— J'ai gagné cinq minutes, commenta Pendergast. Dix tout au plus. D'ici là, notre gérant préféré devrait être de retour, et je ne serais pas surpris qu'il ne soit pas seul.

D'Agosta assena un premier coup de toutes ses forces. Faute d'éclairage, il avait tapé à côté de l'endroit indiqué par son compagnon, mais le mur trembla sur ses bases et il répéta l'opération à deux reprises avant de reprendre son souffle. Il s'essuya les mains sur l'arrière de son pantalon et se remit au travail. Une dizaine de coups, et Pendergast lui fit signe d'arrêter.

Le lieutenant recula d'un pas, haletant, et l'inspecteur épousseta des doigts le voile de ciment. Une torche à la main, il sonda à nouveau les briques l'une après l'autre.

— C'est bon, Vincent. Elles commencent à céder.

La cloison tremblait en grondant sous chacun des coups du lieutenant et l'une des briques céda enfin. Un marteau et un burin à la main, Pendergast se précipita. Il tâta rapidement la cloison et donna une série de petits coups secs sur les joints de mortier. Les briques se disloquaient les unes après les autres, qu'il écartait à mesure à la main. Lâchant le burin et le marteau, il éclaira la paroi au milieu de laquelle se dessinait un trou de la taille d'un ballon, puis il glissa la tête à l'intérieur de l'ouverture en s'éclairant tant bien que mal.

— Que voyez-vous? s'enquit D'Agosta.

Pendergast recula de quelques pas.

— Encore un peu, s'il vous plaît, répondit-il en désignant la masse.

D'Agosta visait désormais les bords du trou, concentrant ses efforts sur la partie supérieure dans une pluie de briques, d'éclats de ciment et de vieux plâtre.

Enfin, Pendergast lui signala d'arrêter et D'Agosta reposa la masse, à bout de souffle.

Un bruit résonna en haut des marches. Le gérant était de retour.

Pendergast s'approcha précipitamment de l'ouverture, assez large pour laisser passer un homme, et D'Agosta se pencha par-dessus son épaule. À moitié noyés dans un nuage de poussière, les faisceaux de leurs torches exploraient un réduit de quatre mètres sur deux. D'Agosta sentit son cœur bondir dans sa poitrine en découvrant brusquement une caisse en bois adossée au mur. Le reste de la cachette était vide.

Au-dessus de leurs têtes, on s'escrimait sur la poignée de porte.

— Hé! fulmina la voix assourdie du gérant, très remonté. Qu'est-ce que vous fichez là-dedans?

Pendergast jeta un rapide coup d'œil circulaire.

— Vincent, souffla-t-il en montrant avec sa lampe les bâches empilées dans un coin.

Sans poser de question, D'Agosta se précipita et récupéra la plus grande tandis que Pendergast se glissait à travers l'ouverture.

— Ouvrez tout de suite cette porte ou je descends! s'énerva le gérant en secouant le battant.

Pendergast avait déjà récupéré la caisse en bois. D'Agosta l'aida à la manœuvrer à travers le trou, puis il l'emballa grossièrement dans la bâche tandis que son compagnon ressortait du réduit.

— Je viens d'appeler le siège à La Nouvelle-Orléans, cria le gérant. Vous n'avez pas le droit de fermer le restaurant comme ça ! Personne n'est au courant de ces prétendues vérifications…

D'Agosta récupéra en toute hâte le sac à outils qu'il passa en bandoulière, saisit une extrémité de la caisse tandis que Pendergast agrippait l'autre, et les deux hommes remontèrent les marches précipitamment. Quelqu'un venait de glisser une clé dans la serrure. Le battant s'ouvrit à la volée et le gérant, rouge de colère, se planta au milieu du chemin.

— Hé ! Qu'est-ce que c'est que ce paquet ?

— Laissez-nous passer ! hurla Pendergast en sortant le premier du nuage de poussière. Laissez-nous passer immédiatement !

Les deux policiers se trouvaient sur le palier.

— Détention illégale de preuve dans une affaire criminelle, votre compte est bon, monsieur… monsieur Bona, s'écria Pendergast en déchiffrant le nom de son interlocuteur sur le badge qu'il portait à la poitrine.

— Moi ? Mais ça fait à peine six mois que je suis ici. Avant, j'étais à…

— Votre responsabilité est engagée en cas d'activité criminelle reconnue, et votre nom figurera sur le procès-verbal. Maintenant, vous vous écartez si vous ne voulez pas que j'ajoute au reste une inculpation pour entrave à la justice.

Éberlué, Bona s'écarta instinctivement. Pendergast se précipita, la bâche enveloppant la caisse en bois sous le bras, suivi par D'Agosta.

— Dépêchons-nous, souffla Pendergast à son compagnon en se dirigeant vers la sortie.

De son côté, le gérant descendait les marches de la cave tout en composant un numéro sur son téléphone portable.

Les deux policiers dévalèrent la rue jusqu'au petit parking où se trouvait la Rolls. Pendergast ouvrit le coffre et y glissa la caisse. Les deux casques et le sac ne tardèrent pas à la rejoindre. Le temps de refermer le coffre et ils se ruèrent à l'intérieur de l'auto. Dans sa hâte, Pendergast n'avait même pas pris le temps de retirer sa ceinture à outils.

Il actionnait le démarreur lorsque D'Agosta vit le gérant sortir en trombe de son établissement, le téléphone à la main.

— Hé! hurla-t-il. Hé, vous! Arrêtez!

Pendergast enclencha la première et enfonça la pédale d'accélérateur. La Rolls effectua un demi-tour sur les chapeaux de roue et s'engagea à toute allure sur Court Street en direction de l'autoroute.

Pendergast lança un bref coup d'œil à D'Agosta.

— Bien joué, mon cher Vincent, dit-il en lui adressant un sourire triomphant.

37

La Rolls remonta Alexander Drive, s'engagea à toute allure sur la bretelle de l'Interstate 10 et franchit le Mississippi en empruntant le Horace Wilkinson Bridge. Soulagé, D'Agosta s'enfonça dans son siège. Les eaux tumultueuses du fleuve défilaient rapidement sous leurs roues, en parfaite harmonie avec le ciel plombé.

— Vous pensez qu'il s'agit du *Cadre noir* ? s'inquiéta D'Agosta.

— J'en suis convaincu.

De l'autre côté du pont les attendait la ville de Baton Rouge. La circulation était relativement fluide en ce milieu de journée. Un épais rideau de pluie lacérait le pare-brise et de grosses gouttes tambourinaient sur le toit de la Rolls. D'Agosta ne souhaitait pas se réjouir trop vite, mais la découverte du tableau signifiait peut-être la possibilité de revoir Laura plus vite que prévu. Peut-être. Il ne s'était pas attendu à souffrir autant de leur séparation forcée. Il lui parlait tous les soirs au téléphone, bien sûr, mais ce n'était pas comme si…

— Vincent, s'éleva la voix de Pendergast, interrompant sa songerie. Voudriez-vous avoir la gentillesse de regarder dans le rétroviseur ?

D'Agosta s'exécuta. Pendergast changea de file et une voiture l'imita, à quatre ou cinq véhicules de distance. Une berline récente dont le lieutenant n'aurait su dire si elle était noire ou bleu foncé, à cause de la pluie.

Pendergast accéléra légèrement, doubla quelques voitures et se rangea sur la file de droite. Moins d'une minute plus tard, la berline sombre l'imitait.

— Je l'ai repéré, marmotta D'Agosta.

Ils continuèrent à rouler en silence pendant quelques minutes sans que leur suiveur disparaisse.

— Vous croyez que c'est le gérant du restaurant de doughnuts?

— Non, pour la bonne raison que nous servons de poisson-pilote à ce conducteur depuis ce matin.

— Alors?

— Commençons par quitter la ville. Il sera toujours temps d'aviser ensuite, les petites routes peuvent se révéler précieuses en pareil cas.

Ils dépassèrent un grand centre commercial, plusieurs parcs et quelques country clubs dans un paysage urbain plus clairsemé. D'Agosta attendit de voir apparaître les premiers champs pour sortir son Glock et insérer une balle dans le canon.

— Nous ne ferons appel aux armes qu'en dernier recours, l'avertit Pendergast. Nous ne pouvons courir le risque d'abîmer le tableau.

Et nous alors? C'est pas gênant si on nous abîme? bougonna intérieurement D'Agosta. Il jeta un nouveau coup d'œil dans le miroir du pare-soleil. Il était impossible de distinguer le visage du conducteur de la berline. La sortie de Sorrento était en vue, l'autoroute quasiment déserte.

— Et si on le coinçait? suggéra D'Agosta.

— Je préfère le semer, répliqua Pendergast. Ces vieilles Rolls sont beaucoup plus nerveuses qu'on ne le croit.

— Si vous le dites…

Pendergast enfonça la pédale d'accélérateur et tourna brusquement le volant vers la droite. La Rolls bondit en avant et vira avec une agilité remarquable pour un véhicule aussi lourd, coupa les deux voies de droite et s'engagea sur la bretelle de sortie à toute allure.

D'Agosta s'y attendait si peu qu'il fut projeté contre sa portière. Un coup d'œil lui indiqua que leur suiveur, coupant la route à un camion, quittait l'autoroute à son tour.

Parvenu à l'extrémité de la bretelle, Pendergast brûla un stop et se retrouva sur la Route 22 en faisant crisser les pneus de la voiture dont l'arrière chassa dangereusement. Imperturbable, l'inspecteur rectifia sa trajectoire et remit pleins gaz, dépassant successivement une camionnette de peintre, une Buick et un camion réfrigéré transportant des écrevisses. Des coups de klaxon furieux résonnèrent dans leur sillage.

D'Agosta lorgna par-dessus son épaule. Oubliant toute discrétion, la berline s'était lancée à leur poursuite.

— Il est toujours là.

Pendergast acquiesça en accélérant.

Ils passèrent en trombe devant un concessionnaire de matériel agricole. Un peu plus loin, des feux annonçaient l'intersection avec la Airline Highway que franchissait une longue ligne de voitures. La Rolls tressauta brutalement à hauteur d'un passage à niveau et les deux hommes virent le feu passer à l'orange, puis au rouge.

— Bon Dieu, murmura D'Agosta en se cramponnant.

Multipliant les appels de phare et les coups de klaxon, Pendergast se glissa le long des voitures arrêtées et brûla le feu, évitant de justesse un semi-remorque dans un concert d'avertisseurs. Il n'avait pas relâché un instant la pression sur l'accélérateur et l'aiguille du compteur franchit en tremblant la barre des cent soixante kilomètres-heure.

— On ferait mieux de coincer ce type et de lui demander pour qui il travaille, suggéra D'Agosta.

— Voilà qui manque étrangement de fantaisie, le railla Pendergast. D'autant que nous connaissons déjà la réponse.

La Rolls doubla successivement trois voitures dans un brouillard coloré. Devant eux, la voie était enfin libre et les derniers bâtiments cédèrent la place à un paysage marécageux. Le poing de D'Agosta se relâcha lentement autour de la poignée.

Il s'autorisa à regarder par-dessus son épaule. Personne.

Non! Il avait crié victoire trop vite. Une berline sombre venait de se dégager de la masse des véhicules qu'ils laissaient derrière eux. Leur poursuivant était loin, mais il roulait vite et ne tarderait pas à les rejoindre.

— Et merde! maugréa-t-il. Ce con est tenace, il a réussi à franchir le carrefour.

— Il en veut visiblement à notre butin, décréta Pendergast. Raison de plus pour ne pas le laisser nous rattraper.

La route devenait plus étroite à mesure qu'ils s'enfonçaient dans les marais. Retourné sur son siège, D'Agosta ne quittait pas la berline des yeux. La Rolls négocia un long virage de façon périlleuse et la voiture de l'inconnu s'effaça brusquement de son champ de vision.

— C'est le moment de…

Il n'eut pas l'occasion d'aller plus loin. La Rolls exécuta une violente embardée et D'Agosta faillit se retrouver projeté sur la banquette arrière. Le temps de retrouver un semblant d'équilibre et il constata que Pendergast s'était lancé sans crier gare sur un petit chemin de terre zigzaguant au milieu des marécages. Une pancarte rouillée et cabossée annonçait : *Réserve naturelle de Maurepas – Réservé aux véhicules de service.*

La Rolls, secouée dans tous les sens, s'enfonçait toujours plus avant sur le chemin boueux. Lorsqu'il ne se cognait pas l'épaule contre sa portière, D'Agosta était propulsé jusqu'au plafond, retenu par la seule grâce de sa ceinture. *Si ça continue comme ça, on va y laisser les deux essieux*, pensa-t-il, l'air sombre. Il coula un regard en direction du pare-soleil, mais les méandres de la route de service empêchaient de voir à plus de cent mètres de distance.

Devant eux se dessinait un embranchement d'où partait un petit chemin longeant le bayou. Une chaîne en barrait l'accès, sur laquelle était accroché un panneau en bois : *Attention! Accès interdit à tous les véhicules.*

Loin de ralentir, Pendergast enfonça l'accélérateur.

— Hé, oh! s'écria D'Agosta en le voyant tourner le volant en direction du chemin. Putain de…!

La calandre de la Rolls enfonça la chaîne avec un bruit sec et des nuées d'aigrettes, de vautours et de canards sauvages s'envolèrent en criant leur mécontentement. La lourde voiture tanguait de droite et de gauche, empêchant D'Agosta de voir où ils allaient. Soudain, ils s'enfoncèrent dans un champ de papyrus dont les tiges s'écartaient sous les coups de boutoir du capot en fouettant la carrosserie.

D'Agosta, pourtant habitué aux courses-poursuites dans les quartiers chauds de New York, n'avait jamais connu ça. L'herbe était si touffue et dense qu'il voyait à peine à quelques mètres devant lui. Loin de ralentir, Pendergast tendit la main et alluma les phares.

D'Agosta n'osait pas quitter le pare-brise des yeux, croyant sa dernière heure arrivée.

— Pendergast! Ralentissez, bon Dieu! cria-t-il. On l'a semé. Mais enfin, ralent…

Il ne put achever sa phrase. Quittant brusquement l'abri des papyrus, la voiture prit son envol sur une butte de terre et effectua un vol plané au-dessus d'un espace parsemé de bâtiments gris et d'enclos protégés par des fossés remplis d'eau.

Un panneau à moitié effacé dressait sa silhouette décharnée un peu plus loin:

Gatorland USA

Alligators d'élevage en plein air
Combats d'alligators, visites guidées
Tannerie locale – peaux de trois mètres et + à des prix
imbattables
Viande d'alligator au kilo

* FERMÉ L'HIVER *

La Rolls retomba lourdement sur le sol et poursuivit sa course folle tandis que Pendergast, debout sur le frein, tentait vainement de la stopper. Les yeux écarquillés, D'Agosta vit fondre sur eux la façade usée d'une ancienne grange en bois au toit de tôle ondulée, sa double porte béante.

Jamais ils n'arriveraient à s'arrêter à temps.

La Rolls valsa à l'intérieur de la grange dans un long dérapage qui n'avait rien de contrôlé et D'Agosta s'écrasa de tout son poids contre le dossier de son siège en cuir. Un choc effrayant, et tout s'immobilisa autour d'eux.

Une fois dissipé le nuage de poussière qui les entourait, le lieutenant constata que la Rolls s'était encastrée dans un mur d'énormes bacs en plastique dont une dizaine avaient été éventrés au moment de l'impact. Trois alligators, soigneusement dépecés et conservés dans la saumure, gisaient sur le capot et le pare-brise, leur chair rose marbrée de graisse blanchâtre.

Pendergast fixa interminablement le pare-brise maculé de feuilles de papyrus, de mousse espagnole et de restes de reptiles, puis il se tourna vers son voisin.

— Avant que j'oublie, dit-il dans le silence que seul troublait le cliquetis du bloc moteur. Il faudra absolument que Maurice nous prépare son alligator à l'étouffée, l'un de ces soirs. Sa famille est originaire du bassin de l'Atchafalaya et il a hérité de ses ancêtres une recette tout à fait extraordinaire.

38

Sarasota

Le ciel avait commencé à se dégager avec l'arrivée du crépuscule et de timides rayons de lune trouaient la nuit, dessinant des motifs argentés sur les eaux du golfe du Mexique, entre les rangées de rouleaux qui s'abattaient en grondant sur le sable. De gros nuages gorgés de pluie circulaient rapidement au-dessus de la ville.

Imperméable à la beauté du paysage, John Woodhouse Blast tournait comme un lion en cage dans le salon de son appartement, ne s'arrêtant que pour regarder sa montre.

10 h 30. Pourquoi cet idiot était-il en retard? Il s'agissait pourtant d'une mission simple. Le coup de téléphone que l'autre lui avait passé plus tôt dans la journée semblait indiquer que tout allait bien, mais six heures s'étaient écoulées depuis et voilà qu'il lui fallait supporter cette attente interminable au moment où il touchait enfin au but.

Il s'approcha du bar, prit un verre dans lequel il jeta quelques cubes de glace avant d'y ajouter trois doigts de scotch. Il avala une première gorgée, soupira, en lampa une autre, plus petite, qu'il prit le temps de savourer.

Il venait de poser le whisky sur un sous-verre de nacre, prêt à s'asseoir, lorsque la sonnerie du téléphone retentit. Il se rua sur l'appareil en renversant à moitié son verre dans la bousculade et décrocha d'une main anxieuse.

— Alors? dit-il d'une voix anormalement aiguë. C'est fait?

Mais personne ne répondait à l'autre bout du fil.

— Allô? Tu as de la merde dans les oreilles ou quoi? Je t'ai demandé si c'était fait.

Nouveau silence, suivi de la tonalité.

Blast contempla son téléphone d'un air effaré. Qu'est-ce que c'était encore que cette merde? L'autre abruti comptait lui demander une rallonge, ou quoi? Mais il savait se défendre. Le premier qui chercherait à l'emmerder allait regretter d'être né.

Il se posa sur le canapé après s'être servi une nouvelle rasade de scotch. L'autre enfoiré essayait visiblement de le faire marner pour lui soutirer plus de fric. Et puis quoi encore? Blast n'était pas né de la dernière pluie, il…

On sonna à la porte.

Un petit sourire éclaira les traits de Blast qui regarda sa montre : deux minutes. Deux minutes s'étaient écoulées depuis le coup de téléphone. En clair, l'autre connard avait l'intention de discuter. Encore un petit malin. Il trempa les lèvres dans son verre et s'enfonça confortablement dans le canapé.

La sonnette retentit une deuxième fois.

Blast reposa lentement le whisky sur son sous-verre. À son tour de faire marner l'autre crétin. Rien de tel pour négocier à la baisse. Ce n'était pas la première fois.

Troisième coup de sonnette. Blast se releva, lissa sa petite moustache, gagna l'entrée et ouvrit la porte.

Il recula précipitamment en découvrant un inconnu sur le palier. Un grand type avec des yeux sombres et une tête d'acteur de cinéma, vêtu d'un long imperméable noir écarté à la ceinture. Blast comprit qu'il avait eu tort d'ouvrir sans réfléchir. Avant qu'il ait pu rabattre le battant, l'inconnu le poussa dans l'appartement et referma la porte dans son dos.

— Monsieur Blast? s'enquit l'inconnu.

— Qui êtes-vous?

L'homme s'avança brusquement et Blast fut contraint de reculer. Inquiets, les loulous de Poméranie quittèrent l'ottomane et se réfugièrent dans la chambre en geignant.

L'inconnu toisa Blast avec un regard dans lequel brillait de l'inquiétude, ou peut-être de la rage.

— Que voulez-vous? demanda Blast, la gorge sèche.

— Je m'appelle Esterhazy, répliqua l'homme. Vous vous souvenez?

Ce nom lui était familier, en effet. Et même plus que familier. C'était le nom que lui avait lancé le type du FBI, Pendergast. Hélène *Esterhazy* Pendergast.

— Jamais entendu.

D'un geste brusque, Esterhazy défit la ceinture de son imperméable dont les pans dévoilèrent la silhouette inquiétante d'un fusil à canon scié à la crosse en bois noir richement décorée.

Blast recula de saisissement.

— Attendez une seconde, balbutia-t-il. Je ne sais pas ce que vous voulez, mais on devrait pouvoir s'arranger. Je suis quelqu'un de raisonnable. Dites-moi ce que vous cherchez à savoir.

— Ma sœur. Que lui avez-vous dit?

— Mais rien! Rien du tout. On a juste discuté ensemble.

— Discuté, répéta l'homme avec un sourire. Et de quoi?

— C'est ce Pendergast qui vous envoie? Je lui ai déjà dit tout ce que je savais.

— Et que savez-vous, *exactement*?

— Elle voulait voir le tableau. Le *Cadre noir*. Elle m'a dit qu'elle avait une théorie à son sujet.

— Une théorie?

— Oui, mais je ne sais plus laquelle. Je vous jure. C'était il y a longtemps. Je vous en prie, vous devez me croire.

— Je voudrais en savoir davantage sur cette théorie.

— Si je m'en souvenais, je vous le dirais. Je vous jure!

— Je vous remercie.

L'un des canons de l'arme cracha un torrent de fumée et de feu avec un bruit assourdissant. Littéralement soulevé de terre par l'impact, Blast s'écrasa sur le sol de la pièce avec un grand bruit. Curieusement, il ne sentait rien au niveau de la poitrine et n'avait mal nulle part, au point de croire un instant que l'autre l'avait raté... À ce moment-là, il posa les yeux sur la masse sanguinolente de son torse.

Comme de très loin, il vit la forme indistincte de l'homme se planter au-dessus de lui. L'ouverture béante du double canon scié se détacha de la silhouette floue et s'approcha de sa tête. Blast voulut protester, mais un liquide épais d'une chaleur presque rassurante lui bloquait la gorge et aucun son ne sortit de sa bouche...

À cet instant précis, l'horrible mélange de tonnerre et de feu le plongea définitivement dans l'oubli.

39

New York

Il était tout juste 7 h 15, mais la 15ᵉ section de la brigade criminelle ressemblait à une ruche alors que s'ajoutaient aux affaires en souffrance les crimes violents de la nuit. Installée derrière son bureau, Laura Hayward achevait la rédaction de l'épais rapport qu'elle adressait chaque mois au nouveau préfet. Le malheureux, récemment débarqué du Texas, avait besoin qu'on lui tienne la main.

Elle mit le point final au rapport, sauvegarda le fichier et but une gorgée de son café à peine tiède. Elle reposait le gobelet lorsque la sonnerie de son portable privé retentit. Seules quatre personnes en connaissaient le numéro : sa mère, sa sœur, le notaire de famille, et Vincent D'Agosta.

Elle l'extirpa de la poche de sa veste et regarda le nom qui s'affichait sur l'écran. Hayward n'avait pas pour habitude de répondre aux coups de fil personnels pendant le service, mais elle s'accorda une exception et referma la porte du bureau.

— Allô ?

— Laura ? C'est moi.

Elle reconnut la voix de D'Agosta.

— Vinnie ? Tu n'as pas appelé hier soir et je commençais à me faire du souci.

— Ne t'inquiète pas, tout va bien. Désolé pour hier soir, mais la journée a été plutôt… mouvementée.

Elle se laissa tomber sur son siège.

— Raconte-moi.

— Eh bien, répondit D'Agosta après un court silence, figure-toi qu'on a retrouvé le *Cadre noir*.

— Le tableau que vous cherchiez?

— Ouais.

La réponse manquait d'enthousiasme. Au son de sa voix, elle aurait même dit qu'il était en colère.

— Où l'avez-vous retrouvé?

— Tu ne vas pas me croire, mais il était caché derrière un mur dans la cave d'un magasin de doughnuts.

— Ah bon? Comment l'avez-vous récupéré?

Nouveau silence.

— Euh… on a défoncé le mur.

— Défoncé le mur?

— Ouais.

Hayward sentit son cœur se serrer.

— Mais encore? Vous vous êtes introduits dans cette cave de nuit, ou quoi?

— Non, non. On a agi en plein jour.

— Continue.

— Pendergast avait tout préparé. On s'est présentés au gérant en se prétendant inspecteurs de l'urbanisme et Pendergast…

— Finalement, je préfère ne pas savoir comment vous vous y êtes pris. Raconte-moi plutôt ce qui s'est passé *ensuite*.

— C'est à cause de ça que je n'ai pas pu te téléphoner hier soir comme d'habitude. En quittant Baton Rouge, on s'est aperçus qu'on était filés par une voiture qui nous a donné la chasse dans les bayous de…

— Holà, Vinnie! Je t'arrête tout de suite.

Ce qu'elle redoutait depuis le début était en train de se produire.

— Tu m'avais pourtant promis de ne pas te laisser embarquer dans les coups tordus de Pendergast, poursuivit-elle.

— Je sais, Laura. Mais on tenait presque ce fichu tableau, et je me suis dit que plus vite le mystère serait éclairci, plus vite je rentrerais près de toi.

Elle soupira en secouant la tête.

— Et comment ça s'est terminé?

— On a réussi à les semer, mais il était près de minuit quand on est arrivés à Penumbra. On s'est enfermés dans la bibliothèque avec la caisse en bois du tableau et Pendergast l'a posée sur la table. Je ne te dis pas le cinéma. Au lieu d'ouvrir cette satanée caisse avec un pied-de-biche, il a insisté pour se servir d'une panoplie d'outils à rendre chèvre un horloger. Du coup, il a mis des heures. Le tableau a dû prendre l'humidité à un moment parce que le dos de la toile était collé au bois de la caisse et il lui a fallu une éternité pour dégager cette fichue peinture.

— C'était bien le *Cadre noir*, au moins?

— Pour être noir, le cadre était noir, mais la toile était recouverte de moisissures et de saletés qui empêchaient de voir quoi que ce soit. Pendergast a sorti toutes sortes de chiffons et de pinceaux, de dissolvants et de produits chimiques spéciaux pour essayer de le nettoyer en me recommandant de ne toucher à rien. Au bout d'un quart d'heure, il avait à peine nettoyé un coin de la toile quand d'un seul coup…

— Quoi?

— Eh bien, il s'est tétanisé devant le tableau. Le temps de dire ouf, il me prenait par le bras, me mettait dehors comme un malpropre et s'enfermait à double tour dans la bibliothèque.

— Comme ça?

— Comme ça. Je me suis retrouvé comme un imbécile dans le hall sans savoir à quoi ressemblait le tableau.

— Ce n'est pas la première fois que je te le dis, Vinnie. Ce type-là n'est pas normal.

— Je dois bien reconnaître qu'il est assez spécial. Comme il était 3 heures du matin, j'ai décidé que j'en avais marre et je suis monté me coucher. Je viens de me réveiller et il n'a pas bougé.

Hayward sentit la moutarde lui monter au nez.

— Pendergast tout craché. Tu as tort de croire que c'est ton copain, Vinnie.

D'Agosta soupira à l'autre bout du fil.

— Il faut le comprendre. On enquête sur la mort de sa femme et ça doit le perturber… Je t'assure que c'est un ami, même s'il a une façon souvent bizarre de le montrer.

Il marqua un temps d'arrêt.

— Des nouvelles de Constance Greene ? enchaîna-t-il.

— Elle est enfermée dans la section pénitentiaire de l'hôpital Bellevue. Je suis allée l'interroger, elle affirme avoir jeté son bébé par-dessus bord.

— Comment explique-t-elle son geste ?

— Elle dit que c'était un être maléfique. Comme le père.

— Seigneur ! Je savais qu'elle était bizarre, mais je ne la croyais pas cinglée à ce point.

— Comment Pendergast a-t-il réagi à la nouvelle ?

— Difficile à dire, comme toujours avec lui. En apparence, ça n'a pas eu l'air de l'affecter.

Hayward ne répondit rien. Elle hésita à lui conseiller de rentrer avant de se résoudre à ne pas lui compliquer davantage l'existence.

— Un dernier détail, reprit D'Agosta.

— Je t'écoute.

— Tu te souviens de ce type dont je t'ai parlé ? Black-letter ? L'ancien patron d'Hélène Pendergast à Médecins Voyageurs ?

— Eh bien ?

— Il a été assassiné chez lui avant-hier. Double décharge de calibre 12 à bout portant.

— Mon Dieu !

— Et ce n'est pas tout. John Blast, l'espèce de larve qu'on est allés interroger à Sarasota ? Celui qui courait après le *Cadre noir* ? Je croyais que c'était lui qui nous suivait en voiture hier, mais je me suis trompé. Je viens d'apprendre par la radio qu'il a été assassiné hier soir. Et je te le donne en mille : double décharge de calibre 12.

— C'est à n'y rien comprendre.

— Quand j'ai appris que Blackletter avait été abattu, j'ai cru que le coupable était Blast. Maintenant que Blast est mort, ça ne tient plus debout.

— C'est toujours la même histoire, avec Pendergast. Il suffit qu'il fourre son nez quelque part pour que les ennuis commencent.

— Attends une seconde, Laura. Je te reprends tout de suite.

La jeune femme patienta une vingtaine de secondes avant d'entendre à nouveau la voix de son correspondant.

— Excuse-moi. C'était Pendergast. Il vient de frapper à la porte de ma chambre. Il dit que le tableau est entièrement nettoyé et il voudrait mon opinion. Je t'aime, Laura. Je t'appelle ce soir.

L'instant d'après, il avait raccroché.

40

Plantation Penumbra

Pendergast attendait D'Agosta dans le couloir, les mains dans le dos. Il n'avait pas quitté le jean et la chemise à carreaux de leur équipée à Port Allen.

— Je suis sincèrement désolé, Vincent, s'excusa-t-il. Je vous prie de me pardonner ce qui doit vous sembler le comble de la grossièreté et du manque d'égards.

D'Agosta ne répondit rien.

— Vous comprendrez mieux ma position lorsque vous aurez vu ce tableau. Si vous voulez bien me suivre? ajouta-t-il en montrant l'escalier.

D'Agosta lui emboîta le pas.

— Blast est mort, annonça-t-il à son compagnon. Abattu de la même manière que Blackletter.

Pendergast s'immobilisa.

— Abattu, dites-vous? répéta-t-il avant de se remettre en route d'un pas plus mesuré.

La porte de la bibliothèque était restée grande ouverte et un rectangle de lumière jaune se dessinait sur le carrelage du hall d'entrée. Au milieu de la pièce trônait le tableau, posé sur un chevalet et recouvert d'un carré de velours épais.

— Je vous demanderai de bien vouloir vous placer face à la toile, lui recommanda l'inspecteur. Je souhaite recueillir votre réaction spontanée.

D'Agosta obtempéra.

Pendergast s'écarta, saisit un coin du carré de velours et découvrit le tableau.

D'Agosta ouvrit des yeux ronds. Il ne s'agissait pas d'une conure de Caroline, d'un autre oiseau, ou même d'un sujet animalier quelconque, mais d'une femme d'un certain âge aux traits émaciés. Elle était allongée sur un lit d'hôpital, entièrement nue, baignant dans une lumière froide provenant d'une lucarne haute. La femme reposait, les chevilles croisées, les mains sur la poitrine, à la façon d'un cadavre, et l'on devinait la forme de ses côtes à travers sa peau parcheminée. Elle était manifestement malade, ou alors dérangée, ce qui n'empêchait pas le tableau d'exprimer une sensualité presque obscène dans un tel contexte. Une carafe d'eau et des pansements étaient posés sur sa table de chevet, sa chevelure dessinait une tache sombre sur un oreiller de lin grossier. Le plâtre peint des murs, la chair molle et desséchée, les plis des draps, jusqu'aux grains de poussière dans le cône de lumière, la scène avait été reproduite dans ses moindres détails avec une sûreté de trait d'une intensité élégiaque. Sans prétendre à la moindre expertise en matière de peinture, D'Agosta jugea la toile bouleversante.

— Vincent? le pressa Pendergast à mi-voix.

D'Agosta tendit la main et caressa d'un doigt le cadre noir.

— Je ne sais pas quoi penser, avoua-t-il.

— Ah, hésita Pendergast. Lorsque j'ai commencé à nettoyer la toile, le premier détail qui m'a sauté aux yeux, c'est *celui-ci*, dit-il en pointant du doigt le regard de la femme, animé d'une vie ardente. À cet instant précis, j'ai compris que nous faisions fausse route. J'avais besoin de temps et de solitude pour décrasser le reste du tableau. Je ne souhaitais pas qu'il se dévoile à vos yeux par petites touches, je préférais que vous puissiez l'embrasser d'un seul coup d'œil. Comprenez-moi, j'avais besoin d'un regard extérieur neuf, ce qui m'a conduit à vous mettre à la porte de façon si cavalière. Excusez-moi encore.

— Ce tableau est extraordinaire. Mais... vous êtes certain qu'il est d'Audubon?

Pendergast désigna le bas de la toile où se cachait une signature discrète, puis il montra à son ami une petite souris, ramassée sur elle-même dans un coin sombre de la chambre d'hôpital.

— La signature est bien celle d'Audubon, mais cet animal est plus parlant encore. Seul Audubon aurait pu lui donner vie de la sorte. Je suis convaincu que ce portrait a été peint à l'hôpital Meuse St. Clair. Le sujet est trop réaliste pour qu'il en soit autrement.

D'Agosta acquiesça lentement.

— J'aurais pourtant juré que nous allions découvrir un perroquet. Quel rapport peut bien avoir cette femme avec notre affaire?

Pendergast se contenta d'écarter ses mains blanches en signe d'impuissance et D'Agosta lut toute sa frustration dans le regard qu'il lui adressait.

— Tenez, Vincent. Jetez donc un coup d'œil ici, reprit Pendergast en s'approchant de la grande table sur laquelle étaient étalées deux rangées de gravures, lithographies et autres aquarelles.

Celles de gauche représentaient des animaux, des oiseaux, des insectes, des paysages, et même quelques esquisses de portraits. Tout en haut de la rangée se trouvait une aquarelle de souris.

La rangée de droite était d'une tout autre nature. Presque entièrement consacrée à des oiseaux, à l'exception de quelques mammifères, elle était composée d'œuvres d'un réalisme saisissant.

— Voyez-vous la différence?

— Bien sûr. Les trucs de gauche sont à chier, alors que ceux de droite sont... ils sont tout simplement magnifiques.

— Je les ai dénichés dans les collections de mon arrière-arrière-grand-père, expliqua Pendergast. Ceux-ci, précisa-t-il en tendant la main vers la gauche, ont été offerts à mon aïeul par Audubon en personne à l'époque où il vivait dans

251

sa petite maison de Dauphine Street en 1821, juste avant de tomber malade. Ce sont donc des exemples de son travail antérieurs à son internement à Meuse St. Clair. Ceux-là, ajouta-t-il en se tournant vers la rangée de droite, ont été peints par la suite, après sa guérison. Ainsi se résume l'énigme.

D'Agosta restait sous le choc de l'œuvre magistrale encadrée de noir.

— Il a progressé, suggéra-t-il. C'est normal pour un artiste, non? Où voyez-vous une énigme?

Pendergast secoua la tête.

— Il ne s'agit pas de progrès, Vincent, mais d'une véritable *métamorphose*. Aucun peintre ne progresse à ce point au cours de sa carrière. Ces premières œuvres sont médiocres. Elles sont l'œuvre sans relief d'un peintre besogneux. Je ne vois rien ici qui puisse laisser entrevoir la moindre étincelle de génie.

D'Agosta ne pouvait que s'incliner face à de tels arguments.

— Mais alors, que s'est-il produit?

Pendergast passa lentement en revue les deux rangées étalées sous ses yeux transparents, puis il alla lentement rejoindre le fauteuil installé face au *Cadre noir*.

— Il ne fait guère de doute que cette femme était l'une des patientes de l'hôpital. Il est possible que le docteur Torgensson en ait été amoureux. Cela expliquerait pourquoi il n'a jamais voulu se séparer de cette toile, même dans la misère la plus abjecte. En revanche, cela ne nous dit pas pourquoi Hélène s'y intéressait tant.

D'Agosta jeta un nouveau coup d'œil à la femme, à son attitude résignée sur ce lit d'hôpital sordide.

— Et si c'était une ancêtre d'Hélène? Une Esterhazy?

— J'y ai pensé, répondit l'inspecteur. Mais en quoi cela justifierait-il l'obsession d'Hélène pour cette toile?

— Les Esterhazy ont quitté le Maine dans des circonstances pour le moins obscures, remarqua D'Agosta. Qui sait si ce tableau n'était pas censé l'aider à redorer le blason de la famille?

— Soit, mais de quelle façon? Je vois mal un tel sujet redorer le blason de quiconque. Ce serait même plutôt l'inverse. En tout cas, il est désormais facile de comprendre pourquoi le thème de ce tableau n'a jamais été évoqué explicitement par ceux qui l'ont vu. Son sujet est pour le moins dérangeant.

Un court silence ponctua sa remarque, que D'Agosta rompit en réfléchissant à voix haute.

— Je me demande bien pourquoi Blast voulait tant lui mettre la main dessus. Après tout, ce n'est qu'un simple tableau. De là à consacrer autant d'années de sa vie à le retrouver...

— Pour une fois, je n'aurai aucun mal à répondre à votre question. Blast était un Audubon, ce tableau relevait donc de son héritage. Cette course au trésor était devenue un but en soi, mais je ne peux m'empêcher de penser qu'il aurait été le premier surpris s'il l'avait vu.

Pendergast se prit le front dans les mains, doigts écartés.

Perplexe, D'Agosta continuait à observer la femme, taraudé par une impression sur laquelle il n'arrivait pas à mettre le doigt. Le tableau essayait de lui parler, mais pour lui dire quoi?

La vérité s'imposa à lui brutalement.

— Le tableau, s'écria-t-il. Regardez. Il ressemble aux œuvres de la colonne de droite.

— Expliquez-vous, Vincent. Je ne vous suis pas, réagit mollement Pendergast sans même lever les yeux.

— Vous me l'avez dit vous-même. Cette petite souris dans son coin... elle porte la patte d'Audubon.

— Oui, elle ressemble à s'y méprendre à celle qui figure dans ses *Mammifères d'Amérique du Nord*.

— D'accord. Maintenant, jetez un œil sur la petite souris de la rangée de gauche, dans ses dessins de jeunesse.

Pendergast releva lentement la tête et passa du tableau aux deux séries d'illustrations avant de se tourner vers son compagnon.

— Où souhaitez-vous en venir, Vincent?

D'Agosta tendit la main vers la table.

— La première souris. Jamais on ne pourrait croire que c'est Audubon qui l'a dessinée. Idem avec tous ces paysages. On ne reconnaît pas la patte d'Audubon.

— D'où l'énigme que j'évoquais tout à l'heure.

— Sauf que je ne suis pas certain que ce soit une énigme.

Pendergast l'observait désormais avec une lueur de curiosité dans les yeux.

— Poursuivez, murmura-t-il.

— Je reprends. D'un côté, on a ces croquis assez médiocres. De l'autre, le tableau de cette femme. Que s'est-il passé entre les deux?

Le regard de Pendergast brillait à présent.

— Entre les deux, Audubon est tombé *malade*.

D'Agosta approuva.

— Exactement. Donc la maladie l'a changé. Comment l'expliquer autrement?

— Génial, mon cher Vincent! s'écria Pendergast en frappant les bras de son fauteuil dont il jaillit comme un diable d'une boîte. Cette rencontre avec la mort, la conscience soudaine de sa propre fragilité l'aura littéralement métamorphosé en lui insufflant une énergie créative qui aura transformé sa carrière artistique!

— Et nous qui étions convaincus qu'Hélène s'intéressait au *sujet* de l'œuvre, enchaîna D'Agosta.

— Précisément. Mais souvenez-vous de ce que nous a dit Blast. Hélène n'avait cure de posséder ce tableau, elle souhaitait seulement *l'étudier*. Elle cherchait la confirmation du *moment où avait eu lieu cette métamorphose artistique*.

Pendergast se tut. Il tournait en rond depuis quelques instants lorsqu'il s'immobilisa, pris par le cours de sa réflexion.

— Eh bien, voici le mystère résolu, dit D'Agosta.

Pendergast posa sur lui son regard argenté.

— Non.

— Que voulez-vous dire?

— Pourquoi Hélène m'a-t-elle caché tout cela?

D'Agosta haussa les épaules.

— Je ne sais pas. Elle était peut-être gênée d'avoir commis un pieux mensonge en prétendant vous avoir rencontré par hasard.

— Un pieux mensonge, dites-vous? Je n'en crois pas un mot. Elle ne m'a rien dit pour une raison autrement plus importante.

Pendergast se laissa tomber dans le fauteuil et s'abîma une fois de plus dans la contemplation du tableau.

— Recouvrez-le.

D'Agosta rabattit le carré de velours sur le chevalet, légèrement inquiet. Pendergast ne tournait décidément pas rond.

L'inspecteur ferma les yeux et le silence retomba sur la bibliothèque, rythmé par le tic-tac de la vieille horloge posée sur la cheminée. D'Agosta finit par s'asseoir à son tour, une expression fataliste sur le visage.

Les deux paupières de l'inspecteur se soulevèrent lentement.

— Nous prenons le problème à l'envers depuis le début.

— Comment ça?

— Nous avons toujours cru qu'Hélène s'intéressait à Audubon, le peintre.

— Et alors?

— Eh bien, elle s'intéressait à Audubon, le *malade*.

— Le malade?

Pendergast hocha légèrement la tête.

— C'était la passion d'Hélène. La recherche médicale.

— Dans ce cas, pourquoi avoir couru après ce tableau?

— Parce qu'il avait été peint au lendemain de sa guérison. Elle cherchait la confirmation de la théorie qu'elle avait mise au point.

— Quelle théorie?

— Mon cher Vincent, savons-nous précisément de quel mal souffrait Audubon?

— Non.

— Vous avez raison. Eh bien, c'est là que se trouve la clé du mystère. Elle voulait savoir de quelle *maladie* il s'agissait, et quel effet elle avait eu sur Audubon, puisqu'elle l'avait apparemment transformé en peintre de génie. Elle avait compris qu'un événement l'avait métamorphosé. C'est bien pour cette raison qu'elle s'est rendue à New Madrid, sachant qu'il s'y trouvait le jour du tremblement de terre. Elle cherchait tout bonnement à savoir ce qui avait pu provoquer chez lui un tel changement, et elle a trouvé la solution en apprenant sa maladie. Elle voulait voir le tableau pour s'assurer de la validité de sa thèse : la maladie d'Audubon l'avait transformé. Elle avait eu sur lui des effets neurologiques *miraculeux* !

— J'avoue que je suis un peu perdu.

Pendergast se leva d'un bond.

— Et c'est pour cette raison qu'elle ne m'en a pas parlé. Parce qu'il s'agissait d'une découverte d'une immense valeur au plan pharmaceutique. Cela n'avait aucun rapport avec la nature de notre relation.

Il agrippa brusquement le bras de son interlocuteur.

— Sans votre éclair de génie, mon cher Vincent, je continuerais à tourner en rond dans le noir.

— Je ne sais si j'irais jusqu'à dire…

Relâchant D'Agosta aussi brusquement qu'il l'avait saisi, Pendergast se dirigea vers la porte.

— Venez, nous n'avons pas une seconde à perdre.

— Où allons-nous ? demanda D'Agosta, interdit.

— Nous allons pouvoir vérifier vos soupçons et savoir une fois pour toutes de quoi il retourne.

41

Le tireur changea de position dans son trou d'ombre et avala une rasade de sa gourde camouflage avant de s'essuyer les tempes à l'aide du bandeau en éponge qu'il portait au poignet. Chacun de ses mouvements, lent et méthodique, était indétectable dans sa cachette végétale.

Ce luxe de précautions n'était pas franchement utile, jamais sa cible n'aurait pu le repérer, mais des années passées à chasser toutes sortes d'animaux sauvages lui avaient enseigné les mérites de la prudence.

L'homme avait choisi un affût idéal, un vieux chêne abattu par la tempête Katrina, aux racines inextricables percées de rares meurtrières. De l'une d'elles dépassait le canon de son Remington 40-XS. Un abri d'autant plus inviolable qu'il était naturel. Dans cette partie ravagée des bayous de Louisiane, tant d'arbres avaient été arrachés que personne n'y prêtait plus attention.

Le tireur se trouvait dans l'ombre, le canon protégé par une couche d'un polymère noir antireflet, et sa proie serait aveuglée par le soleil levant. Grâce au cache-flamme dont il était équipé, le fusil conserverait son anonymat même au moment du coup de feu.

Sa voiture, un 4 × 4 Nissan de location, se trouvait derrière l'affût et le tireur s'était servi du plateau arrière comme d'une plate-forme de tir, le nez du véhicule tourné en direction d'un vieux chemin forestier. Quand bien même quelqu'un l'apercevrait et lui donnerait la chasse, il lui faudrait moins de trente secondes pour sauter derrière le volant, mettre le moteur en route et s'éloigner à vive allure. La grand-route et le salut se trouvaient à trois kilomètres.

Il ne savait pas combien de temps il lui faudrait attendre, dix minutes ou dix heures, mais cela n'avait aucune importance. Seule comptait sa motivation, et il n'avait jamais été aussi motivé de toute son existence. Non, ce n'était pas tout à fait vrai : il l'avait déjà été une autre fois.

C'était un petit matin humide, parcouru d'écharpes de brume, et l'air à l'intérieur de l'affût improvisé était moite. L'homme s'épongea à nouveau les tempes. Les insectes bourdonnaient paresseusement autour de lui et des campagnols s'agitaient en couinant tout près de là. Un nid, sans doute. Ces satanées bestioles avaient fini par envahir les marais de la région où ils dévoraient tout, portés par un appétit aussi féroce que celui des lapins de laboratoire dont ils avaient la nature conciliante.

Il avala une nouvelle gorgée d'eau, vérifia que le 40-XS était en position, son bipied solidement posé. Il ouvrit la culasse, s'assura que la balle Winchester de calibre 308 était à sa place et referma la culasse. À l'instar de tous les bons tireurs, il préférait la stabilité et la précision des armes à culasse. Il disposait de trois projectiles supplémentaires dans le magasin, en cas de besoin, mais l'intérêt des armes de sniper était précisément de tuer au premier coup.

Son meilleur atout était la lunette, une Leupold Mark IV longue portée de type M1. Il plaça l'œil droit devant l'oculaire, visa la porte d'entrée de la plantation, l'allée de gravier, et enfin la Rolls-Royce elle-même.

Sept cents mètres. Sept cent cinquante tout au plus. La première balle serait la bonne.

Il sentit les battements de son cœur s'accélérer légèrement à la vue de la voiture et projeta une nouvelle fois dans sa tête le film des événements. Il attendrait que sa cible prenne place derrière le volant et actionne le démarreur. La Rolls se mettrait en branle, parcourrait l'allée en arc de cercle et s'arrêterait un instant avant de s'engager sur la route. C'était l'instant qu'il avait choisi pour tirer.

Allongé sur le plateau du 4 × 4, parfaitement immobile, il obligea son cœur à se calmer. Pas question de céder à l'énervement, de se laisser distraire par l'impatience, la colère ou la peur. Il devait rester maître de lui-même, une leçon qui lui avait souvent servi lorsqu'il prenait l'affût en pleine brousse, dans des circonstances autrement plus périlleuses. L'œil collé à la lunette, le doigt posé sur le pontet, il acheva de se convaincre qu'il effectuait une simple mission. Le temps de s'acquitter de cette ultime corvée et il en aurait fini. Pour toujours.

Comme pour le récompenser de son sens de la méthode, la porte principale de la plantation s'écarta et une silhouette surgit de l'ombre. Il retint son souffle. Il ne s'agissait pas de sa cible, mais de l'autre, le flic. Avec une lenteur infinie, le doigt du tireur passa du pontet à la détente qu'un souffle suffisait à actionner. Le flic se planta sur le porche en jetant autour de lui un regard prudent. Le tireur n'en éprouva pourtant aucune inquiétude, trop sûr de sa cachette. Au même moment, sa cible sortit à son tour et les deux hommes descendirent les marches du perron jusqu'à l'allée, suivis par la lunette dont le réticule ne quittait plus le crâne de la cible. L'homme résista à la tentation de tirer prématurément et s'obligea à respecter le plan qu'il s'était fixé. Les deux hommes, visiblement pressés, marchaient d'un pas alerte. *Surtout respecter le plan.*

À travers la lunette, le tireur les vit ouvrir les portières de la Rolls, monter en voiture. La cible s'installa derrière le volant, comme prévu. Il actionna le démarreur, tourna la tête, prononça quelques mots à l'intention de son passager, et la voiture s'avança sur l'allée. Le tireur retint son souffle, s'appliquant à retenir son cœur, décidé à tirer entre deux battements.

La Rolls aborda la courbe de l'allée à une vingtaine de kilomètres-heure, puis elle ralentit en approchant du carrefour. *Ça y est*, pensa le tireur qui se voyait enfin récompensé de tant d'années de préparation, de sang-froid et d'expérience. Il effleura la détente, accentuant lentement la pression…

C'est le moment précis que choisit un campagnol à la robe gris-brun pour frôler sa main droite en poussant un couinement d'effroi avant de s'enfuir, affolé.

La Remington aboya prématurément en tressautant contre la poitrine du tireur qui écarta le campagnol en jurant avant d'actionner la culasse. Collant à nouveau l'œil à la lunette, il constata que le pare-brise était troué à une vingtaine de centimètres en haut et à gauche de l'endroit visé. La Rolls accéléra brutalement, ses pneus crissèrent dans un nuage de gravier en abordant la route, mais le tireur, refusant de céder à la panique, attendit le bon moment pour tirer à nouveau, entre deux battements de cœur.

Au moment où le coup partait, il eut le temps de voir le flic se jeter sur le volant. La Rolls vira de façon improbable avant de s'arrêter en travers de la petite route tandis qu'un nuage de sang obscurcissait le pare-brise, bloquant définitivement la vue du tireur.

Lequel des deux hommes avait-il touché?

Avant d'avoir pu obtenir une réponse à la question qu'il se posait, il vit un léger nuage de fumée s'élever de la Rolls, suivi par le bruit d'une détonation. Une milliseconde plus tard, une balle traversa le chêne à moins d'un mètre de lui. Un deuxième projectile s'écrasa presque aussitôt sur la carrosserie du Nissan avec un bruit métallique.

Le tireur se jeta en arrière, quitta l'abri du plateau du 4 × 4 et se rua dans l'habitacle. Une troisième balle lui siffla aux oreilles tandis qu'il démarrait précipitamment, prenant à peine le temps de jeter son arme sur le siège passager où il alla rejoindre un fusil à double canon scié. L'instant d'après, il filait sur le chemin forestier en faisant grincer l'embrayage, dans un nuage de poussière et de mousse espagnole.

Il bifurqua une première fois, puis une autre, dépassant rapidement les cent kilomètres-heure malgré l'état chaotique de la route. Les fusils glissèrent vers lui et il les repoussa machinalement en les recouvrant d'une couverture rouge. Le temps de deux autres virages pris à pleine vitesse et il aperçut la grand-route.

— Putain de merde ! s'écria Judson Esterhazy en laissant enfin éclater sa colère et sa frustration à grands coups de poing sur le tableau de bord. Putain de bordel de merde !

42

New York

Le docteur John Felder, flanqué d'un gardien, remonta l'immense couloir du secteur sécurisé de l'hôpital Bellevue. Petit, mince, élégant, Felder avait pleinement conscience de détonner dans le décor sordide qui l'entourait. C'était la deuxième fois qu'il interrogeait la patiente. Lors de sa visite précédente, il s'était contenté de réunir les éléments d'usage en posant des questions élémentaires, nécessaires à la satisfaction de la cour devant laquelle il serait appelé à témoigner en qualité d'expert psychiatrique.

Il en était arrivé à la conclusion que cette femme, incapable de distinguer le bien du mal, n'était pas responsable de ses actes, mais Felder n'était pas entièrement satisfait de son verdict. Il avait été appelé dans des affaires très particulières, avait vu des cas auxquels s'étaient trouvés confrontés peu de ses confrères, examiné des patients présentant des pathologies criminelles extrêmement rares. Pour la première fois de sa carrière, il avait néanmoins le sentiment que le mystère du psychisme de sa patiente lui échappait entièrement.

Sur le plan administratif, il avait rempli sa mission, ce qui ne l'avait pas empêché de demander à voir la jeune femme une seconde fois avant de déposer son rapport. Cette fois, il était décidé à l'entraîner sur le terrain de la parole. Une conversation normale entre deux individus. Ni plus ni moins.

Le couloir faisait un coude avant de s'enfoncer plus profondément dans le bâtiment. Perdu dans ses pensées, c'est tout juste s'il percevait le brouhaha, les cris, les odeurs qui l'entouraient. Il y avait tout d'abord l'identité de la jeune femme. Malgré bien des efforts, l'administration n'avait pas réussi à lui dénicher un acte de naissance, un numéro de sécurité sociale, ou toute autre preuve d'existence légale. Le passeport britannique trouvé en sa possession n'était pas un faux, mais il avait été obtenu sur la foi d'une imposture fort bien montée auprès d'un petit agent consulaire de Grande-Bretagne à Boston. On aurait pu croire la jeune femme surgie de terre, telle Athéna sortant du crâne de Zeus.

Bercé par l'écho de ses pas, Felder refusait de réfléchir à des questions précises, il entendait se laisser guider par son intuition.

Au détour du couloir l'attendait la salle réservée aux rencontres avec les prisonniers. Le gardien de service déverrouilla la porte grise munie d'un guichet et l'introduisit dans une pièce meublée de quelques chaises, d'une table basse sur laquelle étaient empilés des magazines, d'un luminaire et d'un immense miroir sans tain. L'endroit, de dimensions modestes, n'était pas désagréable. La patiente était déjà là, assise à côté d'un policier. Tous deux se levèrent à son arrivée.

— Bonjour, Constance, la salua Felder avant de demander à l'agent de retirer les menottes à sa prisonnière.

— J'aurai besoin d'une autorisation, docteur, répondit le flic.

Felder prit place sur une chaise, ouvrit son attaché-case, sortit le document demandé et le tendit à son interlocuteur. Ce dernier l'examina, acquiesça d'un grognement, se leva, retira les menottes des poignets de Constance et les accrocha à sa ceinture.

— Je suis dehors si vous avez besoin de moi. Vous n'avez qu'à appuyer sur le bouton.

— Je vous remercie.

Le flic parti, Felder reporta son attention sur la malade qui se tenait sagement devant lui dans sa combinaison carcérale réglementaire, les mains croisées. Le psychiatre fut à nouveau frappé par sa beauté et son port aristocratique.

— Comment allez-vous, Constance? Asseyez-vous, je vous en prie.

Elle s'exécuta.

— Je vais très bien, docteur. Et vous-même?

— Fort bien, répondit-il en croisant les jambes. Je suis heureux que l'occasion nous soit donnée d'une nouvelle discussion, j'aurais quelques questions à vous poser. À vrai dire, rien d'officiel. Vous êtes d'accord pour que nous bavardions quelques minutes?

— Bien sûr.

— Je vous remercie. J'espère ne pas vous paraître trop indiscret, considérez mes questions comme une simple conséquence de ma curiosité professionnelle insatiable. Vous m'avez dit être née sur Water Street, c'est bien cela?

Elle hocha la tête.

— Chez vous?

Nouvel acquiescement.

Felder consulta ses notes.

— Vous avez une sœur, Mary Greene, ainsi qu'un frère prénommé Joseph. Votre mère se prénomme Chastity, votre père Horace. Arrêtez-moi si je me trompe.

— Certes.

Certes. Tout chez elle était... désuet, jusqu'au choix des mots qu'elle employait.

— Quand êtes-vous née?

— Je n'en ai pas gardé le souvenir.

— J'entends bien, mais vous devez bien connaître votre date de naissance.

— J'ai bien peur que non.

— Vers la fin des années quatre-vingt, sans doute?

Felder crut voir passer l'ombre d'un sourire sur le visage de la jeune femme.

— Plutôt à l'orée des années soixante-dix.

— Mais je croyais que vous aviez vingt-trois ans.

— Je vous l'ai dit, je ne connais pas mon âge exact.

Le médecin s'éclaircit la gorge.

— Constance, nous n'avons retrouvé trace d'aucune famille Greene dans Water Street.

— Sans doute n'avez-vous pas suffisamment cherché.

Il se pencha vers elle.

— Avez-vous une raison particulière de me dissimuler la vérité ? Je vous rappelle que je suis ici pour vous aider.

Felder meubla le silence qui suivit en tentant de pénétrer les yeux gris de son interlocutrice, de déchiffrer ce jeune et beau visage, encadré de cheveux auburn, empreint d'une expression qui l'avait frappé dès leur première rencontre par son mélange de fierté, de supériorité, peut-être même de dédain. On aurait dit… une reine ? Non, pas exactement. Une impression indéfinissable.

Il reposa ses notes, affectant la plus grande décontraction.

— Dans quelles circonstances êtes-vous devenue la pupille de M. Pendergast ?

— À la mort de mes parents et de ma sœur, je me suis retrouvée à la rue. La maison de M. Pendergast, au 891 Riverside Drive, est longtemps restée… elle est longtemps restée inoccupée et je m'y suis installée.

— Pourquoi à cet endroit précis ?

— Il s'agissait d'une vaste demeure confortable, dotée de nombreuses retraites. Sans parler de son abondante bibliothèque. Lorsque M. Pendergast a hérité de la maison, il m'y a découverte, devenant ainsi mon tuteur.

— Quelle raison l'a-t-elle conduit à prendre une telle décision ?

— La culpabilité.

Felder, perplexe, se racla la gorge.

— La culpabilité ? Qu'entendez-vous par là ?

Elle ne répondit pas.

— M. Pendergast était peut-être le père de votre enfant?
La réponse tomba, d'un calme surnaturel.

— Non.

— Quel était votre rôle chez M. Pendergast?

— Je lui servais d'assistante. J'effectuais des recherches
à sa requête. Il appréciait tout particulièrement mes capacités linguistiques.

— Combien de langues parlez-vous?

— Je ne parle que l'anglais, mais je lis et écris couramment le latin, le grec ancien, le français, l'italien, l'espagnol
et l'allemand.

— Intéressant. Vous deviez être une élève brillante. Où
avez-vous fait vos études?

— J'ai étudié par moi-même.

— Vous êtes autodidacte?

— J'ai étudié par moi-même.

Comment est-ce possible? se demanda Felder. À notre
époque, comment pouvait-on naître et grandir dans une
ville telle que New York en restant totalement invisible?
Sa tactique ne donnait pas les résultats escomptés, il était
temps de passer à la manière directe.

— De quoi est morte votre sœur?

— Elle a été assassinée par un tueur en série.

Felder en resta interloqué.

— La police s'est-elle occupée de l'affaire? Le tueur a-t-il
été appréhendé?

— Non aux deux questions.

— Et vos parents? Que leur est-il arrivé?

— Tous deux sont morts de phtisie.

Felder vit renaître ses espoirs. Une telle information était
facile à vérifier, les cas de tuberculose étant soigneusement
répertoriés à New York.

— Dans quel hôpital sont-ils morts?

— Ils ne sont pas décédés à l'hôpital. Je ne sais pas où
est mort mon père. Quant à ma mère, elle a expiré dans la
rue et sa dépouille a été inhumée dans la fosse commune
de Hart Island.

La jeune femme demeurait immobile, les mains nouées sur les genoux. Felder sentit monter en lui une bouffée de découragement.

— Pour en revenir à votre naissance, vous ne vous souvenez pas de l'année précise?

— Non.

Le psychiatre soupira.

— J'aurais souhaité vous poser quelques questions au sujet de votre bébé.

Aucune réaction.

— Vous dites avoir jeté l'enfant à la mer parce qu'il était maléfique. Comment pouviez-vous le savoir?

— Son père était un monstre.

— Accepteriez-vous de me dire son nom?

Pas de réponse.

— Vous croyez donc le maléfice héréditaire?

— Certaines combinaisons génétiques, à l'intérieur du génome humain, induisent un comportement criminel. Les combinaisons en question sont héréditaires. Vous avez très certainement lu les recherches effectuées récemment sur le triangle malsain constitué par le narcissisme, le machiavélisme et la psychopathie?

Felder ne pouvait que s'étonner de l'érudition et de la lucidité de son interlocutrice.

— Vous avez donc jugé préférable de jeter votre bébé dans les eaux de l'Atlantique?

— Tout à fait.

— Et le père? Est-il toujours vivant?

— Il est mort.

— Comment?

— Il a été précipité dans une coulée pyroclastique.

— Je… je vous demande pardon?

— Il s'agit d'un terme géologique désignant une coulée de lave.

Il fallut quelques instants au psychiatre pour digérer l'information.

— Il était géologue?

267

Pas de réponse. Il avait l'impression insupportable de tourner en rond.

— Vous avez utilisé le mot « précipité ». Voulez-vous dire qu'on l'a poussé?

Toujours pas de réponse. Il était inutile d'insister, cela relevait manifestement des fantasmes de la patiente.

— Constance, étiez-vous consciente de commettre un crime en jetant votre bébé par-dessus bord?

— Naturellement.

— Avez-vous pensé aux conséquences?

— Oui.

— Vous saviez donc que c'était mal.

— Au contraire. C'était non seulement bien, c'était surtout la *seule* solution.

— Pourquoi était-ce la seule solution?

La question fut accueillie par un silence. Conscient de son échec, le docteur Felder ramassa ses affaires et se leva.

— Je vous remercie, Constance. Le temps qui nous était imparti est écoulé.

— Il n'y a pas de quoi, docteur.

À peine le psychiatre avait-il appuyé sur le bouton que le policier les rejoignait.

— J'ai terminé, annonça-t-il au flic avant de se tourner vers Constance et de s'entendre dire, presque malgré lui : Je reviendrai vous voir d'ici à quelques jours.

— Avec plaisir.

En regagnant la sortie, Felder se demanda si son diagnostic initial était le bon. Elle souffrait d'une maladie mentale, bien sûr, mais de là à la déclarer irresponsable sur le plan pénal. Si l'on retirait ce qu'il y avait de normal chez elle, il ne restait rien.

Au même titre que son identité. C'est-à-dire le néant.

43

Baton Rouge, Louisiane

Laura Hayward s'efforçait de conserver une démarche normale en traversant les couloirs de l'hôpital central de Baton Rouge. Elle entendait rester maîtresse d'elle-même jusqu'au bout. Avant de rallier l'aéroport, elle avait enfilé un jean et une chemise sans attacher ses cheveux, laissant son uniforme derrière elle. Elle se trouvait là en tant que simple citoyenne, rien de plus.

Croisant médecins, infirmières et personnel hospitalier sans les voir, elle poussa la double porte du service de chirurgie et passa devant le bureau des admissions sans prendre le temps de s'arrêter en entendant une voix lui demander si elle avait besoin d'un renseignement. Arrivée dans la salle d'attente, elle fonça droit sur la silhouette solitaire qui se levait et venait à sa rencontre, le visage grave, la main tendue.

D'un geste d'une précision parfaite, elle lui envoya son poing droit en pleine figure.

— *Salopard!*

Il recula sous le choc sans manifester pour autant le désir de se défendre et elle s'acharna sur sa victime.

— Espèce de salopard égoïste et prétentieux! Ça ne vous suffisait pas de foutre sa carrière en l'air, vous vouliez aussi le tuer, c'est ça? Vous n'êtes qu'un fils de pute!

Elle allait le frapper une troisième fois lorsqu'il lui happa le bras au vol d'une main décidée en lui faisant une clé afin de l'immobiliser contre lui. Elle tenta brièvement de se débattre, et puis sa colère et sa haine s'évaporèrent aussi vite qu'elles étaient venues et elle s'effondra contre sa poitrine. Tandis qu'il l'aidait à l'asseoir, elle eut vaguement conscience d'un brouhaha autour d'eux, un bruit de course, des cris. Elle leva les yeux et découvrit trois agents de sécurité surexcités, l'infirmière de l'accueil sur leurs talons, une main sur la bouche.

Pendergast se releva et sortit son badge.

— Je m'en occupe.

— Mais elle vient de vous agresser, rétorqua l'un des types de la sécurité. Vous saignez.

Pendergast s'avança d'un air autoritaire.

— Je vous ai dit que je m'en occupais. Merci de votre réactivité, je vous souhaite le bonsoir.

Après quelques instants d'hésitation, les trois hommes se retirèrent, mais l'un d'entre eux se posta à l'entrée de la salle d'attente, les mains croisées sur le ventre, surveillant Hayward d'un regard méfiant.

Pendergast s'assit à côté de la jeune femme.

— Cela fait plusieurs heures qu'il est en salle d'opération. Il est dans un état critique. J'ai demandé à ce qu'on me tienne informé de… Ah! Voici le chirurgien.

Un docteur pénétra dans la pièce, la mine sombre. Il regarda successivement Hayward et Pendergast, sans émettre le moindre commentaire en découvrant le visage couvert de sang du policier.

— Inspecteur Pendergast?

— C'est moi. Je vous présente le capitaine Hayward du NYPD, une amie très proche du patient. Vous pouvez nous parler sans réserve.

— Très bien, acquiesça le chirurgien en consultant les notes qu'il avait à la main. La balle est entrée de biais, elle a frôlé le cœur avant de se loger le long d'une côte.

— Le cœur? répéta Hayward, interdite.

— Entre autres, le projectile a partiellement déchiré la valve aortique en empêchant l'alimentation sanguine d'une partie du cœur. À l'heure qu'il est, nous tentons de réparer la valve tout en nous efforçant de maintenir les fonctions cardiaques.

— Quelles sont ses chances de... de survie? demanda Hayward.

Le médecin eut une légère hésitation.

— Tous les cas sont différents. Nous avons la chance que le patient n'ait pas perdu beaucoup de sang. Si la balle était passée un demi-millimètre plus près, elle aurait provoqué une rupture de l'aorte. Le cœur n'en a pas moins été endommagé. Je dirais que si l'opération réussit, la guérison est quasiment assurée.

— Inutile de prendre des gants avec moi, docteur, réagit Hayward. Je suis flic. Je veux savoir quelles sont ses chances de s'en tirer.

Le médecin posa sur elle deux yeux clairs.

— Il s'agit d'une opération extrêmement délicate. À l'heure où je vous parle, les meilleurs chirurgiens de Louisiane se trouvent à son chevet. Mais je ne vous cacherai pas que dans le meilleur des cas, avec un patient en bonne santé et sans complications, la réussite est loin d'être assurée. C'est un peu comme réparer le moteur d'une voiture pendant qu'il tourne.

— Loin d'être assurée? s'étrangla Hayward, près de défaillir. C'est-à-dire?

— Je ne sais pas s'il existe des statistiques précises pour ce type d'opération, mais avec l'expérience dont je dispose, je dirais qu'on peut estimer les chances de réussite à cinq pour cent... peut-être moins.

Cinq pour cent, peut-être moins. Un silence interminable suivit le verdict du médecin.

— Et une greffe du cœur?

— Il faudrait que nous ayons un donneur compatible sous la main, ce qui n'est pas le cas.

Hayward tâtonna jusqu'à ce qu'elle trouve le bras d'un fauteuil dans lequel elle se laissa tomber.

271

— M. D'Agosta a sans doute des proches, il faudrait les prévenir.

Hayward ne répondit pas immédiatement.

— Oui, son ex-femme et son fils… ils vivent au Canada. À part eux, personne. Et c'est le *lieutenant* D'Agosta.

— Je vous prie de m'excuser. À présent, je vais devoir vous quitter pour retourner au bloc. L'intervention devrait encore durer huit heures au moins, si tout se passe bien. Vous pouvez rester ici si vous le souhaitez, mais je doute que nous puissions vous en dire davantage avant la fin de l'opération.

Hayward hocha machinalement la tête, incapable de rassembler ses idées.

Elle releva la tête en sentant la main du médecin lui effleurer l'épaule.

— Le lieutenant est-il croyant?

Elle dut rassembler ses esprits.

— Il est catholique, acquiesça-t-elle.

— Souhaitez-vous que l'on fasse venir l'aumônier de l'hôpital?

— L'aumônier? répéta-t-elle en lançant un coup d'œil perplexe en direction de Pendergast.

— Oui, approuva l'inspecteur. Nous serions reconnaissants à l'aumônier de venir nous trouver afin de pouvoir nous entretenir avec lui. Dites-lui d'être prêt à administrer l'extrême-onction, étant donné les circonstances.

Un léger bip résonna et le médecin détacha de sa ceinture un pager dont il consulta l'écran. Au même instant, un carillon résonnait dans la pièce et une voix de femme s'élevait d'un haut-parleur dissimulé dans un coin du plafond:

— *Code bleu pour le Bloc 2-1. Code bleu pour le Bloc 2-1. L'équipe d'urgence est demandée au Bloc 2-1.*

— Je vous prie de m'excuser, déclara le médecin d'une voix légèrement tendue. Je vais devoir vous quitter.

44

Un nouveau carillon signala la fin de l'annonce. Pétrifiée sur place, la tête bourdonnante, Laura Hayward
se raccrochait désespérément aux motifs du sol carrelé,
dans l'incapacité totale de regarder Pendergast ou les infirmières, obnubilée par le regard du médecin qui venait de
les quitter.

Quelques minutes plus tard, ils furent rejoints par un
prêtre armé d'une mallette noire qui accentuait son allure
de docteur. C'était un homme de petite taille avec des cheveux blancs et une barbe soigneusement taillée. Il posa sur
Hayward et Pendergast deux yeux vifs d'oiseau.

— Je suis le père Bell, se présenta-t-il en posant sa mallette et en tendant la main à la jeune femme.

Elle la prit, mais au lieu de lui serrer furtivement les
doigts, il les conserva doucement entre les siens.

— Vous êtes…?

— Capitaine Hayward. Laura Hayward. Je suis… une
amie proche du lieutenant D'Agosta.

Il haussa les sourcils de façon à peine perceptible.

— Vous appartenez vous-même à la police?

— Je suis membre du NYPD, oui.

— Le lieutenant a-t-il été blessé dans le cadre de son
travail?

Voyant Hayward hésiter, Pendergast prit le relais.

— D'une certaine façon. Je suis l'inspecteur Pendergast
du FBI, le collaborateur du lieutenant.

Le prêtre serra brièvement la main de Pendergast avec un petit hochement de tête.

— Mon rôle ici consiste à administrer les sacrements au lieutenant D'Agosta, plus précisément ce que l'on appelle l'onction des malades.

— L'onction des malades, répéta Hayward.

— On a longtemps parlé d'extrême-onction, mais l'expression était à la fois maladroite et inexacte. Il s'agit en fait d'un sacrement administré à un vivant, et non à un mort, et qui vise à le guérir.

L'aumônier s'exprimait d'une voix douce et mélodieuse.

Hayward baissa la tête en avalant sa salive.

— J'espère que vous ne m'en voudrez pas de vous expliquer tout ceci en détail. Ma présence effraie souvent, les gens sont persuadés que j'interviens lorsqu'un patient se trouve au seuil de la mort, alors que ce n'est pas le cas.

Sans être elle-même de confession catholique, Hayward trouvait rassurante la franchise du prêtre.

— L'annonce que nous venons d'entendre, demanda-t-elle. Ça veut dire…?

— Le lieutenant se trouve entre les mains d'une équipe d'excellents médecins. S'il existe un moyen de le sauver, vous pouvez compter sur eux pour le trouver. Dans le cas contraire, nous devrons nous en remettre à la volonté de Dieu. Il me reste une question à vous poser : l'un comme l'autre, pensez-vous que le lieutenant pourrait avoir une raison de ne pas vouloir recevoir l'onction des malades?

— À vrai dire, il n'était pas très pratiquant…, tenta Hayward sur un ton hésitant.

Elle ne se souvenait pas l'avoir jamais vu se rendre à l'église, mais la présence et l'attitude du prêtre étaient réconfortantes et la jeune femme était persuadée qu'il lui aurait été reconnaissant de se trouver là.

— Je pense que Vincent serait d'accord, se décida-t-elle enfin.

— Très bien, acquiesça le prêtre en serrant les doigts de Hayward entre les siens. Que puis-je d'autre pour vous? Des dispositions à prendre? Des appels à passer?

Il marqua une pause.

— Une confession? Nous disposons d'une chapelle dans l'hôpital.

— Non, je vous remercie, répliqua Hayward en lançant un regard en coin à Pendergast, muré dans le silence.

Le père Bell leur adressa à chacun un petit signe de tête, reprit sa mallette et repartit d'un pas presque trop rapide en direction des blocs opératoires.

Hayward s'enfouit la tête entre les mains. *Cinq pour cent... peut-être moins.* Une chance sur vingt. Le sentiment de réconfort que lui avait apporté l'aumônier se dissipait déjà. Autant accepter tout de suite l'idée que Vinnie ne s'en tirerait pas. Quel gâchis... Une vie foutue en l'air, alors qu'il n'avait pas encore quarante-cinq ans. Les souvenirs, bons et moins bons, tournaient dans sa tête dans un tourbillon décousu qui lui meurtrissait l'âme.

La voix lointaine de Pendergast la ramena à la réalité.

— Si un malheur devait survenir, je souhaite vous dire que Vincent n'a pas donné sa vie en vain.

Entre ses doigts écartés, elle regardait fixement le couloir qui avait emporté le prêtre quelques minutes plus tôt.

— Vous le savez comme moi, capitaine. Les policiers risquent leur vie quotidiennement. Ils peuvent être tués à tout instant, n'importe où, pour n'importe quelle raison. En tentant de mettre fin à une dispute domestique, lors d'une attaque terroriste. Ils le font toujours dans l'honneur et Vincent n'a pas failli à la règle en m'aidant à réparer une injustice. Il m'a été d'un secours crucial dans la résolution de ce meurtre.

Hayward ne répondit pas, obsédée par l'annonce entendue un quart d'heure plus tôt. Qui sait si le prêtre n'arriverait pas trop tard...

45

South Mountain, Georgie

Le sentier s'éloignait de la forêt en direction du sommet. Judson Esterhazy s'arrêta juste à temps pour voir le soleil se coucher au-dessus des collines hérissées de sapins, saupoudrant cette fin de journée d'une brume rougeoyante qui allumait des reflets platinés sur les eaux du lac que l'on apercevait à l'horizon.

Il prit le temps de respirer l'air du soir. South Mountain n'avait de montagne que le nom, c'est tout juste si le lieu dessinait une bosse dans le paysage. Sur sa crête couverte d'herbes sauvages se dressait, sur un bloc de granit dénudé, une tour de guet servant au contrôle des incendies de forêt.

Esterhazy jeta un coup d'œil circulaire. L'endroit était désert. Il sortit de l'abri des sapins et prit la direction de la tour en empruntant le chemin d'accès réservé aux pompiers.

Adossé contre la structure métallique de la vieille tour rouillée, il chercha dans sa poche sa blague à tabac et sa pipe qu'il remplit lentement avec le pouce en savourant l'odeur de Latakia qui lui montait aux narines. Il tassa le tabac, chassa quelques brins rétifs, tira de sa poche un briquet qu'il alluma et aspira la flamme à l'intérieur du fourneau en une série de bouffées lentes et méticuleuses.

Un nuage de fumée bleue s'éleva dans le crépuscule. Alors qu'il fumait, Esterhazy vit une silhouette se dessiner dans le lointain. Plusieurs chemins forestiers permettaient d'accéder à South Mountain depuis chacun des points cardinaux.

Le parfum de son tabac syrien, l'effet apaisant de la nicotine, le rituel lié à la pipe, tout contribuait à calmer ses nerfs. Au lieu de s'intéresser à la silhouette qui venait à sa rencontre, il s'appliqua à profiter des dernières lueurs du jour en admirant le paysage vallonné derrière lequel le soleil venait tout juste de disparaître. Hypnotisé par le couchant, il attendit d'entendre derrière lui un froissement de bottes avant de se retourner. Les deux hommes ne s'étaient pas vus depuis plus de dix ans et l'autre n'était plus tout à fait comme dans son souvenir : toujours aussi nerveux et musclé, il avait les traits moins fins et son crâne s'était dégarni. Il portait une chemise en batiste et des bottes en caoutchouc de marque.

— Bonsoir.

Esterhazy retira la pipe de sa bouche et la leva en l'air en guise de salut.

— Hello, Mike.

Celui qu'il venait d'appeler Mike se tenait à contre-jour et il était impossible de distinguer ses traits.

— J'ai cru comprendre qu'en prenant l'initiative de faire un peu de ménage tu avais provoqué des dégâts.

Esterhazy n'avait pas l'intention de laisser un type de la trempe de Michael Ventura lui parler de la sorte.

— Si tu connaissais Pendergast, tu ne dirais pas qu'il s'agissait uniquement de « faire un peu de ménage », rétorqua-t-il sèchement. Ce que je craignais depuis longtemps est en train d'arriver. Il fallait réagir vite. Normalement, c'était à toi de t'en occuper, mais tu t'y serais pris comme un éléphant dans un magasin de porcelaine.

— Faux. Ce genre de job est ma spécialité.

Esterhazy meubla le silence qui suivit en avalant une bouffée, puis il la laissa s'échapper par ses lèvres entrouvertes, refusant d'être déstabilisé.

— On ne s'est pas vus depuis longtemps, déclara Ventura. Ce serait dommage de repartir d'un mauvais pied.

Esterhazy acquiesça.

— Ce n'est pas ça… je pensais juste que toute cette histoire était derrière nous. Enterrée définitivement.

— Elle ne le sera jamais tant qu'on n'aura pas réglé la question de Spanish Island.

Une lueur d'inquiétude traversa le regard d'Esterhazy.

— Il n'y a pas de problème, au moins?

— Pas plus que d'habitude.

Un nouveau silence s'installa.

— Écoute, reprit Ventura sur un ton plus conciliant. Je sais que ce n'est pas facile pour toi. C'est à toi qu'a été demandé le plus gros sacrifice et nous t'en sommes extrêmement reconnaissants.

Esterhazy tira sur sa pipe.

— Alors finissons-en.

— Très bien. Si je comprends bien, tu as tué son acolyte au lieu de tuer Pendergast.

— D'Agosta, oui. Le hasard m'a bien servi. Il aurait fallu s'en occuper de toute façon un jour ou l'autre. Tout comme Blast et Blackletter, on aurait dû les éliminer depuis longtemps.

Ventura cracha par terre.

— Je ne suis pas d'accord, et ça ne date pas d'hier. Blackletter a été grassement payé pour se taire. Quant à Blast, il n'a jamais été impliqué directement.

— N'empêche qu'il en savait trop.

Ventura se contenta de secouer la tête afin de manifester son désaccord.

— En attendant, la petite amie de ce D'Agosta vient de débarquer, reprit Esterhazy. Une petite amie qui se trouve être la plus jeune capitaine de la criminelle du NYPD.

— Et alors?

Esterhazy retira la pipe de sa bouche.

— Mike, dit-il sur un ton glacial. Tu n'as pas idée, mais *vraiment* pas idée, du danger que représente Pendergast. Je le connais bien. Il fallait réagir vite. Je regrette simplement de ne pas l'avoir tué du premier coup, la fois suivante n'en sera que plus difficile. Tu as bien compris que c'était lui ou nous, non?

— Que sait-il au juste?

— Il a découvert le *Cadre noir*, il est au courant pour la maladie d'Audubon, et aussi pour la famille Doane.

Ventura sursauta.

— Arrête de déconner! Que sait-il *exactement* sur eux?

— Difficile à dire. Il s'est rendu à Sunflower, il a visité la maison. Crois-moi, ce type-là est aussi tenace que malin. Tu peux être certain qu'il devinera la vérité un jour ou l'autre.

— Salopard. Comment a-t-il pu savoir?

— Aucune idée. C'est un enquêteur de toute première force en temps ordinaire, et tu te doutes bien qu'il a toutes les raisons de se laisser pousser des ailes dans le cas présent.

Ventura secoua la tête.

— À l'heure qu'il est, insista Esterhazy, il doit raconter tout ce qu'il sait à cette petite capitaine du NYPD, comme il l'a fait avec son copain D'Agosta. Je ne serais pas surpris qu'ils aillent bientôt rendre visite à notre ami commun.

— Tu crois qu'il s'agit d'une enquête officielle?

— Ça n'en a pas l'air. À mon avis, ils travaillent seuls. Je doute que quiconque soit au courant.

Ventura prit le temps de réfléchir.

— Dans ce cas, il faut agir sans attendre.

— Exactement. Éliminer Pendergast et cette fille. Maintenant. Les tuer tous.

— Le flic que tu as abattu, ce D'Agosta. Il est bien mort, au moins?

— Je crois. Il a pris un calibre 308 en pleine poitrine. De toute façon, ajouta Judson en fronçant les sourcils, s'il ne meurt pas de sa propre initiative, il suffira de l'aider. Tu n'as qu'à me laisser agir.

Ventura approuva de la tête.

— Je m'occupe du reste.

— D'accord. Tu as besoin d'aide? Ou d'argent?

— L'argent est le cadet de nos soucis, tu le sais bien.

Sur ces mots, Ventura s'éloigna dans la lumière rosée du soir et traversa le champ avant de disparaître, avalé par la forêt de résineux.

Resté seul, Judson Esterhazy passa le quart d'heure suivant à réfléchir en fumant, adossé à la tour à incendie. Enfin, il tapota le fourneau de sa pipe contre l'une des traverses métalliques de la tour, glissa la pipe dans sa poche et s'éloigna en coulant un dernier regard en direction du crépuscule.

46

Baton Rouge

Laura Hayward n'aurait pas su dire s'il s'était écoulé cinq heures ou cinq jours. Les minutes, interminables, se confondaient dans le brouhaha des annonces passées sur le système de sonorisation de l'hôpital, des conversations murmurées, des appareils médicaux ronronnant entre deux bips. Parfois, Pendergast se trouvait à ses côtés. À d'autres moments, il disparaissait. Au début de son attente, elle voulait voir les heures filer le plus rapidement possible ; à mesure que les minutes s'égrenaient et que les chances de survie de Vincent D'Agosta s'épuisaient, elle en arrivait à désirer secrètement le contraire.

Soudain, le médecin était là, devant eux, sa blouse bleue toute froissée, les traits tirés. Derrière lui se tenait le père Bell.

À la vue de l'aumônier, Hayward crut que son cœur allait exploser. Elle savait déjà ce qu'il venait lui annoncer, mais au moment décisif elle n'était pas sûre d'arriver à l'accepter. *Oh non, non, non, non...* Elle sentit la main de Pendergast se refermer autour de la sienne.

Le chirurgien émit un léger toussotement.

— Je suis venu vous dire que l'opération s'était bien passée. Nous avons terminé il y a trois quarts d'heure et il est actuellement sous surveillance. Les premiers signes sont encourageants.

— Je vais vous conduire jusqu'à lui, proposa le père Bell.

— Vous n'êtes autorisés à le voir que quelques instants. Il est encore très faible et n'a pas toute sa conscience.

Hayward ne réagit pas tout de suite, comme hébétée, incapable de prendre la pleine mesure de ce qu'elle venait d'apprendre. Elle savait que Pendergast lui parlait, sans comprendre un mot de ce qu'il disait. L'instant d'après, l'inspecteur et le prêtre la prenaient chacun par un bras, la levaient de son siège et l'entraînaient, à gauche, puis à droite, dans une longue succession de couloirs où s'alignaient brancards et chaises roulantes. Enfin, ils pénétrèrent dans un labyrinthe aux espaces délimités par des paravents mobiles. Une infirmière écarta l'un d'eux et elle reconnut Vinnie, les yeux clos, rattaché à la vie par une douzaine de machines bourdonnantes, des tubes sillonnant entre les draps. En dépit de sa constitution robuste, il paraissait étrangement fragile, les traits parcheminés.

Elle retint son souffle. Au même instant, il papillonna des yeux et dévisagea ses visiteurs l'un après l'autre avant d'arrêter son regard sur elle.

En le voyant, Hayward sentit fondre les derniers vestiges de cette belle assurance dont elle avait toujours été si fière, et un torrent de larmes lui brûla les joues.

— Oh, Vinnie, sanglota-t-elle.

Les yeux de D'Agosta se mouillèrent, et puis il referma lentement les paupières.

Pendergast passa un bras rassurant autour des épaules de la jeune femme qui enfouit son visage dans sa chemise, secouée de hoquets. Il lui avait fallu voir Vinnie vivant pour mesurer le gouffre dans lequel il l'aurait précipitée en disparaissant.

— Je suis désolé, mais je vais devoir vous demander de vous retirer, intervint le médecin à voix basse.

La jeune femme se redressa, sécha ses larmes et prit longuement sa respiration.

— Il n'est pas encore tiré d'affaire. Le cœur a subi un traumatisme majeur, nous allons devoir procéder au remplacement de la valve aortique dès que possible.

Hayward hocha la tête, puis elle se détacha des bras de Pendergast, posa un dernier regard sur D'Agosta et se dirigea vers la porte.

— Laura, s'éleva la voix rauque de D'Agosta derrière elle.

Elle se retourna et constata qu'il gardait les yeux fermés. Avait-elle rêvé ?

La forme du lieutenant s'agita faiblement sous les draps et ses yeux papillonnèrent à nouveau tandis que sa mâchoire s'agitait en silence.

Elle s'approcha et se pencha vers lui.

— Je ne veux pas me retrouver ici pour rien, lui glissat-il dans un murmure à peine perceptible.

47

Plantation Penumbra

Bercée par la chaleur du feu qui flambait dans la cheminée de la bibliothèque, Hayward regardait Maurice servir le café. Il serpentait silencieusement entre les meubles, son visage ridé était un masque impassible. Au moment du dîner, elle avait noté la discrétion avec laquelle il évitait soigneusement de poser les yeux sur l'hématome qui fleurissait le menton de son maître. Ce n'était sans doute pas la première fois que Pendergast rentrait avec une blessure de guerre.

Penumbra correspondait à l'idée que Hayward en avait : des chênes centenaires drapés de mousse espagnole, un porche à colonnade, des meubles anciens un peu défraîchis. Jusqu'à la présence du fantôme de famille dont le vieux serviteur lui avait assuré qu'il hantait les marais voisins. La surprise était venue de la vétusté de la propriété, un fait d'autant plus curieux qu'elle savait Pendergast extrêmement fortuné. Elle jugea inutile de se poser davantage de questions, les affaires de famille de l'inspecteur ne l'intéressaient nullement.

En quittant l'hôpital la veille au soir, Pendergast avait souhaité qu'elle lui détaille sa rencontre avec Constance Greene. Il lui avait également offert de l'accueillir à Penumbra mais Hayward avait refusé, préférant prendre une chambre dans un hôtel proche du centre hospitalier. Le lendemain matin, le médecin lui avait confirmé que la guérison serait longue. Abandonner provisoirement son poste à la criminelle n'était pas un problème, elle avait accumulé suffisamment de congés pour s'absenter plusieurs semaines s'il le fallait, mais l'idée de tourner en rond dans le cadre déprimant d'une chambre d'hôtel lui paraissait insupportable. Surtout lorsque Vinnie serait transporté, à l'insistance de Pendergast, dans un lieu où il serait plus en sécurité, avec interdiction de recevoir des visites.

Ce matin-là, reprenant conscience pendant de brefs instants, Vinnie lui avait enjoint de poursuivre l'enquête à sa place ; et lorsque Pendergast était passé la prendre, elle avait réglé sa note et accepté de s'installer à Penumbra. Sans se résoudre à aider l'inspecteur, du moins avait-elle consenti à l'écouter. De l'affaire, elle savait uniquement ce que lui en avait dit Vinnie. Une enquête à la Pendergast, construite sur des intuitions, bourrée de contradictions, sur fond de méthodes policières douteuses.

Mais à mesure que Pendergast lui expliquait les tenants et les aboutissants de l'enquête, Hayward commençait à se piquer au jeu. L'obsession d'Hélène Pendergast pour Audubon, la conure de Caroline, la *Cadre noir*, le perroquet volé et l'étrange destin de la famille Doane. Pendergast lui avait lu certains passages du journal intime de l'adolescente, témoin de sa descente inexorable dans la folie. Il lui avait rapporté leur rencontre initiale avec Blast, récemment assassiné dans les mêmes circonstances que Morris Blackletter. Il lui avait surtout narré les circonstances rocambolesques de la découverte du *Cadre noir*.

Le récit de l'inspecteur achevé, Hayward s'enfonça dans son fauteuil, sa tasse de café à la main, cherchant vainement un semblant de logique dans la masse des informations qu'elle venait de recevoir.

Ses yeux la ramenèrent au fameux *Cadre noir*, plongé dans une semi-pénombre à la lueur intermittente des flammes : la femme allongée sur son lit, l'austérité de la pièce, la nudité crue de ce corps blafard. Une œuvre dérangeante, pour le moins.

Elle se tourna vers son hôte.

— Vous pensez donc que votre femme s'intéressait à la maladie d'Audubon parce qu'elle avait fait de lui un génie créateur.

— À la suite d'un processus neurologique inconnu, en effet. Pour une chercheuse de son acabit, une telle découverte était inappréciable sur le plan pharmacologique.

— Elle attendait uniquement de ce tableau qu'il confirme sa théorie.

Pendergast acquiesça.

— Ce tableau constitue le chaînon manquant entre les œuvres de jeunesse d'Audubon, assez médiocres, et celles du grand artiste que l'on connaît. Elle est la preuve de sa métamorphose. Cela dit, elle ne résout pas le problème central de notre affaire : celui des oiseaux.

Hayward fronça les sourcils.

— Les oiseaux ?

— La conure de Caroline. Le perroquet des Doane.

Hayward s'était elle-même interrogée sur leur rapport avec la maladie d'Audubon, sans trouver de réponse satisfaisante.

— Quelles sont vos conclusions ?

Pendergast avala une gorgée de café.

— J'en déduis que nous sommes en présence d'une forme de grippe aviaire.

— La grippe aviaire ?!!

— Je ne serais pas surpris qu'il s'agisse du virus dont était atteint Audubon, et qui a failli le tuer avant de déclencher l'épanouissement de son talent. Les symptômes relevés par le corps médical – fièvre aiguë, maux de tête, délire, toux – correspondent en tout point à ceux de la grippe. Un virus contracté, à n'en pas douter, en disséquant une conure de Caroline.

— Pas si vite. Comment connaissez-vous la nature de ses symptômes ?

Pendergast se pencha et happa sur une desserte un volume de cuir usé.

— Ceci est le journal de mon arrière-arrière-grand-père, Boethius Pendergast, qui entretenait des liens d'amitié avec le jeune Audubon.

L'inspecteur ouvrit le livre à une page marquée d'une tresse de cuir et chercha d'un doigt le passage qui l'intéressait avant d'en entamer la lecture à voix haute :

> *21 août. J. J. A. est à nouveau venu passer la soirée en notre compagnie. Il s'était distrait, au cours de l'après-midi, en disséquant deux conures de Caroline, une espèce dont la robe curieusement colorée constitue l'attrait essentiel. Il les a ensuite empaillées et montées sur des blocs de bois de cyprès. Nous avons abondamment soupé ensemble avant d'effectuer une promenade digestive dans le parc. Il nous a quittés aux alentours de 22 h 30. La semaine prochaine, il envisage d'entreprendre un voyage sur le fleuve, où l'attendent des affaires, à l'entendre.*

Pendergast referma le journal.

— Audubon n'a jamais effectué le voyage en question. Moins d'une semaine plus tard, il était atteint des symptômes qui lui ont valu d'être hospitalisé à Meuse St. Clair.

Hayward montra le journal d'un mouvement de menton.

— Vous pensez que votre femme a pu lire ce passage ?

— J'en suis certain. Sinon, pourquoi avoir volé ces spécimens de conures de Caroline, ceux-là mêmes qu'Audubon avait disséqués ? Elle souhaitait les analyser, à la recherche du virus de la grippe aviaire.

Il marqua une pause avant de poursuivre.

— Il ne s'agissait pas uniquement de les tester, mais bien d'extraire un échantillon dudit virus. D'après Vincent, ma femme aurait laissé derrière elle une poignée de plumes. Je compte me rendre à la plantation Oakley dès demain afin de récupérer ces plumes aux fins d'analyse. C'est encore le meilleur moyen de confirmer mes soupçons.

— Cela ne nous dit toujours pas en quoi ces perroquets ont un rapport avec la famille Doane.

— C'est très simple : les Doane auront été contaminés par le même virus qu'Audubon.

— Comment pouvez-vous dire ça?

— Les similarités sont trop nombreuses pour qu'il puisse en être autrement. L'épanouissement soudain des dons artistiques des membres de la famille Doane, suivi par leur déchéance à mesure qu'ils sombraient dans la folie. Hélène avait effectué le rapprochement, c'est même ce qui l'a conduite jusqu'à leur porte.

— Sauf que les Doane n'avaient pas encore attrapé la grippe lorsqu'elle s'est présentée chez eux.

— Dans l'un de ses carnets, la fille Doane signale qu'ils ont tous souffert de la grippe, peu après l'arrivée du perroquet chez eux.

— Mon Dieu!

— Dans la foulée, ils manifestent tous les signes d'une créativité débridée. Non, ajouta-t-il après un bref silence. Hélène s'est rendue chez eux dans l'intention de leur reprendre cet oiseau, j'en suis certain. Peut-être souhaitait-elle prévenir une épidémie. Et réaliser des tests afin de confirmer sa théorie. Souvenez-vous de la scène telle que la raconte Karen Doane dans son journal. Hélène a enfilé des gants et fourré l'oiseau avec sa cage dans un sac-poubelle. Pourquoi tant de précautions? J'ai tout d'abord pensé qu'elle ne voulait pas signer son larcin. En vérité, elle voulait éviter toute contamination, de la voiture et d'elle-même.

— Pourquoi ces gants en cuir?

— Afin de cacher à la vue les gants médicaux qui se trouvaient en dessous. Hélène essayait d'empêcher la propagation du virus. Elle aura très certainement incinéré l'oiseau, la cage et le sac, après en avoir prélevé des échantillons, bien sûr.

— *Incinéré?* répéta Hayward.

— C'est la norme en pareil cas. Les échantillons prélevés sont généralement détruits de la même manière, une fois qu'ils ont livré leurs secrets.

— Pour quelle raison? Si les Doane avaient été infectés, ils pouvaient très bien contaminer d'autres personnes. En brûlant l'oiseau, elle mettait un cautère sur une jambe de bois.

— Pas exactement. La grippe aviaire se transmet aisément de l'animal à l'homme, mais beaucoup plus difficilement entre humains. Les voisins n'avaient rien à craindre. Quant aux membres de la famille Doane, il était trop tard, de toute façon.

Pendergast vida sa tasse et la reposa.

— Mais cela ne nous renseigne pas sur le plus important : d'où s'est échappé le perroquet des Doane et, surtout, comment est-il devenu porteur du virus?

En dépit de son scepticisme, Hayward s'avouait intriguée.

— Qui nous dit que le perroquet ne l'a pas attrapé naturellement?

— C'est peu probable. Je crois plus volontiers que le génome viral a été patiemment reconstitué en laboratoire, à partir des souches récupérées sur les conures de Caroline volées par Hélène, avant d'être inoculé à des oiseaux vivants.

— Le perroquet des Doane se serait échappé de ce laboratoire, selon vous?

— Exactement, acquiesça Pendergast en se levant. Reste à répondre à une question essentielle : quel rapport existe-t-il entre ce virus reconstitué, le meurtre d'Hélène et les tentatives d'assassinat dont nous avons récemment été victimes?

— Vous semblez oublier une autre question, le contra Hayward.

Pendergast lui lança un regard interrogateur.

— Selon vous, Hélène aurait volé les perroquets disséqués par Audubon, ceux qui lui auraient transmis le virus. La même Hélène se serait emparée du perroquet des

Doane, au prétexte qu'il était infecté. Vous n'êtes donc pas curieux de savoir quel rôle elle a pu jouer dans la reconstitution de ce fameux virus ?

Pendergast détourna la tête, mais pas assez vite pour masquer son trouble.

Un long silence enveloppa la bibliothèque, qu'il se décida enfin à rompre en se tournant vers elle.

— Il nous faut reprendre l'enquête là où nous l'avions laissée avec Vincent.

— « Nous » ?

— J'ai besoin de quelqu'un de solide et de compétent à mes côtés. En outre, je crois me souvenir que vous êtes originaire de cette région. Je puis vous assurer que vous ferez œuvre utile.

Les attitudes de grand frère de Pendergast avaient le don d'horripiler Hayward. En outre, elle connaissait trop bien la façon désinvolte dont il s'affranchissait des règlements et des lois. Et puis c'était à cause de lui que Vinnie se trouvait à l'hôpital, grièvement blessé.

Pas question d'accepter, cela pouvait même nuire à sa carrière.

D'un autre côté, Vinnie lui avait demandé de… par deux fois.

Elle comprit brusquement que sa décision était prise depuis longtemps.

— Très bien. Je vais vous aider, mais sachez que c'est pour Vinnie que j'accepte, et non pour vous. Cela dit… J'y mets une condition. Non négociable, conclut-elle après une hésitation.

— Tout ce que vous voudrez, capitaine.

— Quand… si nous découvrons un jour le responsable du meurtre de votre femme, promettez-moi de ne *pas* le tuer.

Pendergast se raidit sur son siège.

— Vous avez conscience de ce que vous me demandez ? Il s'agit de l'individu qui a ordonné l'exécution de ma femme.

— Je suis farouchement hostile à toute forme d'auto-défense. Les coupables que vous poursuivez ont fâcheusement tendance à mourir avant d'être jugés. Cette fois, j'ai la ferme intention de laisser agir la justice.

Pendergast hésita longuement.

— Ce que vous me demandez là est... extrêmement difficile.

— C'est à prendre ou à laisser.

Pendergast soutint le regard de la jeune femme pendant de longues secondes, puis il hocha la tête d'un mouvement presque imperceptible.

48

L'homme attendait, tapi dans l'ombre du garage, caché derrière une voiture dont on devinait la silhouette sous une bâche de toile blanche. Il était 19 heures et le soleil s'était effacé à l'horizon. Il régnait autour de lui une odeur d'huile de moteur, de cire de voiture, et de moisi. Tirant de sa ceinture un Beretta semi-automatique 9 mm, l'homme retira le magasin, s'assura qu'il était plein et remit l'arme à sa place, puis il déplia et replia les doigts des deux mains à trois reprises. Sa cible n'allait plus tarder. Un filet de sueur lui roula le long de la nuque et un tendon dansa la sarabande au niveau de sa cuisse sans même qu'il s'en aperçoive, tant il était concentré sur la mission qui l'attendait.

Frank Hudson se trouvait là depuis deux jours, à étudier les faits et gestes des habitants de Penumbra. L'absence quasi totale de mesures de sécurité ne laissait pas de l'étonner. Un vieux domestique à moitié aveugle semblait seul veiller sur la plantation, ouvrant la maison le matin pour la refermer le soir avec une régularité de métronome. En journée, la barrière permettant d'accéder à la propriété était fermée, mais jamais verrouillée. Un examen poussé des lieux avait révélé l'absence de caméras de sécurité, de système d'alarme, de détecteurs de mouvement, de rayons infrarouges. La vieille plantation se trouvait si bien à l'écart de la civilisation que Hudson n'avait rien à craindre de la police locale. En dehors de la cible et de son serviteur, il n'y avait personne sur place, à l'exception d'une belle femme à la silhouette avantageuse entrevue à quelques reprises.

La cible de Hudson, le dénommé Pendergast, était le seul facteur d'irrégularité dans la routine de Penumbra. On le voyait aller et venir à n'importe quelle heure. À force d'observer ses mouvements, Hudson avait néanmoins repéré un défaut dans la cuirasse autour d'un rituel bien établi : celui du vin. Chaque fois que le vieux majordome débouchait une bouteille de vin en prévision du dîner, Hudson pouvait être sûr que Pendergast serait de retour à 19 h 30. Si le vieil homme ne débouchait pas de bouteille, cela signifiait que Pendergast mangeait à l'extérieur et qu'il rentrerait à point d'heure. S'il rentrait.

Ce soir, une bouteille de vin s'aérait sur une desserte, parfaitement visible à travers les fenêtres de la salle à manger.

Hudson retint brusquement sa respiration en entendant un crissement de roues sur le gravier de l'allée. Il attendit, le souffle court. La voiture s'arrêta près de la porte, le moteur au ralenti. Il reconnut le bruit d'une portière qu'on ouvre, suivi de pas. Les portes du garage s'écartèrent l'une après l'autre, forcément tirées par le conducteur puisqu'elles n'étaient pas automatiques. Les pas s'éloignèrent, la portière claqua, le moteur ronronna doucement. L'instant suivant, l'avant de la Rolls pénétrait dans le garage et les phares de l'auto l'aveuglaient avant de s'éteindre. Le conducteur coupa le contact et le garage se retrouva plongé dans l'obscurité.

Hudson cligna des yeux afin de se réhabituer à la pénombre. Il serra le poing autour de la crosse du pistolet, l'écarta lentement de sa ceinture et dégagea la sécurité d'un mouvement du pouce.

Il attendait que la portière s'ouvre, que sa cible descende de voiture et allume la lumière du garage. Mais il ne se passait rien. Pendergast attendait dans l'auto. Pour quelle raison ? Le cœur de Hudson se mit à battre plus fort et il s'obligea à contrôler sa respiration. Il se savait très bien caché, il avait veillé à tirer la bâche jusqu'au sol afin que ses pieds restent invisibles.

Pendergast devait téléphoner sur son portable. Ou alors il réfléchissait quelques instants dans la quiétude de l'habitacle avant d'en descendre.

Avec mille précautions, Hudson leva la tête de plusieurs millimètres. La Rolls patientait sagement dans le noir, son moteur secoué de cliquetis à mesure qu'il se refroidissait. Impossible de rien distinguer à travers les vitres fumées.

Il temporisa.

— Vous cherchez quelque chose? s'éleva une voix derrière lui.

Hudson bondit sur ses pieds en poussant un grognement. Son doigt se crispa instinctivement et le coup partit, déclenchant un vacarme assourdissant dans l'espace confiné du garage. Avant d'avoir pu se retourner, on lui arracha le pistolet de la main, un bras noueux s'enroula autour de son cou et son adversaire l'envoya valser brutalement contre le véhicule bâché de blanc.

— La vie est un jeu bien monotone entre les dupes et les fripouilles, reprit la voix.

Hudson tenta en vain de se dégager.

— De quelle catégorie relevez-vous, mon cher ami?

— Je ne sais pas de quoi vous voulez parler, parvint enfin à articuler Hudson.

— Je ne vous lâcherai pas tant que vous continuerez à vous débattre. Allons, détendez-vous.

Hudson obtempéra et sentit aussitôt son adversaire relâcher son étreinte. Il se retourna et se retrouva nez à nez avec sa cible, le dénommé Pendergast: un grand escogriffe tout en noir, aux yeux et aux cheveux si pâles qu'ils lui donnaient une allure de fantôme. Il menaçait Hudson avec son propre Beretta.

— Je suis désolé, mais nous n'avons guère eu le temps de nous présenter. Je m'appelle Pendergast.

— Va te faire foutre.

— J'avoue n'avoir jamais compris en quoi cette expression était péjorative.

Pendergast détailla son prisonnier de la tête aux pieds, puis il glissa le pistolet dans la ceinture de son pantalon.

— Nous serions mieux à l'intérieur si nous entendons poursuivre cette petite conversation.

L'homme écarquilla les yeux.

— Je vous en prie, insista Pendergast en lui faisant signe de le précéder.

Après un moment d'hésitation, Hudson décida d'obtempérer. Tout n'était peut-être pas foutu.

Suivi par Pendergast, il franchit le seuil du garage, remonta l'allée de gravier et gravit les quelques marches conduisant à la porte principale de la vieille demeure, ouverte par le majordome.

— Ce monsieur entre-t-il? s'enquit le vieil homme d'une voix qui laissait planer peu de doute sur ses réticences.

— Quelques minutes seulement, Maurice. Nous prendrons un verre de sherry dans le petit salon.

Pendergast ordonna à l'homme d'avancer jusqu'à une pièce dans laquelle se consumait un feu.

— Asseyez-vous.

Hudson posa le bout des fesses sur un canapé de cuir fatigué et Pendergast s'installa face à lui en consultant sa montre.

— Le temps nous est compté. Votre nom, je vous prie?

Hudson ne savait quelle contenance adopter. Il allait devoir la jouer fine.

— Mon nom ne vous dira rien. Je travaille comme privé et j'ai été engagé par Blast. Vous n'avez pas besoin d'en savoir davantage.

Pendergast haussa les sourcils.

— Je sais que vous avez le tableau, poursuivit Hudson. Le *Cadre noir*. Et je sais que vous avez tué Blast.

— Votre intelligence vous honore.

— Blast me devait beaucoup d'argent, je cherche uniquement à récupérer mon fric. Vous n'avez qu'à me payer et j'oublierai ce que je sais au sujet de sa mort. C'est compris ?

— Je vois. Un petit chantage improvisé entre amis.

Les traits blafards de l'inspecteur se détendirent et un sourire sinistre étira ses lèvres, exposant deux rangées de dents parfaites.

— Je vous l'ai dit, je cherche à rentrer dans mon fric, rien d'autre. Alors si je peux vous aider…

— M. Blast manquait singulièrement de jugement dans le choix de son personnel.

Perplexe, Hudson vit Pendergast sortir le Beretta de la poche de son costume noir, vérifier le magasin, le remettre en place et pointer le canon de l'arme sur lui. Au même instant, le vieux domestique pénétrait dans la pièce avec un plateau d'argent sur lequel étaient posés deux petits verres remplis d'un liquide ambré.

— En fin de compte, nous ne boirons pas de sherry, Maurice. Je vais conduire ce monsieur dans les marais où je l'abattrai d'une balle dans la nuque avec son propre pistolet avant de laisser le soin aux alligators d'effacer toute trace de son passage. Je n'en ai pas pour longtemps, vous servirez le dîner à l'heure habituelle.

— À votre service, monsieur, répondit le majordome imperturbable en repartant avec le plateau.

— Arrêtez vos conneries, gloussa Hudson en laissant percer une pointe d'inquiétude dans sa voix.

Il avait peut-être poussé le bouchon un peu trop loin.

Feignant de n'avoir rien entendu, Pendergast se leva.

— Allons-y, ordonna-t-il à Hudson en lui montrant le chemin avec le canon de l'arme.

— Faites pas le con, vous savez très bien que vous ne vous en tirerez jamais. Mes employés m'attendent, je leur ai dit où j'allais.

— Vos employés ? le railla Pendergast avec le même sourire inquiétant. Allons donc. Nous savons tous les deux que vous travaillez toujours seul et que personne ne sait où vous vous trouvez. Inutile de tergiverser, les marais vous attendent.

— Non! s'écria Hudson, pris de panique. Vous êtes en train de commettre une grossière erreur.

— Vous pensez sans doute qu'après avoir tué un homme, j'hésiterais un instant à me débarrasser d'un maître chanteur? Allez, debout!

Hudson se leva précipitamment.

— Je vous en prie, écoutez-moi. Oubliez ce que je vous ai dit au sujet du fric. Je voulais uniquement vous expliquer mon point de vue.

— Je n'ai pas besoin d'explication. En fin de compte, c'est aussi bien que vous refusiez de me dire votre nom. Il est toujours préférable d'ignorer l'identité de ses victimes.

— Hudson, glapit le détective. Frank Hudson. Je vous en prie, ne faites pas ça.

Pendergast lui enfonça le canon du Beretta dans les côtes et le poussa brutalement vers la porte. Hudson tituba comme un zombi jusqu'au grand hall d'entrée et sortit sous la colonnade. La nuit, humide et noire, vibrait au son des coassements des crapauds et du bourdonnement des insectes.

— Non, je vous en prie.

Comment avait-il pu se tromper à ce point sur son adversaire?

— Allez, avancez!

Hudson sentit ses genoux ployer sous lui et il s'effondra sur les planches du porche à la façon d'une poupée de chiffon.

— Je vous en supplie, geignit-il en pleurant à chaudes larmes.

— Alors tans pis, on fera ça ici. Maurice en sera quitte pour tout nettoyer.

Hudson sentit le canon glacé de l'arme se poser sur sa nuque.

— Non!

Pendergast, sans se soucier de ses jérémiades, arma le Beretta.

— Donnez-moi une bonne raison de ne pas vous tuer. Une seule.

— Les flics finiront par retrouver ma voiture. Elle est garée tout près, ils vont venir vous interroger.

— Je compte bien la déplacer.

— Vous laisserez des traces d'ADN, c'est obligé.

— Maurice s'en chargera à ma place. En outre, les flics du coin ne me font pas peur.

— Ils feront fouiller les marais.

— Je vous l'ai dit, les alligators s'occuperont du corps.

— Vous vous trompez. Les corps finissent toujours par réapparaître un jour ou l'autre, même dans les marais.

— On voit bien que vous ne connaissez pas *mes* marais, et encore moins *mes* alligators.

— Les alligators ne digèrent pas les os, ils les rejettent intacts.

— Vos connaissances en matière de biologie sont à tout le moins impressionnantes.

— Écoutez-moi! Les flics découvriront que je travaillais pour Blast et ils feront le lien avec vous. Je me suis servi de ma carte de crédit pour faire le plein tout près d'ici. Cet endroit ne va pas tarder à grouiller de flics.

— Comment voudriez-vous qu'ils établissent un lien entre Blast et moi?

— Vous pouvez en être sûr! s'écria Hudson avec conviction. Je connais toute l'histoire, Blast me l'a racontée. Il m'a parlé de votre visite et il s'est empressé de prendre ses précautions dans le trafic des fourrures, ce n'était pas le genre de type à courir des risques inutiles.

— Et le *Cadre noir* ? C'est donc vous qui nous avez poursuivis l'autre jour?

— Oui. Blast vous a aiguillonné pour vous pousser à le trouver à sa place. Il a tout de suite vu que vous étiez un petit malin. Les flics ne tarderont pas à être au courant, s'ils ne le sont pas déjà, surtout après votre petit numéro au Donette Hole. Vous ne vous en tirerez jamais. Si vous me tuez, ils viendront ici avec des chiens.

— Jamais ils ne feront le lien avec Blast.

— Bien sûr que si! Blast m'a expliqué que vous l'aviez accusé d'avoir tué votre femme. Vous êtes déjà dans le pétrin jusqu'au cou!

— C'est donc bien Blast qui a tué ma femme?

— Il m'a juré que non.

— Et vous l'avez cru?

Les mots sortaient de la bouche de Hudson avec une telle frénésie qu'il en avait mal à la tête.

— Blast n'était pas un saint, mais ce n'était pas un assassin. C'était un escroc et un manipulateur, mais jamais il n'aurait été capable de tuer quelqu'un.

— Contrairement à vous, que j'ai trouvé en planque dans mon garage, un pistolet à la main.

— Non, je vous assure! Je voulais uniquement vous effrayer pour ramasser un peu de fric. Vous devez me croire!

— Vous croire, vraiment? répondit Pendergast en rangeant son arme. Vous pouvez vous relever, monsieur Hudson.

Le détective privé obtempéra. Les traits brouillés de larmes, il tremblait de tous ses membres. Il n'en avait cure, porté par le faible espoir de s'en sortir.

— Vous êtes un peu plus intelligent que je ne le pensais. Au lieu de vous tuer, je vous propose de retourner au salon boire ce verre de sherry afin de discuter de votre mission.

Installé sur le canapé près de la cheminée, Hudson transpirait abondamment. Il était vidé mais vivant, avec la sensation curieuse d'une renaissance qui aurait fait de lui un homme neuf.

Pendergast prit place sur un fauteuil en face de lui, un léger sourire aux lèvres.

— À présent, monsieur Hudson, il est temps de tout me raconter si vous voulez travailler pour mon compte.

— Blast m'a téléphoné à la minute où vous sortiez de chez lui, dit-il, trop heureux de parler. Vous lui aviez foutu la trouille en découvrant son stock de fourrures et il m'a dit qu'il arrêtait tout jusqu'à nouvel ordre. Il m'a également expliqué que vous étiez sur les traces du *Cadre noir* en me demandant de vous filer pour récupérer le tableau, au cas où vous parviendriez à le retrouver.

Pendergast, les mains en pointe, approuva du chef.

— Je vous l'ai dit tout à l'heure, il comptait sur vous pour mettre la main sur le *Cadre noir*. Après l'épisode du magasin de doughnuts, je vous ai poursuivi, mais vous avez réussi à me semer.

Nouveau hochement de tête.

— Alors je suis retourné voir Blast et c'est là que je l'ai trouvé mort. Il avait reçu deux décharges en pleine poitrine, ce n'était pas joli à voir. Il me devait plus de cinq mille dollars, entre mes honoraires et le montant de mes frais. J'en ai déduit que vous l'aviez tué, alors j'ai décidé de vous rendre une petite visite, histoire de récupérer mon fric.

— Hélas, ce n'est pas moi qui ai tué Blast. Quelqu'un d'autre s'en est chargé.

Hudson acquiesça, ne sachant trop s'il devait croire son interlocuteur.

— Sinon, que saviez-vous d'autre des activités de M. Blast?

— Presque rien. Je vous l'ai dit, il trempe dans le trafic de fourrure, mais son grand truc restait le *Cadre noir*. Il en était à moitié marteau.

— Parlez-moi un peu de votre propre carrière, monsieur Hudson.

— J'ai commencé par être flic, mais on m'a collé dans un bureau parce que j'avais du diabète. Je ne supportais plus la paperasserie, alors j'ai ouvert une agence de détective privé il y a cinq ans. J'ai pas mal marné pour M. Blast, il me chargeait surtout d'enquêter sur ses… ses associés et ses fournisseurs. C'était un type très prudent. Le milieu de la fourrure de contrebande grouille de flics infiltrés et d'escrocs. Il travaillait surtout avec un certain Victor.

— Victor comment?

— Je n'ai jamais su son nom de famille.

Pendergast consulta sa montre.

— C'est l'heure du dîner, monsieur Hudson, je regrette de ne pouvoir vous retenir plus longtemps.

Pendergast tira de la poche de sa veste quelques billets.

— Je ne suis pas responsable des dettes de M. Blast, ajouta-t-il, mais voici vos émoluments pour deux journées de travail. Cinq cents dollars par jour plus les frais. À compter d'aujourd'hui, vous travaillez exclusivement pour moi, et pas question de porter une arme. Nous sommes d'accord.

— Oui, monsieur.

— Dans le sud du Mississippi se trouve une petite ville nommée Sunflower, à l'ouest des marais du Black Brake. Procurez-vous une carte et dressez-moi la liste de tous les laboratoires pharmaceutiques dans un rayon de cent kilomètres de cette bourgade. Vous les visiterez les uns après les autres en veillant à vous approcher au plus près sans jamais vous y introduire illégalement. Ne prenez ni notes ni photographies, contentez-vous de mémoriser tout ce que vous découvrirez. J'attends votre rapport d'ici à vingt-quatre heures. Ensuite, nous verrons. Compris ?

Hudson hocha la tête. Des voix dans le hall d'entrée lui signalèrent l'arrivée d'un visiteur.

— Oui, monsieur. Je vous remercie.

Blast ne lui avait jamais filé autant de fric, surtout pour une mission aussi simple. À condition de ne pas mettre les pieds dans le Black Brake, un endroit sinistre sur lequel couraient les rumeurs les plus inquiétantes.

Pendergast le raccompagna jusqu'à la porte de l'office et Hudson se retrouva seul dans la nuit, pétri de reconnaissance envers ce personnage magnanime qui lui avait laissé la vie sauve.

49

St. Francisville, Louisiane

Laura Hayward s'engagea après la voiture de patrouille sur une route sinueuse en direction du Mississippi. Elle avait l'impression désagréable de détonner au volant de la Porsche décapotable d'Hélène Pendergast, mais l'inspecteur lui avait offert de prendre l'ancienne voiture de sa femme avec tant de gentillesse qu'elle n'avait pas eu le cœur de refuser. Tout en roulant sous le dais majestueux des noyers et des chênes, elle revisitait en pensée l'époque de son premier poste, au sein de la police de La Nouvelle-Orléans. Elle avait été engagée comme simple assistante au standard, mais cette expérience l'avait convaincue d'avoir choisi la bonne voie. Puis elle avait pris le chemin de New York afin d'y suivre des études de justice criminelle au John Jay College, avant d'intégrer la police du métro. Près de quinze ans s'étaient écoulés depuis et elle avait perdu quasiment toute trace d'accent sudiste, jusqu'à devenir une New-Yorkaise pur sucre.

Elle sentit fondre sa carapace nordiste en découvrant les rues de St. Francisville, avec leurs maisons badigeonnées de blanc, les longs porches, les toitures en zinc, et l'odeur entêtante des magnolias. La police locale s'était montrée nettement plus coopérative que celle de Floride, où elle était allée se renseigner sur le meurtre de Blast. La courtoisie légendaire du Vieux Sud n'était pas un vain mot.

La voiture de patrouille tourna sur une allée et Hayward se rangea à côté d'elle. Elle descendit de la décapotable et découvrit la dernière résidence de Blackletter, une petite maison avec de jolies plates-bandes, encadrée par deux magnolias.

Les deux flics, un sergent de la brigade criminelle locale et un agent en uniforme, la rejoignirent en remontant leur ceinture. L'agent Field, un rouquin au visage rougeaud, transpirait abondamment ; quant au sergent Cring, un Afro-Américain, il respirait la sincérité du fonctionnaire habitué à effectuer son travail avec une méticulosité presque pointilleuse.

La façade de la maison était blanche et proprette, à l'image de toutes celles du quartier. Un morceau de la bande plastique servant à isoler la scène de crime s'était enroulé autour des colonnes du porche et faseyait au vent. Quant à la serrure de la porte d'entrée, elle avait été scellée à l'aide de gros scotch orange.

— Vous souhaitez visiter le jardin, ou bien vous préférez voir l'intérieur, capitaine ? lui demanda Cring.

— L'intérieur, s'il vous plaît.

Elle grimpa les marches du porche à la suite de ses deux collègues. Son arrivée inopinée avait fait l'effet d'une bombe dans les locaux de la police de St. Francisville où l'on avait vu d'un œil torve ce capitaine du NYPD, une femme qui plus est, débarquer sans crier gare à bord d'une voiture de collection. Hayward s'était empressée de briser la glace en évoquant ses débuts à La Nouvelle-Orléans, et elle faisait désormais partie de la famille. Du moins l'espérait-elle.

— Allons-y, proposa Cring en sortant de sa poche un canif à l'aide duquel il sectionna le scotch, libérant la porte dont la serrure était cassée.

— Vous voulez que j'en mette ? s'enquit-elle en désignant une boîte de protège-chaussures posée près du battant.

— Inutile, la rassura Cring. Tout a été passé au peigne fin.

— D'accord.

— Une affaire assez banale, reprit le sergent en pénétrant dans l'atmosphère lourde et confinée de la maison.

— Banale de quelle façon?

— Un cambriolage qui a mal tourné.

— Qu'en savez-vous?

— La maison a été fouillée, l'assassin est reparti avec un écran plat, des ordinateurs, la chaîne stéréo. Vous verrez par vous-même en faisant le tour des pièces.

— Je vous remercie.

— C'est arrivé entre 21 heures et 22 heures. L'assassin s'est servi d'un pied-de-biche pour forcer la porte, comme vous avez pu vous en rendre compte. Il a traversé le couloir jusqu'au bureau, là-bas, où Blackletter bidouillait ses robots.

— Des robots?

— Ce type-là était fou de robots. C'était son hobby.

— Vous dites que l'assassin a remonté le couloir jusqu'au bureau?

— Apparemment. Il a dû entendre du bruit et décider d'éliminer Blackletter pour être plus tranquille ensuite.

— La voiture de Blackletter se trouvait-elle dans l'allée?

— Oui.

Hayward suivit Cring dans le bureau. Une grande table servait de refuge à des accessoires en plastique, des fils électriques, des circuits imprimés et un fouillis de composants électroniques. Sur le sol s'étalait une grande tache sombre et le mur en parpaings, criblé de chevrotine, était aspergé de sang. Les marqueurs et les flèches installés par les enquêteurs se trouvaient toujours là.

Un fusil de chasse, pensa Hayward. *Comme Blast.*

— L'assassin s'est servi d'une arme à canon scié, précisa Cring. Un calibre 12, avec de la chevrotine double zéro, d'après les grains qu'on a pu retrouver et l'analyse des taches.

Hayward hocha la tête tout en poursuivant son examen de la pièce.

— Après avoir abattu la victime, continua Cring, l'assassin s'est rendu dans la cuisine, à en juger par les traces de sang que ses semelles ont laissées, et puis il a gagné le salon en passant par le couloir.

Hayward allait dire à son interlocuteur qu'il ne s'agissait nullement d'un cambriolage, mais elle se mordit la langue juste à temps. Cela n'aurait servi qu'à compliquer la donne.

— On peut jeter un coup d'œil au salon?

— Pas de problème.

Elle traversa la cuisine et suivit le sergent jusqu'au living-room. Rien n'avait bougé, tout était sens dessus dessous. Les tiroirs du bureau à cylindre avaient été vidés, lettres et photos éparpillées, les livres jetés à bas des rayonnages, le canapé éventré. Un gros trou dans le mur signalait l'endroit où s'était trouvé le support d'un téléviseur à écran plat.

Par terre, gisant au milieu des décombres du bureau, Hayward remarqua un coupe-papier en argent au manche incrusté d'une opale. En observant la disposition du salon, elle nota la présence de plusieurs autres objets en or ou en argent de petite taille, jetés par terre pêle-mêle : cendriers, coffrets, théières, petites cuillères, encriers, figurines, éteignoirs à bougie. Plusieurs d'entre eux étaient incrustés de pierres précieuses.

— Tous ces objets en argent et en or, demanda-t-elle. D'autres ont-ils été volés?

— Pas à notre connaissance.

— C'est curieux.

— Les babioles de ce genre sont très difficiles à fourguer, surtout dans le coin. Le coupable est probablement un toxico à la recherche de trucs faciles à revendre pour sa dose quotidienne.

— On dirait que ces bibelots faisaient partie d'une collection.

— C'est le cas. Le docteur Blackletter était un membre actif de la société historique locale, il a même effectué des dons à plusieurs occasions. Il se passionnait pour l'argenterie d'avant la guerre de Sécession.

— D'où tenait-il tout son argent?

— Il était médecin.

— J'avais cru comprendre qu'il était retraité de Médecins Voyageurs, une ONG sans grands moyens. Tous ces objets en argent valent une fortune.

— Après Médecins Voyageurs, il a travaillé pour des laboratoires pharmaceutiques en qualité de consultant. Il y en a un certain nombre dans le coin, c'est l'un des principaux débouchés de la région.

— Ça m'intéresserait de voir le dossier que vous aviez sur le docteur Blackletter.

— Il est au commissariat. Je vous en ferai une copie tout à l'heure.

Hayward traversa les lieux une dernière fois, persuadée d'avoir laissé échapper un détail d'importance. Son regard s'arrêta sur une série de photos dans des cadres en argent, au pied d'une étagère.

— Je peux?

— Tant que vous voulez, les types de l'identité judiciaire ont fini leur boulot.

Elle s'agenouilla et ramassa quelques-uns des cadres. Des photos de proches et d'amis. Plusieurs représentaient Blackletter en Afrique : aux commandes d'un petit avion, en train de vacciner des populations, debout dans un dispensaire de brousse. D'autres le montraient en compagnie d'une jolie femme blonde plus jeune que lui, qu'il tenait par l'épaule sur l'un des clichés.

— Le docteur Blackletter a été marié?

— Jamais, répliqua Cring.

Elle saisit le cadre dont le verre avait été cassé. Elle sortit la photo, la retourna et découvrit une dédicace, rédigée d'une grande écriture élégante : « À Morris, en souvenir de cette promenade en avion au-dessus du lac. Affectueusement, M. »

— Je peux la garder? La photo, je veux dire.

Le sergent eut une légère hésitation.

— C'est-à-dire, il va falloir le signaler dans le rapport. Je peux vous demander pourquoi? ajouta-t-il après un battement.

— Cette photo peut m'être utile dans le cadre de l'enquête.

Hayward avait soigneusement évité de préciser la nature exacte de l'enquête, et ses collègues avaient eu le tact de ne pas insister.

— Sans vouloir nous mêler de ce qui ne nous regarde pas, on a du mal à comprendre en quoi un cambriolage comme celui-ci peut intéresser un capitaine de la criminelle de New York. On serait sans doute en mesure de mieux vous aider si vous acceptiez de nous en dire un peu plus.

Comprenant qu'elle ne pourrait pas éluder éternellement la question, Hayward décida de conduire ses collègues sur une fausse piste.

— Il s'agit d'une enquête liée à une affaire de terrorisme.

Un silence accueillit sa réponse.

— Je vois.

— Une affaire de terrorisme, répéta Field derrière la jeune femme.

C'était la première fois qu'il ouvrait la bouche de toute la visite, elle avait quasiment oublié sa présence.

— C'est un gros truc à New York, le terrorisme, insista-t-il.

— Oui, approuva Hayward. Et vous comprendrez que je ne puisse pas vous en dire davantage.

— Bien sûr.

— Nous essayons de rester les plus discrets possible. C'est bien pour ça que je suis ici incognito, si vous voyez ce que je veux dire.

— Évidemment, la rassura Field. Juste une petite question… c'est en rapport avec les robots ?

Hayward lui adressa un sourire éclair.

— Moins je vous en dis, mieux c'est.

— Je comprends, capitaine, se rengorgea le jeune flic, rougissant d'aise à l'idée d'avoir deviné juste.

Hayward s'en voulait de leur jouer la comédie. Non seulement c'était cruel, mais elle pouvait y laisser son job si quelqu'un l'apprenait.

— Passez-moi cette photo, déclara Cring en jetant un coup d'œil en direction de son subordonné. Je veillerai à ce qu'elle vous soit donnée dès qu'on l'aura consignée dans le rapport.

Il glissa le cliché dans une enveloppe qu'il cacheta avant d'apposer ses initiales sur le rabat.

— J'en ai terminé, reprit Hayward, honteuse, en se demandant si les méthodes de Pendergast n'étaient pas en train de déteindre sur elle.

Quelques instants plus tard, elle retrouvait le soleil et l'humidité du dehors. À moins d'un kilomètre de là, la rue se terminait en cul-de-sac au bord du fleuve. Elle se retourna soudainement vers Cring, occupé à sceller la porte d'entrée.

— Sergent, dit-elle.

— Oui, madame? dit-il en se retournant.

— Vous comprenez à présent pour quelle raison tout ceci doit rester secret.

— Oui, madame.

— Vous aurez également compris pourquoi je suis persuadée qu'il s'agit d'un faux cambriolage.

Cring se caressa le menton.

— Un faux cambriolage?

— Une mise en scène, précisa-t-elle en montrant du menton les eaux du Mississippi. Je suis prête à parier que tous les objets disparus se trouvent au fond de l'eau.

Cring quitta brièvement son interlocutrice des yeux pour regarder dans la direction qu'elle lui indiquait, puis il hocha lentement la tête.

— Je viendrai prendre la photo cet après-midi, conclut la jeune femme en regagnant la Porsche.

50

Plantation Penumbra

Maurice ouvrit la porte à Laura Hayward et la jeune femme s'engouffra dans les entrailles de la vieille plantation. Une fois de plus, elle était frappée par l'harmonie entre son hôte et cette demeure désuète et décadente, placée sous la protection de ce domestique guindé tout droit sorti de l'imagerie sudiste d'avant la guerre de Sécession.

— Par ici, capitaine, l'invita Maurice en tendant la paume de la main en direction du salon.

Elle s'avança et trouva Pendergast installé devant un feu, un petit verre posé à sa droite. Il se leva courtoisement en lui indiquant un siège.

— Un sherry?

Elle posa son attaché-case sur le canapé avant de s'asseoir.

— Non merci. Je ne bois pas de sherry.

— Puis-je vous offrir une bière, un thé, un cocktail?

Épuisée par sa journée, elle lança un regard hésitant vers la porte où Maurice attendait sa réponse.

— Un thé. Très chaud et très fort, avec du lait et du sucre, s'il vous plaît.

Le vieil homme inclina la tête et se retira.

Pendergast reprit sa place, croisa nonchalamment les jambes.

— Alors, ce périple à Longboat Key et St. Francisville? demanda-t-il.

— Productif. Mais donnez-moi d'abord des nouvelles de Vinnie.

— Il va bien. Son transfert dans cet hôpital privé s'est déroulé sans incident. Quant à la seconde opération, le remplacement de la valve aortique par une valve de porc, tout s'est passé au mieux, sa convalescence se présente sous d'excellents auspices.

La jeune femme se laissa aller dans le canapé, brusquement débarrassée d'un grand poids.

— Dieu merci. Je voudrais le voir.

— Je vous l'ai dit, ce ne serait pas très sage. Même l'appeler me paraît déconseillé. Nous avons affaire à un meurtrier d'une intelligence redoutable qui semble fort bien renseigné sur nos agissements, répliqua Pendergast en trempant les lèvres dans son verre de sherry. De mon côté, j'ai reçu le rapport d'analyse relatif aux plumes dérobées à Oakley Plantation. Les volatiles étaient bien porteurs d'un virus de grippe aviaire, mais l'échantillon dont je disposais était malheureusement trop dégradé pour permettre sa culture. Cela dit, le chercheur auquel je me suis adressé a fait une observation fort intéressante : le virus concerné est neuro-invasif.

Hayward poussa un soupir.

— Vous allez devoir éclairer ma lanterne.

— Cela signifie qu'il se réfugie dans le système nerveux. Il est donc *neurovirulent*. C'est tout simplement la pièce manquante de notre puzzle, capitaine.

Maurice les rejoignit avec le thé de la jeune femme qu'il versa dans une tasse.

— Je vous écoute, dit Hayward.

Pendergast se leva et commença à tourner en rond devant la cheminée.

— Le virus dont est atteint le perroquet est capable de rendre malade, comme n'importe quel autre virus de la grippe. À l'image de beaucoup de virus, il se dissimule dans le système nerveux afin d'éviter tout contact avec le flux sanguin, porteur de notre système immunitaire. Mais

310

les similitudes s'arrêtent là, car ce virus ne se contente pas de trouver refuge dans le système nerveux, il le *modifie* de façon bien particulière : il augmente sensiblement l'activité cérébrale en déclenchant un processus d'épanouissement de l'intelligence. Le chercheur dont je vous entretenais il y a un instant – un personnage d'une grande érudition, soit dit en passant – m'affirme que ce phénomène peut être provoqué par un simple relâchement des voies neurologiques.

« Si vous me suivez, le virus amplifie la sensibilité naturelle des terminaisons nerveuses. Dans le même temps, il freine la production de l'acétylcholine du cerveau, et la combinaison de ces effets provoque un déséquilibre du système nerveux qui bouleverse l'énergie sensorielle de la victime.

Hayward fronça les sourcils. Elle avait beau connaître Pendergast, sa théorie semblait tirée par les cheveux.

— Vous êtes certain de ce que vous avancez?

— Il faudrait affiner les recherches afin de s'en assurer, mais je ne vois pas comment il pourrait en être autrement.

Il marqua un léger temps d'arrêt avant de poursuivre.

— Prenons votre cas, capitaine. Vous êtes assise sur ce canapé, vous avez la conscience du cuir contre lequel vous êtes adossée. Vous sentez la chaleur de la tasse de thé que vous tenez à la main, vous percevez le fumet de la selle d'agneau rôtie qui nous attend pour le dîner, vous entendez la multitude des sons qui nous entourent : la stridulation des grillons, le chant des oiseaux dans les arbres, le ronflement du feu dans la cheminée, les bruits qui nous parviennent de la cuisine où s'active Maurice.

— D'accord, acquiesça Hayward, mais où voulez-vous en venir?

— Vous êtes assaillie à chaque instant par des centaines de sensations auxquelles vous ne prenez pas garde spontanément. C'est précisément là que je souhaitais en venir : *vous n'y prenez pas garde.* Une partie de votre cerveau, au niveau du thalamus, joue le rôle de filtre en vous avertissant des seules sensations qui vous importent vraiment en cet instant précis, à la façon d'un agent réglant la circulation. Que se passerait-il si personne ne réglait la circulation des sensations? Vous vous trouveriez bombardée de sensations simultanées et concurrentes. Dans un premier temps, cela pourrait solliciter vos fonctions cognitives et créatives, mais cette sollicitation constante finirait par vous rendre folle. Dans l'acception première du terme. Eh bien, c'est exactement ce qui s'est produit dans le cas d'Audubon, et plus encore dans celui de la famille Doane, le phénomène s'étant trouvé exacerbé. Nous pensions déjà que la folie dont souffrait Audubon et les membres de la famille Doane n'était pas une coïncidence, mais nous ne savions pas à quoi l'attribuer. Jusqu'à ce jour.

— Le perroquet des Doane, déclara Hayward. Il était porteur du même virus que les oiseaux volés à la plantation Oakley.

— Exactement. Ma femme aura réalisé cette découverte par le plus grand des hasards. Elle aura compris que le peintre avait été métamorphosé par sa maladie, et sa formation d'épidémiologiste lui aura permis de comprendre les raisons de ce phénomène. Dans un éclair de génie, elle s'est rendu compte qu'il ne s'agissait pas d'une simple prise de conscience de sa mortalité, mais bien d'un changement d'ordre *physiologique*. Vous vous interrogiez l'autre jour sur le rôle qu'elle a pu jouer dans cette affaire : je suis porté à croire qu'elle aura soumis les résultats de sa réflexion, sans penser à mal, à un laboratoire pharmaceutique qui s'est appliqué à en reproduire artificiellement les effets en mettant au point un médicament psychotrope, ce que l'on nomme couramment de nos jours une *smart drug*, ces molécules censées développer l'intelligence.

— Mais que s'est-il passé ensuite? Comment expliquer que le médicament en question n'ait pas été mis au point?

— Lorsque nous le saurons, capitaine, nous serons sur le point de découvrir les raisons pour lesquelles ma femme a été assassinée.

Hayward laissa s'écouler un court silence.

— Je viens justement d'apprendre que Blackletter avait exercé la fonction de consultant auprès de plusieurs laboratoires pharmaceutiques après avoir quitté Médecins Voyageurs, reprit-elle d'une voix pensive.

— Formidable! s'enthousiasma Pendergast. Je vous écoute.

En quelques phrases, la jeune femme lui résuma le résultat de son enquête en Floride et à St. Francisville.

— Blast et Blackletter ont tous les deux été abattus par un tueur armé d'un fusil de chasse à canon scié de calibre 12. Le meurtrier s'est introduit chez les deux victimes, les a tuées, a saccagé leur domicile avant de s'enfuir en emportant quelques objets afin de simuler un cambriolage.

— Avez-vous pu obtenir la liste des laboratoires pour lesquels Blackletter a travaillé?

Hayward tira de son attaché-case une enveloppe de papier kraft contenant une photo qu'elle tendit à son interlocuteur.

Pendergast s'approcha et la lui prit des mains.

— Il serait intéressant de connaître l'identité des personnes avec lesquelles Blackletter a travaillé.

— J'ai uniquement pu récupérer cette photo d'une ancienne petite amie.

— C'est un bon début.

— Je me pose une question au sujet de Blast.

Pendergast reposa la photo.

— Laquelle?

— Eh bien… il ne fait guère de doute qu'il a été tué par la même personne que Blackletter. Reste à comprendre pourquoi. J'ai du mal à voir le rapport qu'il pouvait y avoir entre Blast et ce virus de grippe aviaire.

Pendergast secoua la tête.

— Il n'y en avait pas, et votre question est pertinente. La clé se trouve à mon sens dans la conversation qu'il a eue avec Hélène. Lorsqu'il a évoqué leur rencontre au sujet du *Cadre noir*, Blast m'a dit: « Elle n'avait aucune envie de *posséder* ce tableau. Elle souhaitait seulement l'*examiner*. »

313

Nous savons désormais que Blast était sincère à ce sujet, mais l'assassin de ma femme n'avait aucun moyen d'être au courant des détails de leur conversation. Il a très bien pu penser qu'elle lui en avait dit davantage. Au sujet d'Audubon et de ce virus de grippe aviaire, par exemple. Il fallait donc se débarrasser de Blast, par mesure de sécurité. Au cas où.

Hayward secoua tristement la tête.

— Le coupable est quelqu'un d'impitoyable.

— Je ne vous le fais pas dire.

La conversation fut interrompue par l'arrivée inopinée de Maurice.

— M. Hudson souhaite vous voir, monsieur, dit-il avec une moue dégoûtée.

— Faites-le entrer.

Quelques instants plus tard, Hayward découvrait un personnage trapu et obséquieux, véritable caricature de privé de film noir avec son imperméable, son chapeau mou, son costume à fines rayures et ses chaussures anglaises. La jeune femme avait du mal à croire Pendergast capable d'avoir des fréquentations aussi douteuses.

— J'espère que je ne vous dérange pas, annonça Hudson en retirant son chapeau.

— Pas le moins du monde, monsieur Hudson, se contenta de répondre Pendergast sans prendre la peine de faire les présentations. Vous m'apportez la liste des laboratoires pharmaceutiques ?

— Oui, monsieur. Je suis allé repérer les lieux comme vous me l'aviez demandé et…

— Je vous remercie, le coupa Pendergast en saisissant la feuille que l'autre lui tendait. Patientez dans le petit salon, vous me ferez votre rapport tout à l'heure.

L'inspecteur se tourna vers Maurice.

— Veillez à ce que M. Hudson ait à boire. Pas d'alcool, toutefois.

Le majordome inclina la tête et s'éloigna en compagnie du petit détective.

— Je me demande bien ce que vous avez pu lui dire pour qu'il se montre aussi…

Hayward prit le temps de trouver le mot juste.

— … aussi docile.

— Une variante du syndrome de Stockholm. Vous commencez par menacer le sujet de mort avant de vous montrer magnanime en l'épargnant. Le malheureux avait eu la mauvaise idée de se dissimuler dans mon garage avec un pistolet, avec l'espoir inepte de me soutirer de l'argent.

Hayward sentit un frisson lui parcourir le dos, désagréablement surprise par les méthodes de Pendergast, une fois de plus.

— Quoi qu'il en soit, il travaille à présent pour nous et je lui ai demandé de dresser la liste de toutes les entreprises pharmaceutiques situées dans un rayon de cent kilomètres de la résidence des Doane. Je doute qu'un perroquet en fuite ait pu s'éloigner davantage. Il ne nous reste plus qu'à comparer cette liste avec celle des laboratoires pour lesquels Blackletter a travaillé.

Pendergast jeta un coup d'œil aux deux documents qu'il avait en main. Soudain, son regard se durcit. Il reposa les feuilles et releva la tête.

— Les laboratoires Longitude, laissa-t-il tomber.

51

Baton Rouge

La maison, une coquette bâtisse jaune aux volets blancs dotée d'un jardinet débordant de massifs de tulipes, se trouvait dans l'un des quartiers rénovés proches de Spanish Town. Sans se soucier de la pancarte DÉMARCHAGE INTERDIT, Pendergast s'élança sur l'allée de brique, suivi par une Hayward bougon, mécontente qu'il n'ait pas pris rendez-vous, comme elle le préconisait.

La porte s'écarta et un petit homme à la chevelure clairsemée observa ses visiteurs à travers des lunettes rondes.

— En quoi puis-je vous aider?

— Mary Ann Roblet est-elle là? s'enquit Pendergast en exagérant son accent sudiste mielleux, au grand agacement de Hayward.

L'homme hésita.

— Qui la demande?

— Aloysius Pendergast et Laura Hayward.

Nouvelle hésitation.

— Vous représentez une, euh… une institution religieuse?

— Nullement, monsieur, se défendit Pendergast. Et nous n'avons rien à vendre.

Il attendit, un sourire radieux aux lèvres.

Après un ultime instant de flottement, l'homme appela par-dessus son épaule:

— Mary Ann? Deux personnes pour toi.

Il resta planté sur le seuil, peu décidé à laisser entrer ses visiteurs.

Une femme pleine de vivacité ne tarda pas à le rejoindre. Boulotte et gironde, ses cheveux argentés lissés et son maquillage discret trahissaient une personne de goût.

— Oui?

Pendergast se présenta à nouveau et sortit son badge du FBI qu'il exhiba brièvement à son interlocutrice avant de le remiser dans les plis de son costume noir.

Mary Ann Roblet rougit en découvrant, coincée dans le porte-badge, la photo découverte par Hayward chez le docteur Blackletter.

— Serait-il possible de nous entretenir avec vous quelques instants, madame Roblet?

Plus rouge que jamais, elle restait interdite.

Son mari, en retrait, observait la scène d'un air soupçonneux.

— Qu'est-ce que c'est? demanda-t-il. Qui sont ces gens?

— Ils appartiennent au FBI.

— Au *FBI*? En voilà, une histoire! Que voulez-vous? s'agita-t-il en se tournant vers ses visiteurs.

— Simple contrôle de routine, monsieur Roblet, le tempéra Pendergast. Vous n'avez aucune raison de vous inquiéter, nous souhaiterions simplement poser quelques questions à votre femme en privé. Pouvons-nous entrer, madame Roblet?

Celle-ci s'écarta, le visage cramoisi.

— Y a-t-il un endroit où nous pourrions discuter tranquillement? insista Pendergast. Si cela ne vous dérange pas.

Mme Roblet retrouva enfin sa voix.

— Allons dans le bureau.

Pendergast et Hayward suivirent leur hôtesse jusqu'à une petite pièce confortable au sol recouvert d'une épaisse moquette blanche. Deux fauteuils douillets et un canapé étaient installés face à un immense écran plasma. Pendergast referma soigneusement la porte derrière eux en remarquant le maître de maison dans le couloir, le front soucieux. Mme Roblet se posa sur le canapé, dos raide et jambes serrées, veillant à ramener sa jupe sur ses genoux. Au lieu de s'asseoir sur l'un des deux fauteuils, Pendergast s'installa à côté d'elle.

— Excusez-moi de venir vous déranger chez vous, se lança Pendergast d'une voix grave et mélodieuse. Nous n'en avons pas pour longtemps.

Mme Roblet laissa s'écouler un silence avant de poser la question qui lui brûlait les lèvres.

— Vous venez me parler de... de la mort de Morris Blackletter, c'est bien ça?

— En effet. Comment avez-vous appris sa mort?

— Par le journal.

Son masque de respectabilité donnait l'impression de vouloir se fissurer.

— Je suis sincèrement désolé, murmura Pendergast en sortant un paquet de mouchoirs en papier.

Elle prit celui qu'il lui tendait et s'essuya les yeux, s'efforçant de rassembler son courage.

— Nous ne sommes pas venus vous poser des questions indiscrètes, encore moins avec l'intention de créer des problèmes au sein de votre couple, poursuivit Pendergast sur un ton compréhensif. J'imagine à quel point il doit être difficile de garder pour soi le chagrin que l'on éprouve à la disparition d'un être qui a beaucoup compté. Je puis vous assurer que votre mari ne saura rien de notre conversation.

Elle hocha la tête en continuant à se tamponner les yeux.

— Oui. Morris était quelqu'un de... de formidable, balbutia-t-elle avant d'enchaîner d'une voix décidée : Autant en finir tout de suite. Je vous écoute.

Hayward se tortilla sur son siège. *Putain de Pendergast avec ses méthodes.* Un interrogatoire tel que celui-ci aurait dû se dérouler dans le cadre officiel d'un commissariat, avec enregistrement à l'appui.

— Vous avez fait la connaissance du docteur Blackletter en Afrique.

— Oui.

— Dans quelles circonstances?

— J'étais infirmière à la mission baptiste de Libreville, au Gabon.

— Et votre mari?

— Il occupait les fonctions de pasteur référent de la mission, répondit-elle dans un souffle.

— Comment avez-vous été amenée à fréquenter le docteur Blackletter?

— C'est vraiment indispensable?

— Oui.

— Il dirigeait un dispensaire de Médecins Voyageurs près de la mission. Chaque fois qu'une épidémie se déclarait dans l'ouest du pays, il parcourait la région en avion afin de vacciner les villageois. C'était un travail extrêmement périlleux et je l'accompagnais régulièrement lorsqu'il avait besoin d'aide.

Pendergast posa une main compatissante sur celle de son interlocutrice.

— Quand a vraiment débuté la relation que vous avez entretenue avec lui?

— Six mois après son arrivée, à peu près. C'était il y a vingt-deux ans.

— Et quand cette relation a-t-elle pris fin?

Un long silence ponctua la question.

— Elle ne s'est jamais arrêtée, dit-elle enfin d'une voix brisée.

— Parlez-nous de son travail aux États-Unis, à la suite de son départ de Médecins Voyageurs.

— La spécialité de Morris était l'épidémiologie. Il était excellent dans son domaine, ce qui lui a permis de travailler en qualité de consultant pour un certain nombre de firmes pharmaceutiques, notamment dans le développement de médicaments et de vaccins.

— A-t-il travaillé pour le compte des laboratoires Longitude?

— Oui.

— Vous a-t-il détaillé ses activités pour eux?

— Il restait très discret, le milieu est sensible du fait des secrets industriels propres aux laboratoires pharmaceutiques. Mais c'est curieux que vous fassiez allusion à Longitude, parce qu'il m'en a parlé à plusieurs reprises.

— De quelle façon?

— Sa collaboration avec eux a duré près d'un an.

— À quelle époque?

— Je dirais il y a dix ou douze ans. Et puis il a démissionné du jour au lendemain, à la suite d'un incident qui lui a déplu. Il était inquiet, et Morris n'était pourtant pas homme à avoir peur facilement. Je me souviens qu'il m'a parlé un soir du PDG de l'entreprise, un certain Slade. Charles J. Slade. Il me l'a décrit comme un personnage pernicieux, capable d'embarquer des personnes honnêtes dans un maelström. C'est le mot qu'il a employé, *maelström*. Je me souviens d'avoir regardé dans le dictionnaire ce que ça signifiait. Morris a donné sa démission dans la foulée et nous n'en avons jamais plus parlé.

— A-t-il eu l'occasion de retravailler avec les laboratoires Longitude par la suite?

— Jamais. La société a fait faillite peu après son départ. Heureusement que Morris avait pris la précaution de récupérer son argent à temps.

— Excusez-moi de vous interrompre, s'interposa Hayward, mais comment savez-vous qu'il a été payé?

Mary Ann Roblet posa sur la jeune femme deux yeux gris rougis de larmes.

— Morris adorait les bibelots en argent. À l'époque, il a dépensé une petite fortune auprès d'un autre collectionneur, et quand je lui ai demandé comment il avait pu se permettre une telle folie, il m'a expliqué qu'il avait reçu de Longitude une prime confortable.

— Une prime confortable. Après un an d'activité, intervint Pendergast d'une voix pensive. Que vous a-t-il dit d'autre au sujet de ce Slade?

Elle prit le temps de réfléchir.

— Il m'a expliqué qu'il avait conduit à la ruine une entreprise extrêmement saine, par excès d'arrogance et d'égoïsme.

— Avez-vous jamais rencontré Slade?

— Oh non! Jamais. Morris et moi ne nous affichions pas en public. Je sais pourtant que tout le monde avait une peur bleue de ce Slade. Sauf June, bien sûr.

— June?

— June Brodie. La secrétaire de Slade.

Pendergast rassembla ses pensées, puis il se tourna vers Hayward.

— Avez-vous d'autres questions?

— Le docteur Blackletter a-t-il mentionné à un moment ou à un autre la nature de ses recherches chez Longitude, ou alors cité les noms de personnes avec lesquelles il collaborait?

— Il ne me parlait jamais de ses recherches, mais il lui est arrivé de me citer les noms de collègues. Il avait toujours quantité d'histoires drôles à raconter sur les gens. Attendez… Ma mémoire n'est pas aussi fidèle qu'autrefois. Je l'ai entendu évoquer June, bien sûr.

— Pourquoi « bien sûr »? s'étonna Pendergast.

— Parce que June était le bras droit de Slade.

Elle allait continuer lorsqu'elle se reprit en rougissant légèrement.

— Oui? insista Pendergast.

Mme Roblet secoua la tête.

— Rien.

Hayward attendit quelques secondes avant de poursuivre.

— Qui d'autre travaillait chez Longitude à l'époque où le docteur Blackletter s'y trouvait?

— Laissez-moi réfléchir. Le vice-président en charge du département scientifique, le docteur Gordon Groebel, qui était le responsable direct de Morris.

Hayward s'empressa de noter le nom sur son carnet.

— Rien de particulier, au sujet de ce docteur Groebel?

— Morris pensait qu'il ne faisait pas toujours les bons choix. Il lui reprochait surtout de trop aimer l'argent, si je me souviens bien. Sinon, il y avait quelqu'un d'autre. Un certain M. Phillips. Denison Phillips, je crois. L'avocat de la société.

Mary Ann Roblet acheva de se sécher les yeux, sortit son poudrier et retoucha son maquillage avant de lisser ses cheveux et d'ajouter une touche de rouge à lèvres.

— La vie continue, comme on dit. Ce sera tout?

— Oui, répliqua Pendergast en se levant. Je vous remercie, madame Roblet.

Sans répondre, celle-ci ouvrit la porte et raccompagna ses visiteurs jusque dans l'entrée. Son mari s'était installé dans la cuisine devant une tasse de café. Il sauta sur ses pieds et les rejoignit à la porte.

— Tout va bien, ma chérie? s'enquit-il d'un air anxieux.

— Oui, oui. Tu te rappelles de ce gentil docteur Blackletter qui travaillait à la mission autrefois?

— Blackletter? Celui qui se baladait dans la brousse en avion? Je m'en souviens très bien. Un garçon charmant.

— Il a été tué par un cambrioleur dans sa maison de St. Francisville il y a quelques jours. Ces personnes du FBI sont chargées de l'enquête.

— Grand Dieu! s'exclama Roblet sans parvenir à cacher son soulagement. C'est horrible. Je ne savais même pas qu'il vivait en Louisiane. Je n'avais plus pensé à lui depuis des années.

Hayward allait monter dans la Rolls lorsqu'elle se tourna vers Pendergast.

— Toutes mes félicitations pour cet interrogatoire.

Pendergast inclina la tête.

— Émanant de vous, capitaine, le compliment me touche sincèrement.

52

Frank Hudson s'arrêta à l'ombre de l'un des arbres bordant l'allée. La température à l'intérieur des bâtiments de l'état civil était sibérienne et il avait la curieuse impression de jouer les glaçons dans un bol de soupe tiède en retrouvant la chaleur humide du dehors.

Il posa son attaché-case à ses pieds, sortit le mouchoir qui dépassait de la poche de sa veste à fines rayures et s'épongea le crâne. *Tu parles d'un hiver*, pesta-t-il intérieurement. Il rangea le mouchoir en veillant à en laisser échapper un coin, puis il chercha des yeux sa Ford Falcon de collection, garée un peu plus loin sur le parking. Une grosse femme en jupe écossaise s'extrayait péniblement d'une Nova antédiluvienne et il sourit en la voyant claquer la portière à plusieurs reprises sans parvenir à la fermer.

— Vacherie, maugréa la malheureuse. Saloperie de bagnole.

Hudson s'épongea à nouveau et reposa le chapeau mou sur son crâne lisse, soucieux de savourer quelques instants encore la fraîcheur de l'ombre avant de regagner la Ford. La mission que lui avait confiée Pendergast était une vraie partie de plaisir. June Brodie, trente-cinq ans. Il avait tout noté. Jolie fille, secrétaire, pas d'enfants. Mariée à un infirmier. Elle-même avait suivi des études d'infirmière avant d'entrer chez Longitude. Quatorze ans plus tard, Longitude se retrouvait en faillite et elle perdait son job. La semaine suivante, elle montait dans sa Tahoe, se garait sur le pont

Archer et disparaissait en laissant sur le siège un petit mot : *Je n'en peux plus. Tout est ma faute. Pardonnez-moi.* Les secours avaient dragué les eaux du fleuve pendant une semaine, sans résultat, mais ce n'était pas la première fois qu'un corps de suicidé passait par pertes et profits. Fin de l'histoire.

Hudson n'avait eu besoin que de quelques heures pour consulter les dossiers et reconstituer le parcours de la jeune femme. Il avait presque mauvaise conscience d'accepter cinq cents dollars pour si peu. Hudson n'avait pas envie de mettre fin à une relation aussi juteuse en tirant bêtement sur la corde.

D'un autre côté, il avait obéi à la lettre aux instructions de Pendergast. Tout était là, même une photocopie de la note abandonnée par la suicidée.

Il ramassa son attaché-case et quitta l'ombre protectrice de l'arbre en direction du parking.

Nancy Milligan tenta une nouvelle fois sa chance en jurant, et la portière accepta enfin de lui obéir. Elle soufflait comme un phoque et suait sang et eau, furieuse contre la chaleur inhabituelle de cette fin d'hiver, furieuse contre le tas de tôle qui lui servait d'auto, et plus furieuse encore contre son mari. Ce crétin aurait pu remuer lui-même son gros cul, au lieu de l'envoyer à sa place. D'abord, pourquoi la municipalité de Baton Rouge avait-elle besoin d'un certificat de naissance ? À son âge ? Connerie de bureaucratie imbécile.

Elle allait s'éloigner lorsqu'elle remarqua un type sous un arbre qui observait son manège en s'épongeant le front, son chapeau mou repoussé en arrière. À l'instant où elle posait les yeux sur lui, le chapeau du bonhomme vola en l'air et la moitié de son crâne se transforma en un brouillard rouge et visqueux tandis qu'un coup de feu résonnait sous la voûte des chênes. L'inconnu s'effondra, raide comme la justice, et son corps roula plusieurs fois sur lui-même, à la façon d'une bûche, avant de s'arrêter dans une pose grotesque, les bras serrés autour de la poitrine. Le chapeau retomba sur le sol, exécuta une courte ronde et s'immobilisa sur la coiffe à quelques mètres de son propriétaire.

Nancy Milligan resta un moment pétrifiée à côté de sa voiture, puis elle sortit fébrilement son portable et composa le 911 d'un doigt tremblant.

— Un homme vient d'être abattu sur le parking des bureaux de l'état civil, sur la 12e Rue, déclara-t-elle d'une voix étonnamment calme.

À l'autre bout du fil, le fonctionnaire de police affecté au standard lui posa une question.

— Oui, je crois bien qu'il est mort, répondit-elle.

53

Le parking et une portion de la rue voisine avaient été condamnés à l'aide de bande plastique. La meute des journalistes et des équipes de télévision piaffait derrière les barrières de police, avec le lot habituel de curieux et quelques propriétaires de voitures mécontents de ne pouvoir récupérer leurs véhicules.

Hayward observait la scène de loin, Pendergast à ses côtés. En dépit de ses récriminations, l'inspecteur avait insisté pour qu'ils préservent leur anonymat et restent à l'écart de l'enquête. Pendergast souhaitait à tout prix éviter de se retrouver dans l'œil de l'actualité. En clair, cela signifiait que les enquêteurs ne découvriraient jamais l'identité de l'individu qui avait assassiné Hudson, probablement le même qui avait bien failli tuer Vinnie.

— Je ne comprends pas, observa la jeune femme. Pourquoi assassiner Hudson? Il serait tellement plus facile de s'en prendre à nous.

Pendergast, gêné par le soleil, plissa les paupières sans répondre.

La bouche pincée, Hayward suivit des yeux le travail des équipes de l'identité judiciaire. Accroupis sur le macadam, on aurait dit des crabes géants évoluant lentement au fond de la mer. Rien à redire, ils observaient la procédure à la lettre.

— Allons voir de ce côté, suggéra Pendergast dans un murmure.

Ils jouèrent des coudes au milieu de la foule, traversèrent la pelouse et contournèrent le parking en direction des bureaux de l'état civil avant de s'arrêter près d'une rangée d'ifs taillés en fuseau.

— Le tireur se tenait là, déclara Pendergast.

— Comment le savez-vous?

Il désigna la terre recouverte de copeaux d'écorce au pied des arbres.

— Il s'est allongé ici, on aperçoit encore les marques du bipied de son arme.

En se penchant, Hayward distingua deux trous à peine visibles entre les copeaux.

— Comment avez-vous pu deviner qu'il avait tiré d'ici alors que la police fouille la rue à la recherche de son poste de tir depuis tout à l'heure?

— Le chapeau mou. L'impact a projeté la tête de la victime sur le côté, mais c'est le rebond des muscles du cou qui a envoyé promener le chapeau.

Hayward leva les yeux au ciel.

— Si vous le dites.

Mais son compagnon ne l'écoutait déjà plus et repartait d'un pas vif. Il parcourut à grandes enjambées les quatre cents mètres qui le séparaient du parking, s'engouffra dans la foule des badauds et rejoignit les barrières de police, Hayward sur les talons. Paupières plissées, il commença par scruter les rangées de voitures avant de sortir de sa poche une paire de jumelles.

— Messieurs, s'il vous plaît, dit-il en rempochant ses jumelles.

Penché au-dessus des barrières, il tentait d'attirer l'attention de deux inspecteurs en train de discuter, un carnet à la main.

Les deux hommes feignirent de ne pas l'avoir entendu.

— Messieurs? Excusez-moi.

Devant son insistance, l'un des inspecteurs tourna la tête à regret.

— Oui?

— Par ici, s'il vous plaît, insista Pendergast en lui adressant un signe de sa main d'albâtre.

— Je ne sais pas si vous avez remarqué, mais nous sommes occupés.

— J'ai une information susceptible de vous intéresser.

Hayward observait le manège de Pendergast avec une pointe d'irritation. Elle avait fait trop d'efforts auprès de la police locale pour que Pendergast fiche tout en l'air.

L'inspecteur s'approcha.

— Vous avez assisté à la scène?

— Non, mais j'ai remarqué ça, rétorqua Pendergast en tendant le doigt en direction du parking.

— Quoi, *ça*?

— Cette Subaru blanche. Si vous regardez bien la portière avant droite, vous distinguerez un trou en dessous de la vitre.

Le flic se dirigea vers la Subaru d'un pas traînant. Il se pencha, releva brusquement la tête et adressa un geste à son collègue.

— Georges? Georges? Va chercher les gars, il y a un impact de balle dans la portière!

Plusieurs techniciens se précipitèrent tandis que l'inspecteur rejoignait Pendergast d'un pas rapide, le regard brillant.

— Comment l'avez-vous vu?

— J'ai de très bons yeux, répondit Pendergast avec un sourire modeste. Ne m'en veuillez pas d'insister, mais étant donné l'endroit où s'est fichée la balle et la position de la victime, je me demande si le tireur ne s'est pas posté au niveau de ces ifs, là-bas.

L'homme évalua la trajectoire du regard, prenant la mesure de la géographie des lieux.

— D'accord, approuva-t-il en appelant près de lui deux collègues auxquels il donna des instructions à voix basse.

Pendergast s'éclipsait déjà.

— Monsieur? Une minute, s'il vous plaît.

Mais Pendergast avait trouvé le moyen de se fondre dans la foule. Alors qu'elle s'attendait à le voir regagner la voiture, Hayward le vit se diriger vers les bureaux de l'état civil. Elle pénétra dans le bâtiment à sa suite.

— Bien joué, concéda la jeune femme.

— Autant leur apporter un peu d'aide. Nous devons conserver un temps d'avance sur notre adversaire, que je soupçonne d'avoir commis une deuxième erreur.

— Laquelle ?

Au lieu de lui répondre, Pendergast s'accouda au bureau d'accueil.

— Nous souhaiterions consulter le dossier d'une certaine June Brodie. Je ne serais pas surpris qu'il soit déjà sorti, quelqu'un est venu le consulter tout à l'heure.

L'employée s'éloigna et Hayward se tourna vers son compagnon.

— C'est bon, je mors à l'hameçon, maugréa-t-elle. Quelle était la première erreur de l'assassin ?

— Le fait de me rater et d'atteindre Vincent à ma place.

54

New York

Le docteur Felder quitta la barre et retourna s'asseoir sur le banc des experts, évitant de croiser le regard émeraude de Constance Greene. Il avait dit ce qu'il avait à dire, en toute sincérité, et son verdict était simple : la jeune femme souffrait de troubles mentaux aigus nécessitant son enfermement dans une institution spécialisée. Cela ne changeait rien à sa situation, elle se trouvait déjà inculpée de meurtre et sa demande de libération sous caution avait été refusée. Le témoignage du psychiatre risquait néanmoins de peser lourd dans la décision du juge. Felder en était convaincu. Malgré son sang-froid, son intelligence et sa lucidité apparente, la patiente était incapable de différencier le bien du mal.

— Je note pour mémoire que l'accusée n'a pas souhaité s'adjoindre les services d'un défenseur, conclut le juge, déclenchant des bruissements de papier et des raclements de gorge.

— C'est exact, monsieur le juge, intervint Constance, les mains sagement posées sur la jupe de son uniforme carcéral.

— En conséquence, vous êtes autorisée à vous exprimer lors des présentes, poursuivit le magistrat. Souhaitez-vous faire une déclaration ?

— Pas pour l'instant, monsieur le juge.

— Vous avez entendu le témoignage du docteur Felder. Il affirme que vous représentez un danger pour vous-même et pour la société, et préconise votre enfermement dans une institution spécialisée. Souhaitez-vous apporter un commentaire à son témoignage?

— Je serais mal venue de contredire l'avis d'un expert.

— Très bien, acquiesça le juge en tendant le dossier à l'un des huissiers, en échange d'un autre. Je souhaiterais toutefois vous poser une question.

Il tira ses lunettes sur le bout de son nez et fixa la jeune femme.

Felder fronça les sourcils. Il est rare que le juge interroge directement un accusé, les magistrats ayant une fâcheuse tendance à pontifier longuement en truffant leurs décisions de réflexions morales teintées de psychologie de comptoir.

— Madame Greene, personne ne semble en mesure d'établir clairement votre identité, ou même de vérifier la réalité de votre existence. La même remarque s'applique à votre bébé. Malgré toute la diligence des services concernés, il nous a été impossible d'apporter la preuve que vous ayez mis au monde un enfant. Ce dernier point concerne essentiellement le magistrat qui vous jugera, mais je me trouve confronté à une difficulté juridique d'importance puisqu'il m'est difficile d'interner contre son gré une personne dont rien ne prouve qu'elle soit citoyenne américaine. Pour être clair, la justice ne sait pas qui vous êtes.

Il marqua un temps d'arrêt. Imperturbable, Constance l'observait, les mains croisées.

— Seriez-vous disposée à dire à la cour la vérité sur votre passé? reprit le juge d'une voix grave qui n'était pas exempte de bienveillance. C'est-à-dire qui vous êtes, et d'où vous venez?

— Monsieur le juge, j'ai déjà répondu à ces questions, déclara Constance.

— Le procès-verbal que j'ai entre les mains indique que vous êtes née dans un immeuble de Water Street au début des années 1970, mais les archives ont apporté la preuve que c'était faux.

— Bien sûr, puisque c'est faux.

Felder sentit une certaine lassitude l'envahir. Le juge n'était pourtant pas un débutant, il aurait été plus inspiré de s'abstenir plutôt que de faire perdre un temps précieux à tous les acteurs concernés. Felder était attendu par ses patients privés. Des patients qui le payaient, eux.

— C'est pourtant ce que vous avez déclaré, à en croire le procès-verbal que j'ai entre les mains.

— Je n'ai jamais dit cela.

Le juge, agacé, entama la lecture du passage concerné :

> QUESTION : *Quand êtes-vous née ?*
> RÉPONSE : *Je n'en ai pas gardé le souvenir.*
> QUESTION : *J'entends bien, mais vous devez bien connaître votre date de naissance.*
> RÉPONSE : *J'ai bien peur que non.*
> QUESTION : *Vers la fin des années quatre-vingt, sans doute ?*
> RÉPONSE : *Plutôt à l'orée des années soixante-dix.*

Le magistrat releva la tête.

— Alors, vous l'avez dit ou vous ne l'avez pas dit ?

— Je l'ai dit.

— Très bien. Vous prétendez donc être née au début des années 1970 dans un immeuble de Water Street, mais les recherches effectuées depuis à la demande de ce tribunal ont prouvé que ce n'était pas le cas. En outre, vous êtes beaucoup trop jeune pour être née il y a presque quarante ans.

Constance Greene ne répondit pas.

Felder quitta son banc.

— Monsieur le juge, si vous le permettez.

Le magistrat se tourna vers lui.

— Oui, docteur Felder ?

— J'ai déjà posé toutes ces questions à la patiente. Avec tout le respect que je vous dois, monsieur le juge, nous n'avons pas affaire à quelqu'un de rationnel. Sans vouloir déplaire à la cour, ces questions n'apporteront rien de plus.

Le juge retira ses lunettes et s'en servit pour tapoter le dossier posé sur son bureau.

— Vous avez peut-être raison, docteur. Une question, toutefois. Dois-je comprendre que la personne responsable de l'accusée, M. Aloysius Pendergast, s'en remet à la décision de cette cour?

— Il a refusé d'être auditionné, monsieur le juge.

— Très bien.

Le magistrat prit sa respiration en regardant la salle d'audience déserte et chaussa ses lunettes.

— La cour déclare…

Constance Greene l'interrompit en se levant de façon inattendue, les joues rouges. Pour la première fois, Felder crut lire sur ses traits ce qui ressemblait à une émotion, peut-être même de la colère.

— Tout bien réfléchi, je voudrais m'exprimer, déclarat-elle d'une voix coupante. À condition d'en avoir l'autorisation, monsieur le juge.

Le magistrat s'appuya sur le dossier de son siège en croisant les mains.

— Je vous écoute.

— Je suis effectivement née dans un immeuble de Water Street au début des années soixante-dix, à ceci près qu'il s'agissait des années *1870*. Vous trouverez la confirmation de ce que j'avance dans les archives municipales de Center Street, ainsi que dans celles de la bibliothèque de la Ville de New York où figurent des informations relatives à moi-même, à ma sœur Mary qui a été enfermée à la Five Points Mission avant d'être assassinée par un tueur en série, à mon frère Joseph, ainsi qu'à mes parents, morts tous deux de tuberculose[1]. Les détails ne manquent pas, je le sais pour avoir consulté moi-même les archives concernées.

---

1. Voir *La Chambre des curiosités* (L'Archipel, 2003).

Un silence gêné s'abattit sur la salle d'audience, que le juge finit par rompre.

— Je vous remercie, madame Greene. Vous pouvez vous rasseoir.

La jeune femme obéit et le magistrat s'éclaircit la gorge.

— La cour déclare Mme Constance Greene, d'âge et de domicile inconnus, irresponsable sur le plan pénal pour cause de trouble mental. En conséquence de quoi, nous ordonnons l'internement forcé de Mme Constance Greene au centre médico-pénitentiaire de Bedford Hills afin qu'elle y soit traitée pour une durée indéterminée. L'audience est levée, conclut-il avec un coup de maillet.

Felder quitta son banc, étreint par un sentiment de malaise étrange, et jeta un coup d'œil en direction de la malade qui s'apprêtait à quitter la salle entre deux gardiens musclés auprès desquels elle paraissait presque frêle. Son visage avait retrouvé sa pâleur et son indifférence habituelles. Une fois encore, rien ne semblait l'atteindre.

Découragé, Felder tourna le dos à la prisonnière et quitta la salle.

55

Sulphur, Louisiane

La Buick de location ronronnait sur l'Interstate 10. Hayward avait programmé le régulateur de vitesse sur 110, malgré les injonctions discrètes de Pendergast. Ce dernier lui avait fait remarquer qu'ils arriveraient à destination cinq minutes plus tôt si elle le réglait sur 115.

Ils avaient déjà parcouru plus de trois cents kilomètres et l'irritation de Pendergast augmentait à mesure que le temps passait. Il n'avait pas caché son aversion pour la Buick, suggérant à plusieurs reprises d'utiliser la Rolls-Royce dont le pare-brise avait été réparé, mais Hayward n'avait rien voulu entendre. Elle refusait catégoriquement de mener une enquête à bord d'une voiture aussi voyante. Après avoir conduit la décapotable d'Hélène Pendergast pendant vingt-quatre heures, elle avait opté pour cette auto sans doute moins glamour, mais infiniment plus discrète.

Les deux premiers noms fournis par Mary Ann Roblet n'avaient rien donné. Le premier était mort depuis longtemps, le second mentalement dérangé et grabataire, et il ne restait plus qu'un témoin sur la liste : Denison Phillips. L'ancien avocat de Longitude vivait une retraite paisible à Sulphur, dans une maison de Bonvie Street. Hayward s'attendait à découvrir un représentant de la vieille bourgeoisie sudiste, prétentieux et alcoolique, tel qu'elle en avait connu un certain nombre à l'époque où elle faisait ses études à la Louisiana State University.

Elle ralentit en apercevant le panneau annonçant la bretelle de Sulphur et se rangea sur la voie de droite.

— Nous avons eu le nez fin de nous renseigner sur ce M. Phillips, déclara Pendergast.

— Je croyais que les recherches n'avaient rien donné.

— Je veux parler du dossier de Denison Phillips fils, rétorqua l'inspecteur d'une voix acide.

— Le fils? Vous voulez parler de sa condamnation pour usage de stupéfiants?

— Pas n'importe quelle condamnation, capitaine. Il a été trouvé en possession de cinq grammes de cocaïne et condamné pour trafic de stupéfiants. J'ai également vu sur son casier judiciaire qu'il était inscrit en préparation de droit à la LSU.

— Ouais, eh bien je serais curieuse de savoir comment il fera pour intégrer une fac de droit avec un casier judiciaire. Sa condamnation lui interdit d'exercer.

— Il faut croire que ses parents ont le bras long. Je suis persuadé qu'ils comptent sur leurs relations pour racheter une virginité à leur rejeton.

Hayward jeta un regard en coin à son compagnon. Au ton de sa voix, elle le soupçonnait de vouloir user de chantage, comme à son habitude. Menacer Phillips père de tout tenter pour empêcher l'héritier de rejoindre un jour le cabinet paternel, à moins de lâcher le morceau au sujet de Longitude. Elle aurait donné cher pour que Vinnie soit là. Gérer Pendergast au quotidien l'épuisait littéralement. Pour la millième fois, elle se demanda ce qu'un flic de la vieille école comme Vinnie pouvait bien trouver à Pendergast, avec ses méthodes de forban.

Elle prit son courage à deux mains.

— Dites-moi, Pendergast. Je peux vous demander un petit service?

— Avec plaisir, capitaine.

— Laissez-moi mener cet interrogatoire.

Le regard de l'inspecteur lui brûla les joues, mais elle s'entêta.

— Je connais bien ce genre d'oiseau et je sais comment m'y prendre.

Un silence glacial suivit sa requête.

— Je vous regarderai procéder avec le plus grand intérêt, finit par accepter Pendergast.

Denison Phillips père ouvrit lui-même la porte de la grande maison, située sur un lotissement aménagé autour d'un golf privé quelques décennies plus tôt, à en juger par la taille des arbres. L'avocat correspondait si bien à l'idée que Laura Hayward s'était faite de lui qu'elle le prit aussitôt en grippe. La veste avec l'inévitable pochette en cachemire, la chemise jaune pâle à ses initiales au col largement ouvert, le pantalon de golf vert bouteille, jusqu'au cocktail qu'il tenait à la main, le tableau était complet.

— Puis-je vous demander de quoi il s'agit, s'enquit-il avec une intonation faussement bourgeoise dont il avait soigneusement gommé les origines plébéiennes.

— Je suis le capitaine Hayward de la police de New York, anciennement de la police de La Nouvelle-Orléans, se présenta-t-elle d'une voix neutre. Et voici mon collaborateur, l'inspecteur Pendergast du FBI.

Elle montra rapidement son badge à son interlocuteur, mais Pendergast ne jugea pas utile de l'imiter.

Phillips dévisagea ses visiteurs.

— Vous avez conscience que nous sommes dimanche ?

— Tout à fait, monsieur. Pouvons-nous entrer ?

— Je préférerais en référer à mon conseil.

— Bien sûr, rétorqua Hayward. C'est votre droit le plus strict et nous sommes tout disposés à attendre sa venue. Je souhaiterais néanmoins vous préciser qu'il s'agit d'un entretien informel. L'enquête que nous menons ne vous concerne pas directement et nous en avons pour dix minutes tout au plus.

Phillips hésita, puis il s'effaça.

— Dans ce cas, entrez.

Hayward et Pendergast découvrirent un intérieur moquetté de blanc, murs de brique blancs, canapés de cuir blanc, verre et dorures. Leur hôte les conduisit dans un salon dont les baies vitrées donnaient sur le green.

— Asseyez-vous, je vous en prie, les invita Phillips en posant son cocktail sur un dessous-de-verre en cuir, sans leur proposer à boire.

Hayward toussota.

— Vous étiez l'un des associés du cabinet Marston, Phillips et Lowe, c'est bien cela ?

— Si vous souhaitez m'interroger sur les activités de mon cabinet, je serai au regret de ne pouvoir vous répondre.

— Je crois savoir que vous avez exercé les fonctions de conseiller juridique des laboratoires Longitude jusqu'à leur faillite il y a douze ans, enchaîna Hayward.

Un silence accueillit sa phrase.

Un large sourire aux lèvres, Phillips mit les mains sur ses genoux et se releva.

— Je regrette, mais je ne souhaite pas aller plus loin hors de la présence de mon avocat. Revenez avec une assignation et je serais heureux de répondre à toutes vos questions.

Hayward se leva à son tour.

— À votre guise. Désolée de vous avoir dérangé, monsieur Phillips. Nos salutations à votre fils.

— Vous connaissez mon fils ? réagit spontanément l'homme de loi, sans l'ombre d'un soupçon.

— Non, laissa tomber Hayward en se dirigeant vers l'entrée.

Elle avait la main sur la poignée de la porte lorsque Phillips se décida.

— Dans ce cas, pourquoi m'avoir parlé de lui ? s'informa-t-il d'une voix calme.

Hayward le regarda en face.

— Je sais pouvoir m'adresser à un gentleman du Vieux Sud, monsieur Phillips. Un vrai défenseur des traditions locales, ennemi juré de la langue de bois.

Phillips accepta le compliment avec une certaine méfiance, tandis que Hayward enchaînait en faisant ressortir une pointe d'accent sudiste, oubliée depuis longtemps.

— Je n'irai pas par quatre chemins. J'ai besoin de certaines informations dans le cadre de l'enquête que je mène actuellement. Je suis également en mesure d'aider votre fils. Au sujet de sa condamnation pour possession de stupéfiants.

Sa déclaration jeta un froid.

— Cette histoire est réglée depuis longtemps, la contra Phillips.

— Eh bien, ça dépend.

— Ça dépend de quoi?

— De votre capacité à la franchise.

Phillips fronça les sourcils.

— Je ne comprends pas.

— Vous disposez d'informations qui sont pour nous de la plus haute importance. Mon collaborateur, l'inspecteur Pendergast… disons que nous ne sommes pas d'accord sur la façon de nous y prendre. Le FBI a les moyens d'empêcher que la condamnation de votre fils soit effacée de son casier. Il estime que veiller à ce que votre fils ne puisse jamais suivre des études de droit est encore le meilleur moyen de vous aider à surmonter vos réticences.

Phillips observa ses interlocuteurs l'un après l'autre. La veine qui battait le long de sa tempe trahissait son malaise.

— De mon côté, je préférerais vous apporter mon aide. J'ai longtemps appartenu aux autorités locales, je suis donc en mesure de vous *aider* à effacer le casier judiciaire de votre fils, ce qui lui permettrait de suivre des études de droit et d'entrer à terme dans votre cabinet. Qu'en pensez-vous?

— Je vois, le vieux sketch du bon flic et du mauvais flic, grinça Phillips.

— Une technique éprouvée.

— Que souhaitez-vous savoir? s'enquit l'avocat d'une petite voix.

— Nous enquêtons actuellement sur une vieille affaire et nous avons tout lieu de croire que vous pouvez nous aider. Au sujet des laboratoires Longitude.

Les traits de Phillips se brouillèrent.

— Je ne suis pas autorisé à vous en parler.

— C'est extrêmement dommage, et je vais vous expliquer pourquoi. Cette attitude d'obstruction systématique risque fort de renforcer la position de mon collègue. De plus, je passe pour une imbécile et votre fils perd toute chance d'obtenir un jour sa licence en droit.

Phillips ne répondit rien.

— Je ne vous apprendrai rien en vous disant qu'une condamnation pour trafic de drogue ne s'efface pas d'un coup de baguette magique, ajouta Hayward. Une fois gérée la situation avec les autorités locales, je vais devoir intervenir au niveau fédéral, et l'inspecteur Pendergast aurait pu m'y aider.

Phillips avala sa salive.

— Il s'agit d'une condamnation sans gravité, le FBI n'a rien à voir là-dedans.

— Possession et *trafic* de stupéfiants? Il s'agit d'un crime fédéral, précisa-t-elle en hochant lentement la tête. En tant qu'avocat d'affaires, vous ne le savez peut-être pas, mais le dossier de votre fils est une bombe à retardement qui explosera le moment venu.

Muré dans le silence depuis le début de l'entretien, Pendergast se contentait de rester impassible.

Phillips glissa la langue sur ses lèvres, avala une gorgée d'alcool, et soupira.

— Que voulez-vous savoir exactement?

— Parlez-nous des expériences menées par Longitude sur les virus de grippe aviaire.

La main de Phillips se mit à trembler si fort que les glaçons tintèrent dans son verre.

— Monsieur Phillips? insista Hayward.

340

— Capitaine, si on apprenait que je vous ai parlé de ça, je ne passerais pas la semaine.

— Personne ne le saura et il ne vous arrivera rien, je vous en donne ma parole.

Phillips hocha la tête.

— Mais ne vous avisez pas de nous dire la vérité à moitié. C'est à prendre ou à laisser.

Phillips ne parvenait pas à se décider.

— Vous me promettez de l'aider? demanda-t-il après un long silence. Vous vous engagez à purger son casier judiciaire à tous les niveaux?

Hayward acquiesça.

— J'y veillerai personnellement.

— Dans ce cas, je vais vous dire ce que je sais, c'est-à-dire quasiment rien. Je n'appartenais pas au groupe chargé de la grippe aviaire. Apparemment, ils...

— Ils?

— Une cellule secrète créée par la direction de Longitude il y a treize ou quatorze ans. Même les noms de ses membres étaient tenus secrets. À part celui du docteur Slade. Charles J. Slade, le PDG. C'est lui qui dirigeait cette cellule. Je sais simplement qu'ils essayaient de mettre au point un nouveau médicament.

— Un médicament de quel type?

— Un produit capable de doper les capacités intellectuelles, réalisé à partir d'un virus de grippe aviaire très particulier. Un projet dans lequel ils avaient investi énormément de temps et d'argent, et qui a fini par capoter. La société traversait une mauvaise passe financière, ils ont cherché à réduire les coûts en ne respectant pas les protocoles habituels, un accident est arrivé et le projet s'est arrêté. Au moment où le pire était passé, le complexe 6 a été ravagé par un incendie dans lequel Slade a trouvé la mort et...

— Une seconde, l'interrompit Pendergast en prenant la parole pour la première fois. Vous dites que le docteur Slade est mort?

Phillips se tourna vers lui et hocha la tête.

— Et ce n'était que le début des ennuis. Sa secrétaire s'est suicidée peu après et le laboratoire s'est retrouvé en faillite. Un désastre.

Hayward lança un regard en coin vers Pendergast et crut lire sur son visage, habituellement impassible, une expression ressemblant à de la déception.

— Auriez-vous une photo du docteur Slade?

Phillips hésita.

— Il doit y en avoir une dans l'un de mes anciens rapports annuels d'activité.

— Montrez-la-nous, je vous prie.

Phillips se leva et traversa le salon en direction de la bibliothèque. Quelques minutes plus tard, il revenait armé d'un dossier qu'il tendit à Pendergast. L'inspecteur examina la photo figurant en en-tête, au-dessus de l'éditorial traditionnellement rédigé par le PDG, puis il tendit le document à Hayward. La jeune femme découvrit un personnage séduisant: des traits nets, une abondante crinière blanche, un regard brun intelligent, une mâchoire carrée percée d'une fossette au niveau du menton. L'homme ressemblait davantage à une vedette de cinéma qu'à un industriel.

Hayward reposa le dossier et se tourna vers leur hôte.

— Si le projet était si secret, pourquoi avoir fait appel à vous?

Il hésita.

— Je vous ai parlé tout à l'heure d'un accident. Les chercheurs utilisaient des perroquets pour développer et tester le virus. Un jour, l'un d'entre eux s'est échappé.

— Il a traversé les marais du Black Brake et s'est retrouvé à Sunflower où il a infecté une famille entière. Les Doane.

Phillips posa sur la jeune femme un regard aigu.

— Vous semblez particulièrement bien informée.

— Poursuivez, je vous prie.

Phillips porta son verre à ses lèvres d'une main tremblante.

— Slade et les autres membres de la cellule ont décidé de… de laisser cette expérience *involontaire* suivre son cours. Le temps de retrouver l'oiseau, il était de toute façon trop tard. Les membres de la famille avaient tous contracté le virus et les chercheurs ont voulu voir ce que donnait ce fameux virus.

— Et ça n'a pas marché.

Phillips hocha la tête.

— Les Doane sont morts. Pas immédiatement, bien sûr. C'est à ce moment-là qu'on m'a appelé, après coup, afin de tenter d'évaluer les conséquences de l'affaire sur le plan juridique. J'ai été horrifié par ce que j'ai découvert. Ils n'avaient respecté aucune des dispositions d'usage, multipliant les délits et les négligences. Une catastrophe. Quand je leur ai dit qu'il n'y avait aucun moyen de réparer les pots cassés, ils ont préféré enterrer l'affaire.

— Vous n'avez jamais envisagé de les dénoncer?

— J'étais tenu par le secret professionnel.

— Comment s'est déclaré l'incendie? intervint Pendergast. Celui au cours duquel Slade a trouvé la mort?

Phillips se tourna vers lui.

— La compagnie d'assurances a procédé à une enquête qui a conclu à un accident. Des produits chimiques entreposés dans de mauvaises conditions. À ce stade, le laboratoire cherchait à réaliser des économies par tous les moyens.

— Qu'est-il advenu des autres membres de cette cellule de recherche?

— Je n'ai jamais su leur identité, mais j'ai cru comprendre qu'ils étaient tous morts.

— Ce qui ne vous a pas empêché de recevoir des menaces.

L'homme hocha la tête.

— Un coup de téléphone anonyme, il y a quelques jours. Vous avez mis le pied dans la fourmilière avec votre enquête. Je ne sais rien d'autre, ajouta-t-il en reprenant son souffle. Je vous ai dit tout ce que je savais. Je n'ai jamais participé à ces expériences et je n'ai rien à voir avec la mort des Doane. On est venu me chercher pour nettoyer après coup, c'est tout.

— Que pouvez-vous nous dire au sujet de June Brodie? demanda Hayward.

— C'était la secrétaire particulière de Slade.

— Comment la décririez-vous?

— Jeune, séduisante, très motivée.

— Efficace dans son travail?

— June était le bras droit de Slade. Elle se mêlait de tout.

— C'est-à-dire?

— C'est-à-dire qu'elle jouait un rôle de premier plan dans la gestion de la société au quotidien.

— Elle était au courant de ce projet?

— Il s'agissait d'un projet top secret.

— En tant qu'assistante de Slade, elle devait bien voir tout ce qui passait sur son bureau. Surtout si elle était aussi motivée que vous le dites, insista Pendergast.

Phillips conserva le silence.

— Quel type de relation entretenait-elle avec son employeur?

L'avocat hésita.

— Slade ne m'en a jamais parlé.

— Il devait bien y avoir des rumeurs, poursuivit Pendergast. Leurs relations dépassaient-elles le cadre professionnel?

— Je ne sais pas.

— Quel genre d'homme était Slade? enchaîna Hayward après un court battement.

Phillips prit un air buté, puis ses traits s'adoucirent et il afficha un air résigné.

— Charles Slade était un mélange d'intelligence visionnaire et de gentillesse, avec des pulsions d'avidité et même de cruauté. Il était à la fois le meilleur et le pire. Il était capable de pleurer au chevet d'un gamin atteint d'une maladie incurable, et la minute suivante d'exécuter des coupes claires dans le budget de recherche d'un médicament qui aurait permis de sauver des milliers de vies humaines dans le tiers-monde.

Pendergast fixa longuement son interlocuteur avant de poser la question suivante.

— Le nom d'Hélène Pendergast, ou d'Hélène Esterhazy, vous est-il familier?

Phillips posa sur lui deux yeux d'une candeur totale.

— Non, ça ne me dit rien. Je n'avais jamais entendu le nom de Pendergast avant de vous rencontrer, inspecteur.

Pendergast ouvrit la porte de la Buick à sa compagne. Elle s'apprêtait à prendre place derrière le volant lorsqu'elle s'immobilisa.

— Tout s'est bien passé, non?

— Assurément.

Il referma la portière, fit le tour de l'auto et se glissa sur le siège passager. Sa mauvaise humeur semblait s'être évaporée.

— Je n'en suis pas moins curieux.

— À quel sujet?

— Au sujet du tableau que vous avez dressé de moi, en affirmant à notre ami Phillips que j'aurais usé du casier judiciaire de son fils comme monnaie d'échange. Comment savez-vous si je n'aurais pas procédé de la même manière que vous?

Hayward actionna le démarreur.

— Je vous connais. Vous auriez conduit ce malheureux au bord du précipice. Je vous ai souvent vu agir, vous êtes un adepte du bâton. Je préfère personnellement la carotte.

— Pour quelle raison?

— La carotte donne toujours de meilleurs résultats, surtout avec un personnage de ce genre. Et je dormirai mieux ce soir.

— J'ose espérer que votre lit de Penumbra n'est pas inconfortable, capitaine.

— Pas le moins du monde.

— Vous m'en voyez ravi. Personnellement, je dors fort bien là-bas.

Hayward crut voir l'ombre d'un sourire passer sur le visage de son compagnon. Elle fronça les sourcils. Et si elle s'était trompée à son sujet? La question resterait en suspens à jamais.

56

Itta Bena, Mississippi

La route, bordée de cyprès laissant à peine filtrer les rayons timides du soleil matinal, traversait les marécages entourant la petite bourgade. Une pancarte apparut, à moitié perdue dans la végétation :

LABORATOIRES LONGITUDE
Depuis 1966
Les médicaments de l'avenir

La Buick avançait en cahotant, malmenée par le macadam mal entretenu. Hayward vit un point noir approcher dans son rétroviseur et reconnut la Rolls-Royce de Pendergast. Il avait insisté pour l'utilisation des deux voitures au prétexte qu'il souhaitait effectuer des recherches de son côté, mais elle était persuadée qu'il s'agissait d'une simple excuse pour échapper à l'inconfort de l'auto de location.

La Rolls la dépassa à toute allure, bien au-dessus de la vitesse autorisée, et elle eut tout juste le temps de voir l'inspecteur lui adresser un signe de sa main d'albâtre.

La route faisait un coude et Hayward rejoignit la Rolls, arrêtée devant un portail grillagé à côté duquel se dressait une guérite, face à un panneau : *Laboratoires Longitude – Site d'Itta Bena.*

Pendergast discuta longuement avec le gardien qui signala aux deux voitures de passer après une série de coups de téléphone. Le temps de garer la Buick sur le parking et Hayward retrouvait Pendergast, occupé à vérifier le bon fonctionnement de son Colt 45.

— Vous avez peur que ça tourne au vinaigre? s'étonna-t-elle.

— On ne sait jamais, répliqua l'inspecteur en glissant l'arme dans l'étui qu'il portait sous sa veste.

Une pelouse précédait un ensemble de bâtiments trapus en brique jaune, entourés sur trois côtés par les eaux troubles d'un lac couvert de nénuphars et de lentilles d'eau. Les silhouettes de plusieurs annexes en ruine mangées de lierre se dessinaient derrière un rideau d'arbres au-delà duquel s'étendait la masse brouillardeuse des marais du Black Brake. Malgré la présence rassurante du soleil, Hayward sentit un frisson lui courir sous la peau, hypnotisée par ce lieu sinistre et sombre. D'une main, elle chassa un moustique un peu trop insistant.

Elle emboîta le pas de Pendergast qui poussait la porte du bâtiment principal. Une hôtesse postée à l'accueil les attendait avec deux badges visiteurs : l'un au nom de « Monsieur Pendergast », l'autre à celui de « Madame Hayward », qu'elle accrocha au revers de leurs vestes.

— Prenez l'ascenseur jusqu'au premier étage, dernière porte sur votre droite, leur précisa la réceptionniste avec un large sourire.

Hayward attendit que les portes de l'ascenseur se soient refermées pour se tourner vers son compagnon.

— Une fois de plus, vous avez oublié de leur préciser que nous étions flics.

— Il est parfois édifiant d'observer le comportement de vos interlocuteurs lorsqu'ils ne le savent pas.

Hayward haussa les épaules.

— Quoi qu'il en soit, tout ça ne vous paraît pas un peu trop facile?

— C'est le moins que l'on puisse dire.

— Qui mène l'entretien, cette fois ?

— Vous avez réalisé de telles prouesses avec M. Phillips, je vous abandonne volontiers ma place.

— Trop aimable, à ceci près que je ne suis pas certaine de me montrer aussi conciliante.

La jeune femme serra machinalement le bras gauche sous lequel se dissimulait son arme de service.

La cabine s'éleva dans un grincement, les portes coulissèrent, et ils se retrouvèrent à l'entrée d'un immense couloir recouvert de linoléum qu'ils parcoururent sur toute sa longueur avant de s'arrêter sur le seuil d'un bureau spacieux dans lequel une secrétaire montait la garde devant une porte en chêne patinée par le temps.

Pendergast entra le premier et la secrétaire, une jeune et jolie personne aux cheveux noués en queue-de-cheval, leva les yeux de son travail.

— Asseyez-vous, je vous en prie.

Les deux visiteurs prirent place sur un canapé de couleur taupe, près d'une table basse où s'empilaient des revues professionnelles aux couvertures cornées.

— Je suis Joan Farmer, l'assistante de M. Dalquist, déclara la secrétaire d'une voix nette. Il est occupé et m'a demandé de voir ce que nous pouvions pour votre service.

Hayward se pencha en avant.

— J'ai bien peur que vous ne puissiez pas nous aider, madame Farmer. Nous souhaitons voir M. Dalquist.

— Je vous l'ai dit, il est occupé. Si vous voulez bien m'expliquer de quoi il s'agit ?

Le ton de la jeune femme avait baissé de quelques degrés.

— Il est là ? insista Hayward en désignant la porte fermée.

— Madame Hayward, je pensais avoir été assez claire. Il ne veut pas être dérangé. Pour la dernière fois, que pouvons-nous pour vous ?

— Nous souhaiterions lui parler du projet lié à la grippe aviaire.

— Je ne suis pas au courant.

Hayward sortit son porte-badge, l'ouvrit et le posa devant son interlocutrice.

La secrétaire sursauta, surprise pas la soudaineté du geste, et examina le badge avant de regarder celui que Pendergast lui présentait à son tour.

— La police? Et le FBI? Pourquoi ne pas l'avoir dit plus tôt?

L'étonnement avait cédé la place à un certain agacement.

— Attendez-moi.

Joan Farmer quitta son siège, frappa au battant de chêne et disparut dans la pièce voisine en refermant soigneusement la porte derrière elle.

Hayward lança un coup d'œil à son compagnon, les deux policiers se levèrent d'un même élan et poussèrent la porte de Dalquist sans prendre le temps de frapper.

Ils se retrouvèrent dans un bureau agréable, meublé de façon spartiate. Un personnage aux allures d'universitaire, lunettes, cheveux blancs savamment lissés, veste en tweed et pantalon de toile, était en pleine discussion avec la secrétaire. Sa moustache en brosse dessina un pli irrité.

— Vous n'avez pas le droit! s'écria la secrétaire.

— J'ai cru comprendre que vous apparteniez à la police, la coupa Dalquist. Je serais curieux de voir votre mandat, si vous en avez un.

— Nous n'avons aucun mandat, lui rétorqua Hayward. Nous espérions pouvoir nous entretenir avec vous de façon informelle, mais nous pouvons aisément nous en procurer un, si vous insistez.

L'homme parut hésiter.

— Si je savais de quoi il retourne, ce ne serait pas forcément nécessaire.

Hayward se tourna vers son compagnon.

— Je ne sais pas ce que vous en pensez, inspecteur, mais M. Dalquist a raison. Nous devrions revenir avec un mandat. Le règlement, c'est le règlement.

— Je ne saurais vous donner tort sur ce point, capitaine. À ceci près que la nouvelle pourrait s'ébruiter.

Dalquist poussa un soupir.

— Asseyez-vous. Je vous remercie, mademoiselle Farmer. Je m'occupe de ces personnes. Merci de refermer la porte en sortant.

La jeune femme sortie, Hayward et Pendergast choisirent de rester debout.

— Joan m'a parlé de grippe aviaire. De quoi s'agit-il? demanda Dalquist, le visage rouge de colère.

Sans chercher à dissimuler son hostilité, l'homme paraissait sincère.

— Nous ne nous intéressons pas à la grippe dans nos laboratoires, poursuivit-il en reprenant place derrière son bureau. Nous sommes une entreprise modeste, essentiellement spécialisée dans le traitement des maladies du collagène.

— Il y a treize ans, insista Hayward, ce laboratoire a mené une série de recherches illégales sur la grippe aviaire.

— Des recherches illégales? Expliquez-vous.

— Les protocoles de recherche n'ont pas été respectés, un oiseau porteur d'un virus dangereux s'est échappé, une famille entière a été décimée et Longitude a étouffé l'affaire.

Un silence pesant accueillit les propos de la jeune femme.

— Vous portez là une accusation grave. Je ne suis au courant de rien. Longitude a fait faillite il y a une dizaine d'années, l'entreprise a été entièrement remodelée. L'équipe de direction a été changée, le nombre d'employés fortement réduit, et nous concentrons nos efforts sur une gamme de produits très ciblés.

— Lesquels?

— Principalement le traitement des dermato-polymyosites.

— Il ne reste plus personne de l'équipe d'autrefois?

— Pas à ma connaissance. Le laboratoire a été victime d'un incendie dans lequel l'ancien PDG a trouvé la mort et le site a été fermé pendant de longs mois, en attendant que l'activité redémarre sur de nouvelles bases.

Hayward tira une enveloppe de sa poche.

— Nous avons cru comprendre qu'à l'époque de sa faillite Longitude avait cessé ses recherches sur un certain nombre de traitements pour des maladies orphelines. Sans autre forme de procès, alors que vous étiez les seuls à travailler dans les domaines concernés, laissant derrière vous des millions de personnes sans espoir.

— Je vous le répète, l'entreprise a fait faillite.

— Vous avez donc bien tout arrêté.

— Le conseil d'administration s'en est chargé. Personnellement, je suis arrivé à la tête de l'entreprise deux ans plus tard, et je ne vois rien là de répréhensible.

Hayward avait conscience de tourner en rond.

— Monsieur Dalquist, les comptes de la société montrent que vous gagnez approximativement huit millions de dollars par an, sous forme de salaires et d'avantages divers. On peut en déduire que les médicaments que vous produisez sont extrêmement lucratifs. À quoi la société Longitude consacre-t-elle tous ses bénéfices?

— Nous ne sommes pas différents de nos concurrents. Nous versons des salaires à nos employés et des dividendes à nos actionnaires, nous payons des impôts, nous finançons la recherche.

— Excusez-moi de cette remarque, mais vos laboratoires sont en bien piètre état, pour une firme aussi largement bénéficiaire.

— Ne vous laissez pas abuser par les apparences, nous disposons d'équipements de pointe. Nous ne cherchons nullement à remporter un concours de beauté, d'autant que nous sommes relativement à l'écart du monde, précisa-t-il en écartant les mains. Je ne peux pas vous empêcher de critiquer notre façon de fonctionner, ni vous obliger à me trouver sympathique. Cela vous dérange visiblement que je gagne huit millions de dollars par an et que cette entreprise fasse des bénéfices confortables. Soit. Cela ne fait pas de nous des criminels pour autant. Vous trouvez que j'ai l'air d'un meurtrier?

— À vous de me prouver votre innocence.

Dalquist contourna son bureau.

— Mon premier réflexe serait de vous envoyer chercher un mandat et de me battre bec et ongles pour que nos
avocats vous mettent des bâtons dans les roues. Quand
bien même vous obtiendriez gain de cause, le juge ne
vous accorderait qu'un mandat de perquisition limité après
avoir rempli des montagnes de paperasses. Aussi curieux
que cela puisse vous paraître, ce n'est pas la solution que
je vais choisir. Je vais au contraire vous ouvrir grandes les
portes de cette maison. Allez où vous voulez, fouillez partout, consultez tous les dossiers qui vous intéressent. Nous
n'avons rien à cacher. Vous êtes contente?

Hayward regarda brièvement Pendergast. Le visage de
l'inspecteur était imperturbable, ses yeux transparents mi-
clos.

— C'est un bon début, approuva la jeune femme.

Dalquist appuya sur un bouton.

— Mademoiselle Farmer, vous voudrez bien rédiger
en mon nom un courrier autorisant ces deux personnes à
accéder à l'ensemble des locaux des laboratoires Longitude,
avec instruction à l'ensemble des employés de répondre à
leurs questions en leur fournissant tous les documents dont
ils pourraient avoir besoin, même les plus sensibles.

Il relâcha la pression sur le bouton et releva la tête.

— Mon seul souhait est de vous voir quitter les lieux au
plus vite.

— Nous verrons, laissa tomber Pendergast sur un ton
glacial.

57

Hayward ne cherchait plus à cacher son épuisement en arpentant le couloir du bâtiment le plus éloigné des laboratoires Longitude. Dalquist avait tenu parole en leur ouvrant les portes de ses locaux. Laboratoires, bureaux, archives, ils avaient même eu le loisir de visiter les bâtisses en ruine disséminées sur le pourtour du site. Personne n'avait tenté de les accompagner, aucun des agents de sécurité de l'entreprise n'était venu les importuner, leur liberté d'action était totale.

Et ils n'avaient rien trouvé. À l'exception de quelques employés subalternes, il ne restait plus personne de l'ancienne époque. Les deux policiers avaient fouillé les dossiers de l'entreprise en remontant sur plusieurs décennies sans trouver la moindre allusion à un projet de recherche sur la grippe aviaire. Tout semblait en ordre.

Un peu trop, même, ce qui rendait Hayward soupçonneuse. Elle lança un regard en coin à Pendergast dont le visage de marbre était plus impassible que jamais.

Ils quittèrent le bâtiment en empruntant une porte de secours donnant sur une volée de marches en mauvais état au pied desquelles s'étalait une pelouse mangée par les mauvaises herbes. À droite s'étendaient les eaux boueuses d'un bayou peuplé de cyprès aux branches chargées de mousse espagnole. Plus loin, derrière des buissons touffus, se dessinaient les contours d'un mur de brique couvert de lierre au-delà duquel on apercevait un bâtiment incendié cerné par le Black Brake. Les restes d'une jetée s'enfonçaient dans les eaux noires.

Une pluie fine s'était mise à tomber et de gros nuages pommelés circulaient au-dessus de leurs têtes.

— J'ai oublié mon parapluie, remarqua Hayward en observant le ciel bas.

Pendergast glissa la main dans la poche de son costume. *Non ! Ne me dites pas qu'il a un parapluie dans sa poche !* pensa Hayward, habituée aux excentricités de l'inspecteur. Il la surprit en sortant une pochette contenant deux capes imperméables en plastique transparent. Il lui en tendit une et prit l'autre.

Quelques minutes plus tard, ils traversaient un champ détrempé en direction d'un ancien grillage surmonté de fil de fer barbelé. Une barrière toute tordue gisait à terre et ils se faufilèrent à travers l'ouverture. Le bâtiment incendié se trouvait à quelques dizaines de mètres de là. Une bâtisse en brique jaune, semblable aux autres, dont le toit s'était effondré en laissant derrière lui un squelette de poutres noircies pointées vers le ciel. Fenêtres et portes n'étaient plus que des trous béants aux entourages striés de noir. Un épais tapis de mousse espagnole avait grimpé le long des murs, profitant du moindre interstice pour conquérir de nouveaux territoires.

Hayward pénétra dans le bâtiment à la suite de Pendergast. Ce dernier s'immobilisa sur le seuil afin d'examiner le chambranle et la porte, en miettes par terre, puis il s'agenouilla et tritura la serrure rouillée à l'aide de ses outils de cambrioleur.

— Étrange, dit-il en se relevant.

Le sol de la pièce était constellé de morceaux de bois calcinés et le plafond s'était partiellement effondré, laissant filtrer un peu de lumière. Une famille d'hirondelles, dérangée par l'irruption de ces visiteurs intempestifs, jaillit de l'obscurité et s'envola à tire-d'aile en poussant des cris. Une forte odeur d'humidité flottait dans l'air et de l'eau s'égouttait lentement des poutres noires, dessinant des flaques sur le carrelage dévasté.

Pendergast chercha dans sa poche une torche dont il balaya le faisceau autour de lui. Hayward à ses côtés, il poursuivit son exploration à l'aide de la lampe dont la lumière traçait autour d'eux des zigzags erratiques. Ils franchirent une voûte en partie effondrée, s'avancèrent dans un couloir donnant sur des pièces incendiées. Le verre et l'aluminium des huisseries avaient fondu sous l'effet de la chaleur, se mélangeant parfois au plastique du mobilier.

Pendergast s'arrêta devant les restes d'un classeur métallique dans le dernier tiroir duquel il trouva une masse informe de documents à moitié brûlés et gorgés d'humidité. Certains restaient en partie lisibles et il les passa en revue.

— *Livraison effectuée à Candido G.*, lut-il à haute voix. De vieux bordereaux de livraison.

— Rien d'intéressant?

— J'en doute, répondit-il en feuilletant une liasse.

Par acquit de conscience, il préleva quelques fragments carbonisés et les déposa dans un sachet hermétique qu'il escamota dans les replis de son costume noir.

Un peu plus loin les attendait une pièce centrale ravagée par les flammes. Le plafond avait disparu et la mousse avait tout recouvert d'un linceul fantomatique en dessinant ici et là des reliefs étranges. Pendergast examina la pièce, puis il s'approcha d'un monticule. Le temps d'arracher la végétation et il mit au jour une vieille machine pleine de rouages et de fils électriques sur laquelle Hayward posa un regard perplexe. Il répéta l'expérience à plusieurs reprises, découvrant à chaque fois des appareils complètement fondus.

— Vous avez idée de ce que c'était? l'interrogea Hayward.

— Vous avez là un autoclave servant à l'incubation d'échantillons, et là-bas ce qui ressemble à une centrifugeuse, annonça-t-il en éclairant une masse informe. Et nous avons ici une hotte à flux laminaire. Cet endroit était autrefois un laboratoire de microbiologie parfaitement équipé.

Il repoussa du pied quelques débris, se pencha et ramassa un objet indéfinissable qu'il glissa dans sa poche après l'avoir brièvement éclairé.

— Le rapport rédigé à la mort de Slade précise que son corps a été retrouvé dans un laboratoire, expliqua Hayward. Je ne serais pas surprise que ce soit ici.

— Oui, approuva Pendergast en agitant le pinceau de la torche sur une rangée de placards. Et c'est ici que le feu s'est déclaré, à l'endroit où se trouvaient stockés les produits chimiques.

— Vous pensez à un incendie criminel?

— Quel meilleur moyen d'éliminer des éléments compromettants?

— Comment pourrait-on en avoir la preuve?

Pendergast pêcha dans sa poche le petit objet ramassé quelques instants plus tôt: un anneau en aluminium ayant échappé à l'incendie. Un numéro s'y trouvait gravé.

— Qu'est-ce que c'est?

— La bague de patte d'un oiseau.

Il examina longuement l'objet avant de le tendre à la jeune femme.

— Et pas n'importe quelle bague de patte, ajouta-t-il en désignant des restes de silicone à son extrémité. Si vous regardez attentivement, on distingue encore l'endroit où se trouvait la puce électronique d'un petit émetteur. Nous savons à présent comment Hélène a pu remettre la main sur ce perroquet. Je m'étais toujours demandé comment elle s'y était prise pour retrouver les Doane avant qu'ils ne tombent malades.

Hayward lui rendit la bague.

— Excusez-moi de vous poser à nouveau la question, mais qu'est-ce qui vous permet de croire qu'il s'agit d'un incendie volontaire? Les rapports d'expertise précisent bien qu'ils n'ont trouvé aucune trace de combustible.

— L'auteur de cet incendie était un chimiste de première force qui savait ce qu'il faisait. J'ai du mal à croire à une simple coïncidence, juste après l'arrêt du projet.

— Dans ce cas, qui a mis le feu?

— J'attire votre attention sur les mesures de sécurité qui régnaient ici : le grillage extérieur, les serrures antivol, les barreaux aux fenêtres et les vitres en verre dépoli, jusqu'à l'éloignement même de ce bâtiment, protégé par les marais. Il est clair que le feu a été allumé par un familier des lieux, ayant accès aux zones protégées.

— Slade?

— Ce ne serait pas la première fois qu'un pyromane est victime de sa propre incurie.

— Ou bien alors il s'agit d'un meurtre déguisé. Slade en savait peut-être trop au gré de certains.

Pendergast posa son regard argenté sur la jeune femme.

— Vous m'ôtez les mots de la bouche, capitaine.

Le silence reprit ses droits, troublé par le crépitement de la pluie qui s'abattait sur les ruines.

— On dirait que nous sommes dans une impasse, finit par dire Hayward.

Sans un mot, Pendergast tira de sa poche le sac en plastique contenant un morceau de papier calciné et le tendit à la jeune femme. Il s'agissait d'une commande de boîtes de Pétri, accompagnée dans un coin de la mention manuscrite « sur ordre de CJS » suivie de l'initiale J.

— CJS? Il doit s'agir de Charles J. Slade.

— Exactement. Et cette annotation est spécialement intéressante.

Elle lui rendit le papier.

— Je ne vous suis pas.

— Cette écriture est celle de June Brodie, ce que confirme l'initiale « J ». June Brodie, l'assistante particulière de Slade, qui s'est jetée du pont Archer une semaine après la mort de son employeur. À ceci près que cette annotation nous indique qu'elle ne s'est pas suicidée du tout.

— Comment diable pouvez-vous être aussi affirmatif?

— J'ai récupéré l'autre jour, dans les bureaux de l'état civil, une photocopie de la note retrouvée dans sa voiture.

Pendergast sortit le document de sa poche et le tendit à Hayward.

— Comparez l'écriture de cette note à l'annotation retrouvée sur ce bon de commande et vous ne serez pas déçue.

Hayward examina les deux documents en écarquillant les yeux.

— Je ne comprends pas. L'écriture est exactement la même.

— C'est bien ce qui est étrange, mon cher capitaine, dit-il sur un ton énigmatique en escamotant les deux feuilles.

58

Le soleil s'était définitivement caché derrière un voile d'épais nuages lorsque Laura Hayward quitta Itta Bena en direction de l'autoroute. À en croire son GPS, Penumbra se trouvait à quatre heures et demie de là, elle pouvait compter retrouver son lit avant minuit. Pendergast l'avait avertie qu'il rentrerait plus tard encore, exprimant son intention d'en apprendre davantage sur June Brodie.

La route était déserte et monotone, les yeux de la jeune femme se fermaient tout seuls et elle baissa la vitre afin de laisser pénétrer l'air humide. La voiture se trouva instantanément envahie par une forte odeur d'humus. Elle se promit de s'arrêter à la première occasion, le temps d'avaler un sandwich et un café. Ou alors un plat de travers de porc. Elle n'avait rien mangé depuis le petit déjeuner.

Son téléphone portable sonna dans la poche de sa veste et elle le récupéra en tenant le volant d'une main.

— Allô?

— Capitaine Hayward? Docteur Foerman à l'appareil, de l'hôpital Bastrop.

La jeune femme fut prise d'un mauvais pressentiment en entendant le ton compassé de son interlocuteur.

— Je suis désolé de vous importuner aussi tard, mais c'est urgent. L'état de M. D'Agosta s'est brusquement dégradé.

Une boule se forma dans la gorge d'Hayward.

— Que voulez-vous dire?

— Nous lui avons fait subir une série d'examens, il semble souffrir d'une forme rare de choc anaphylactique dû à la valve de porc reçue lors de son opération.

Le médecin marqua une pause avant de reprendre.

— Sans vouloir être pessimiste, le patient se trouve dans un état critique et nous avons jugé préférable de vous… de vous avertir.

Hayward, incapable de prononcer une parole, rangea la Buick sur le bas-côté.

— Capitaine Hayward ?

— Je suis là.

Elle entra « Bastrop, Mississippi » d'un doigt tremblant sur le clavier du GPS.

— Une petite seconde.

L'appareil afficha instantanément le temps de route la séparant de l'hôpital.

— Je serai là dans deux heures. Peut-être un peu moins.

— Nous vous attendons.

Elle referma le téléphone, le jeta sur le siège passager, et prit sa respiration en hoquetant. L'instant suivant, elle démarrait dans un nuage de graviers et exécutait un demi-tour acrobatique en faisant crisser les pneus de la Buick.

Judson Esterhazy poussa la double porte vitrée et se remplit longuement les poumons, heureux de retrouver la chaleur de cette nuit paisible de mars. De l'auvent de l'entrée principale de l'hôpital de Bastrop, les mains dans les poches de sa blouse blanche, il pouvait surveiller discrètement le parking, aux trois quarts vide à cette heure.

Il scruta les alentours. Derrière les voitures, une pelouse courait jusqu'aux rives d'un petit lac, à côté d'un bois de tupelos autour duquel sinuait une allée bordée de bancs de granit.

Esterhazy traversa le parking en direction du bois et s'assit sur l'un des bancs, comme n'importe quel médecin ou interne en quête d'un peu d'air frais. Il déchiffra machinalement les noms des généreux donateurs, gravés dans la pierre du banc.

Jusqu'à présent, tout se déroulait bien. C'est vrai, il n'avait pas été aisé de retrouver D'Agosta, Pendergast ayant réussi à lui créer une nouvelle identité avec de faux certificats médicaux et de faux papiers. Sans les contacts de Judson dans le milieu médical, il ne serait jamais parvenu à ses fins. En fin de compte, la valve de porc lui avait fourni la clé dont il avait besoin. Il savait que D'Agosta avait été pris en charge par une unité de chirurgie cardiaque à la suite de sa blessure, et les premiers examens avaient mentionné les dégâts provoqués par la balle au niveau de l'aorte. À terme, ce connard aurait besoin d'une valve de porc.

Ce type d'accessoire ne courait pas les rues, il suffisait de suivre la valve de porc à la trace pour retrouver le patient.

L'idée lui était alors venue de faire d'une pierre deux coups. Ou plutôt trois. Après tout, D'Agosta ne constituait qu'une cible accessoire, surtout dans l'état dans lequel il se trouvait. Autant se servir de lui comme appât.

Il regarda sa montre. Pendergast et Hayward ne devaient pas être très loin à l'heure qu'il était, après avoir appris que le lieutenant se trouvait à l'article de la mort. Le timing était idéal.

Judson s'était rendu directement dans la chambre de D'Agosta qui dormait profondément après son opération, bourré d'antalgiques. Pendergast n'avait même pas pensé à poster des flics à sa porte, persuadé qu'il était en sécurité sous l'identité de Tony Spada du quartier de Flushing, dans le Queens…

Judson avait injecté la dose de Pavulon tout en haut de la poche de perfusion. Le temps que le produit agisse et que les machines signalent un malaise, il avait disparu. Personne ne lui avait posé de question, ni même n'avait froncé les sourcils en le croisant dans les couloirs. En tant que médecin, il lui avait été facile de se fondre dans le paysage.

La dose administrée avait été calculée pour maintenir en vie le lieutenant juste assez longtemps. La rapidité de la mort dépendait du dosage, tout en provoquant des symptômes que n'importe quel praticien aurait confondus avec ceux d'un choc anaphylactique. Pendergast et Hayward arriveraient juste à temps pour le dernier râle du mourant. Sauf qu'ils seraient morts avant de parvenir jusqu'au chevet de D'Agosta.

Esterhazy quitta son banc et poursuivit sa promenade dans le petit parc. Les réverbères du parking peinaient à trouer l'obscurité. Un endroit idéal pour se poster en embuscade s'il avait décidé d'utiliser son fusil de sniper, ce qui n'était pas le cas. Pressés de rejoindre le service où se mourait le lieutenant, Hayward et Pendergast voudraient se garer le plus près possible de l'entrée avant de se précipiter à l'intérieur du bâtiment, ce qui limiterait d'autant les chances de les abattre. Après son échec de Penumbra, Esterhazy préférait agir prudemment, sans prendre de risque.

D'où le choix du fusil à canon scié.

Il regagna l'entrée de l'hôpital, nettement plus propice. Il lui suffisait de se poster sur la droite de l'allée, entre deux réverbères. Quel que soit l'endroit où Hayward et Pendergast se gareraient, il leur faudrait passer devant lui. Dans la précipitation, pourquoi se méfieraient-ils d'un médecin en blouse blanche en train de prendre l'air ? Le tout était de les laisser s'approcher, de sortir le fusil dissimulé par les pans de sa blouse et de faire feu à bout portant. La chevrotine les couperait littéralement en deux. Moins de dix mètres le séparaient ensuite de sa voiture. Le temps que l'agent de sécurité posté à l'accueil appelle du renfort et trouve le courage de bouger son gros cul, Judson se serait évanoui dans la nature.

Les plans les plus simples sont toujours les meilleurs. Aucune des deux cibles n'avait de raison de se tenir sur ses gardes. Même Pendergast, avec son flegme imperturbable, serait dans tous ses états à l'annonce que son cher ami D'Agosta, celui qui avait pris la balle à sa place, était en train de passer l'arme à gauche.

Il vérifia sa montre une nouvelle fois, regagna sa voiture et s'installa au volant. Le canon scié du fusil luisait faiblement sur le tapis de sol, côté passager. Autant attendre tranquillement ici, dans le noir. Le moment venu, il n'aurait plus qu'à dissimuler le fusil sous sa blouse, descendre de voiture, se poster à l'endroit prévu, et attendre ses deux oiseaux.

Hayward aperçut enfin la silhouette de l'hôpital au sommet d'un talus tapissé d'une pelouse. Elle appuya sur l'accélérateur, franchit un petit pont et ralentit brutalement à l'entrée du virage conduisant au parking en faisant crisser les pneus sur le goudron humide.

Elle gara la Buick sur le premier espace venu, ouvrit sa portière et jaillit de son siège en direction de l'allée couverte menant à l'entrée principale. Elle remarqua tout de suite le médecin posté dans la pénombre, son bloc à la main, un masque lui mangeant le bas du visage, comme s'il sortait à peine de salle d'opération.

— Capitaine Hayward ? lui demanda-t-il.

Elle se précipita à sa rencontre, inquiète de voir qu'on l'attendait.

— Comment va-t-il ?

— Il va s'en tirer, répliqua le médecin, la voix légèrement étouffée par le masque, tout en écartant les pans de sa blouse blanche de la main droite.

— Dieu soit loué…

Elle n'eut pas le loisir d'achever sa phrase et écarquilla les yeux en apercevant le fusil à canon scié.

59

New York

Le docteur Felder escalada les marches de pierre de la bibliothèque de New York. Dans son dos, la 5ᵉ Avenue interprétait son concert habituel de klaxons et de moteurs Diesel. Il s'arrêta un instant entre Patience et Fortitude, les deux énormes lions montant la garde au pied du bâtiment, le temps de consulter sa montre et de redresser la mince enveloppe de papier kraft coincée sous son bras, puis il entama l'ascension de la seconde volée de marches.

— Désolé, monsieur, l'apostropha un gardien posté à l'entrée. La bibliothèque vient de fermer ses portes.

Felder sortit de sa poche un document officiel qu'il tendit à son interlocuteur.

— Très bien, monsieur, approuva le gardien en s'écartant respectueusement.

— J'ai demandé à ce qu'on me sorte certains documents. On a dit à ma secrétaire qu'ils m'attendaient.

— Vous n'aurez qu'à vous adresser au département des recherches générales, répliqua l'homme. Pièce 315.

— Je vous remercie.

L'écho de ses pas sur les dalles du grand hall résonnait autour de lui. Il était un peu plus de 21 heures et l'endroit était désert, à l'exception d'un agent de sécurité qui examina à son tour son blanc-seing avant de lui désigner l'escalier monumental. Felder gravit les marches de marbre, perdu dans ses pensées. Arrivé au deuxième étage, il emprunta le couloir jusqu'à l'entrée de la pièce 315.

Le mot « pièce » décrivait mal une salle de lecture interminable dont le plafond à caissons, haut de quinze mètres, était couvert de fresques rococo. Deux rangées de lustres majestueux pendaient au-dessus de dizaines de tables parsemées de lampes en bronze à abat-jour. Malgré l'heure tardive, une poignée de chercheurs accrédités travaillaient en silence. Les milliers d'ouvrages alignés sur les rayonnages, de part et d'autre de la pièce, constituaient une goutte d'eau dans les formidables collections de la bibliothèque dont les sous-sols comptaient plus de six millions de références.

Mais ce n'étaient pas les collections de livres de la bibliothèque qui intéressaient Felder ce soir-là, il était venu consulter les archives de la ville, également conservées là.

Il se dirigea vers le gigantesque bureau de bois sculpté, de la taille d'un pavillon de banlieue, qui coupait l'espace en deux. Le temps de dire ce qu'il cherchait dans un murmure et un assistant poussa dans sa direction un chariot débordant de classeurs et de registres anciens. Il s'installa à la table la plus proche et arrangea les documents en piles autour de lui. Malgré l'usure du temps, les registres étaient tous d'une propreté surprenante. Tous concernaient la période courant de 1870 à 1880 et s'intéressaient au quartier de Manhattan dans lequel Constance Greene prétendait avoir grandi.

Depuis la décision d'internement prononcée à l'encontre de la jeune femme, Felder ne cessait de penser à elle. Ce qu'elle affirmait n'avait aucun sens, bien sûr ; simple délire d'une psychotique ayant perdu le sens des réalités.

Mais Felder connaissait suffisamment son métier pour savoir que Constance Greene ne présentait aucun des symptômes caractéristiques de ce type de pathologie. Un élément indéfinissable chez elle l'intriguait au plus haut point.

Je suis effectivement née dans un immeuble de Water Street au début des années soixante-dix, à ceci près qu'il s'agissait des années 1870. Vous trouverez la confirmation de ce que j'avance dans les archives municipales de Center Street, ainsi que dans celles de la bibliothèque de la Ville de New York. Je le sais pour avoir consulté moi-même les archives concernées.

Que souhaitait-elle leur dire? Pouvait-il s'agir d'un indice susceptible d'éclaircir le mystère qui l'entourait? Ou alors d'un appel à l'aide? Le seul moyen de le savoir était encore de consulter les archives en question. Felder se demanda un instant quelle mouche avait bien pu le piquer. Sa mission était terminée et d'autres patients l'attendaient. Et pourtant...

Au terme d'une heure de recherches, il se recula sur sa chaise et prit longuement sa respiration. Parmi les centaines de papiers jaunis par le temps qu'il avait parcourus se trouvait un recensement partiel de Manhattan mentionnant la présence d'une famille Greene au 16 Water Street.

Laissant provisoirement les registres sur la table, il se leva et descendit au département des recherches généalogiques, situé au rez-de-chaussée. Ses recherches dans le cadastre comme dans les archives du service militaire ne donnèrent aucun résultat. Le recensement de 1880 resta muet, mais celui de 1870 révéla le nom d'un certain Horace Greene dans le comté de Putnam, État de New York. L'examen des registres fiscaux de ce même comté pour les années précédentes lui fournit quelques indications supplémentaires.

Le temps de remonter au deuxième et Felder reprenait place à sa table. Cette fois, il sortit de l'enveloppe apportée avec lui les rares éléments glanés auprès de l'état civil.

Le moment était venu de poser sur la table toutes les informations dont il disposait.

En 1870, Horace Greene était fermier à Carmel, dans l'État de New York. Marié à Chastity Greene, il avait une fille, Mary, alors âgée de huit ans.

En 1874, le même Horace Greene, désormais docker, vivait dans le bas de Manhattan, au numéro 16 de Water

Street où il élevait trois enfants : Mary, douze ans, Joseph, trois ans, et Constance, un an.

En 1878, le service de la santé de la Ville de New York établissait des certificats de décès aux noms d'Horace et de Chastity Greene. Dans les deux cas, la cause de la mort était attribuée à la tuberculose. Le couple aurait donc laissé derrière lui trois orphelins, respectivement âgés de seize, sept et cinq ans.

Un registre de police datant de la même année montrait que Mary Greene avait été inculpée de prostitution. Selon les archives du tribunal, elle avait tenté de trouver un emploi comme lingère et couturière avant de se résoudre à faire le trottoir, faute de pouvoir subvenir à ses besoins comme à ceux de ses frère et sœur. Les services sociaux avaient alors demandé son internement à la Five Points Mission, après quoi Mary Greene disparaissait des archives sans laisser de trace.

Un autre registre de police, de l'année 1880 cette fois, précisait qu'un certain Castor McGillicutty avait battu à mort Joseph Greene, dix ans, après l'avoir surpris en train de lui fouiller les poches. Le coupable avait été condamné à une amende de dix dollars et une peine de soixante jours de travaux forcés dans la prison des Tombs, mais la sentence avait été commuée par la suite.

Rien d'autre. La seule mention relative à Constance Greene datait donc de 1874.

Felder rangea en soupirant le dernier document dans son dossier d'origine. Il était évident que la jeune femme s'était appuyée sur cette bribe d'information et s'était glissée dans la peau de Constance Greene en faisant un transfert. Mais pour quelle raison ? Pourquoi avoir choisi cette famille d'une banalité presque sordide alors qu'elle aurait pu se raccrocher à des milliers, voire des millions d'autres histoires infiniment plus pittoresques ? Pouvait-il s'agir de ses ancêtres ? Les archives semblaient pourtant indiquer que la lignée des Greene s'était éteinte, rien ne permettait de penser qu'un membre de la famille ait survécu après 1880.

Felder se releva à nouveau et demanda à consulter les principaux journaux de Manhattan de la seconde moitié des années 1870 qu'il entreprit de feuilleter au hasard. Il parcourait sans grande conviction articles, annonces et publicités, persuadé de perdre son temps faute de savoir ce qu'il cherchait. Pourquoi diable le cas de Constance Greene l'obnubilait-il à ce point? Ce n'était pas comme si…

Il sursauta en découvrant une gravure intitulée « Gamins des rues en plein jeu », tirée d'un exemplaire de 1879 du *New York Daily Inquirer*, un journal populaire du quartier de Five Points. On y découvrait une longue rangée de taudis lugubres devant lesquels jouaient plusieurs garnements dépenaillés sous le regard d'une petite fille, un balai à la main. Les traits émaciés, celle-ci avait une expression de désespoir, presque de peur, qui contrastait avec l'allure hilare des gamins. Ce n'était pas tant son expression qui avait frappé Felder, mais son visage, car elle ressemblait à s'y méprendre à Constance Greene.

Le psychiatre regarda la gravure pendant un long moment, puis il referma le journal d'un geste lent, l'air songeur.

60

Bastrop, Mississippi

Plusieurs coups de feu retentirent tandis que Hayward se jetait de côté, suivis par la clameur du fusil de chasse. La jeune femme tomba lourdement sur le sol en sentant passer au-dessus d'elle le souffle de la décharge de chevrotine. Elle eut la présence d'esprit de rouler sur elle-même en sortant son arme, mais le faux médecin s'enfuyait déjà en direction du parking, les pans de sa blouse blanche volant dans son sillage. Une nouvelle série de coups de feu se fit entendre et Hayward vit la Rolls-Royce traverser le parking dans un nuage de gomme. Penché à travers la vitre du conducteur, Pendergast continuait à tirer, tel un cow-boy déchargeant son Colt depuis son cheval lancé au galop.

La Rolls fit un dérapage contrôlé dans un crissement de pneus. Elle n'était pas encore immobilisée que Pendergast ouvrait sa portière à la volée et se ruait vers la jeune femme.

— Je n'ai rien! lui cria-t-elle en peinant à se relever. Je n'ai rien, bon sang! Là-bas! Il s'enfuit!

Elle n'avait pas achevé sa phrase qu'un moteur vrombissait et qu'une voiture s'éloignait en trombe avant de disparaître dans la nuit.

Il l'aida à se relever.

— Pas le temps. Suivez-moi.

L'instant d'après, les deux policiers poussaient violemment la double porte et passaient en courant devant le bureau d'accueil où régnait une panique absolue. Accroupi derrière le comptoir, un agent de sécurité hurlait des instructions au téléphone tandis que l'hôtesse et plusieurs autres employés, couchés par terre, attendaient la fin de l'orage. Pendergast entraîna sa compagne vers une autre porte et agrippa par la manche le premier médecin dont il croisa la route.

— L'alerte du patient de la 323, dit-il en sortant son badge. Il ne s'agit pas d'un choc anaphylactique, mais d'une tentative de meurtre. On a tenté de l'empoisonner en lui injectant un produit quelconque.

— Compris, acquiesça le médecin sans ciller. Pas une minute à perdre.

Tous trois se précipitèrent dans l'escalier le plus proche et rallièrent en un temps record la chambre de D'Agosta où s'activaient en silence médecins et infirmières au milieu d'une masse d'appareils clignotant de tous les côtés. D'Agosta gisait sur son lit, inanimé.

Le médecin qui accompagnait Pendergast et Hayward s'avança.

— Écoutez-moi tous. Quelqu'un a administré à ce patient un produit mortel.

Une infirmière releva la tête.

— Comment diable…?

Le médecin la coupa d'un geste.

— La question n'est pas là. Il faut impérativement savoir *quel produit* a pu provoquer de tels symptômes.

Dans le brouhaha qui suivit, alors que s'échangeaient diagnostics et dossiers, le médecin se tourna vers Pendergast et Hayward.

— Vous ne pouvez rien de plus à ce stade, je vous demanderai de bien vouloir attendre dans le couloir.

— J'attends ici, répliqua Hayward.

— Il n'en est pas question.

Hayward franchissait le seuil de la chambre, résignée, lorsqu'un signal sonore se déclencha. Elle tourna la tête et vit la courbe de l'électrocardiogramme s'aplatir dramatiquement.

— Mon Dieu! s'écria-t-elle. Je vous en supplie, laissez-moi rester…

La porte se referma au nez de la jeune femme et Pendergast l'entraîna doucement dans le couloir.

La salle d'attente, petite et nette avec ses sièges en plastique scrupuleusement récurés, disposait d'une seule fenêtre près de laquelle se posta Hayward. Son esprit travaillait à toute vitesse, à la façon d'un moteur détraqué, sans qu'il lui fût possible d'aligner deux idées cohérentes. Elle avait la bouche sèche, ses mains tremblaient, et une larme solitaire lui roula le long de la joue, conséquence incontrôlée du sentiment de frustration et de rage qui la dévorait.

La main de Pendergast se posa sur son épaule et elle la balaya d'un geste en s'écartant d'un pas.

— Capitaine? lui dit l'inspecteur d'une voix calme. Puis-je vous rappeler que le lieutenant et vous-même venez d'être victimes d'une tentative de meurtre?

— Foutez-moi la paix, s'énerva-t-elle en secouant la tête.

— Vous devez retrouver votre instinct de policier. J'ai besoin de votre aide, et tout de suite.

— Je me contrefiche de votre enquête.

— Il ne s'agit plus uniquement de mon enquête, malheureusement.

Elle avala sa salive, le visage buté, les poings serrés.

— Si jamais il meurt…

— Cela ne dépend pas de nous, reprit la voix de Pendergast, sur le même ton hypnotique. Écoutez-moi bien. Je vous demande d'oublier un instant Laura Hayward et de redevenir le capitaine Hayward. Nous devons discuter ensemble d'un point précis. Sans attendre.

Elle serra les paupières, totalement abattue. Elle n'avait même plus la force de se rebeller.

— Tout semble indiquer que le meurtrier est un médecin, poursuivit Pendergast.

Elle n'en pouvait plus de toute cette histoire. Elle n'en pouvait plus de rien, même de la vie. Si Vinnie mourait… Elle s'obligea à chasser cette idée de sa tête.

— J'avais pris des précautions hors du commun afin de tenir secrète la retraite de Vincent. Notre meurtrier a pu le retrouver et s'en prendre à lui parce qu'il avait accès à des dossiers médicaux et des produits pharmaceutiques. À ce stade, il existe deux possibilités. La première, c'est que notre homme appartient à l'équipe qui traite actuellement Vincent, mais j'ai du mal à croire à une telle coïncidence. La seconde, plus vraisemblable, est que le meurtrier a retrouvé Vincent en suivant à la trace la valve de porc implantée lors de son opération. Il se peut même que nous ayons affaire à un spécialiste de chirurgie cardiaque.

Comme la jeune femme ne répondait rien, il insista.

— Comprenez-vous ce que cela signifie? Cela veut dire que Vincent lui aura servi d'appât. En le plongeant dans un coma mortel, le meurtrier souhaitait nous attirer dans ses filets. Il aura cru que nous arriverions ensemble, et ne pas le faire nous aura sauvés.

Elle continuait à lui tourner le dos. Un *appât*? Vinnie avait servi d'appât. Pendergast enchaîna après un court silence.

— Pour le moment, il n'y a rien d'autre à tenter. Je crois toutefois avoir réalisé une découverte de première importance après vous avoir quittée tout à l'heure. Le suicide de June Brodie a été marqué par un certain nombre de coïncidences troublantes. Nous savons notamment qu'il a eu lieu une semaine après l'incendie au cours duquel Slade a trouvé la mort. Un mois plus tard, le mari de June annonçait à ses voisins qu'il partait en voyage à l'étranger, et personne ne l'a jamais revu depuis. Leur maison, longtemps abandonnée, a finalement été vendue. J'ai bien tenté de retrouver Brodie, sans succès jusqu'à présent. Sauf qu'il ne semble pas avoir quitté le pays.

Hayward se retourna malgré elle.

— June était une jolie jeune femme et tout semble indiquer qu'elle avait une aventure avec Slade depuis longtemps.

— Voilà la solution! réagit brusquement Hayward.
June ne s'est pas suicidée. C'est son mari qui l'a tuée avant
de s'enfuir.

— Deux éléments contredisent une telle hypothèse. Le
premier est la note retrouvée après son suicide.

— Il l'aura forcée à l'écrire.

— Vous avez pu remarquer vous-même que rien n'indiquait le moindre signe de précipitation ou de stress dans
son écriture. Mais ce n'est pas tout. Peu avant son suicide,
June Brodie avait appris qu'elle souffrait de la maladie de
Charcot, une sclérose latérale amyotrophique dont elle
serait morte assez rapidement.

Un pli barra le front de Hayward.

— L'existence d'une maladie mortelle plaiderait pour
le suicide.

— Meurtre ou suicide, murmura Pendergast. Il peut y
avoir une troisième solution.

Hayward préféra ignorer cette remarque sibylline à la
Pendergast.

— Hudson, le détective privé, a été assassiné alors qu'il
enquêtait sur Brodie. Le coupable n'a pas envie de nous
voir fouiller son passé, ce qui devrait nous inciter à persé-
vérer.

Pendergast acquiesça.

— Que savez-vous d'autre sur elle?

— Son histoire familiale est fort banale. Les Brodie se
sont enrichis autrefois grâce au pétrole, mais leurs gise-
ments se sont taris dans les années 1960 et ils ont connu des
jours nettement moins glorieux. June a grandi assez chichement et s'est contentée de suivre des études d'infirmière, un
métier qu'elle a pratiqué quelques années seulement. Difficile de savoir si le métier ne lui convenait pas, ou bien si
elle aspirait à gagner davantage d'argent comme assistante

de direction. Quoi qu'il en soit, elle est entrée chez Longitude où elle est restée jusqu'à sa mort. Mariée à son flirt de lycée, elle semble avoir trouvé davantage de réconfort auprès de Charles Slade.

— Qu'en pensait le mari?

— Il n'était pas au courant, ou bien alors il fermait les yeux.

Pendergast tendit une enveloppe à Hayward.

— J'aurais aimé que vous jetiez un coup d'œil à ceci.

Elle déplia le rabat et découvrit plusieurs articles de journaux jaunis dans des pochettes transparentes, accompagnés d'une carte de la région.

— De quoi s'agit-il?

— Vous disiez tout à l'heure que June Brodie jouait un rôle clé dans cette affaire et je vous suis sur ce point. Mais je voudrais attirer votre attention sur un autre élément crucial : la géographie.

— La géographie?

— Je pense tout particulièrement aux marais du Black Brake, approuva Pendergast en montrant du menton les coupures de presse.

Hayward les feuilleta rapidement. Il s'agissait essentiellement de légendes attachées au Black Brake, telles que les avait rapportées la presse locale : des lumières mystérieuses apparues la nuit, un chasseur de grenouilles porté disparu, diverses histoires de fantômes et de trésors cachés. Elle-même avait entendu des racontars similaires lorsqu'elle était petite. Le marais, l'un des plus vastes du pays, avait toujours eu mauvaise réputation.

— Regardez, insista Pendergast en faisant courir son doigt sur la carte. D'un côté du Black Brake, nous avons le siège des laboratoires Longitude. De l'autre, la petite ville de Sunflower où résidait la famille Doane. Et puis vous avez les Brodie qui vivaient à Malfourche, un village bordant le lac à l'est du marais.

Pendergast tapota la carte du doigt.

— Et là, juste au milieu du Black Brake, vous avez Spanish Island.

374

— De quoi s'agit-il?

— La famille Brodie était propriétaire, au cœur du marais, d'un campement de chasse baptisé Spanish Island. Ce n'était pas une île à proprement parler, plutôt une butte de terre boueuse perdue en plein marécage. Le campement lui-même était érigé sur pilotis, et il a été abandonné dans les années 1970, faute de clientèle. Condamné depuis, il n'a jamais rouvert ses portes.

— Et alors? demanda Hayward en croisant brièvement son regard.

— Si vous lisez attentivement ces articles, vous constaterez qu'ils ont tous été publiés dans les colonnes de petits journaux locaux, à Sunflower, Itta Bena, et plus particulièrement Malfourche. J'avais déjà remarqué l'abondance de reportages relatifs au marais en fouillant les archives du journal de Sunflower, sans y prêter attention. Mais si vous reportez sur une carte les lieux mentionnés dans la presse, vous observerez qu'ils se trouvent systématiquement dans le voisinage de Spanish Island, en plein milieu des marais.

— Il s'agit de légendes, inspecteur. Des légendes pittoresques sans doute, mais rien d'autre.

— Il n'y a jamais de fumée sans feu.

Elle glissa les articles dans l'enveloppe et la lui rendit.

— Ce n'est plus du travail de police, c'est un jeu de devinettes. Vous ne disposez d'aucun élément sérieux permettant de pointer Spanish Island du doigt.

Une étincelle fugitive passa dans les yeux de Pendergast.

— Il y a cinq ans, une association de défense de l'environnement a entrepris de vider une décharge située près de Malfourche. Une décharge illicite comme on en trouve couramment dans le Sud, où les gens déposent tout ce dont ils veulent se débarrasser, de leurs réfrigérateurs jusqu'à leurs vieilles voitures. Les volontaires de cette association ont précisément exhumé de la vase une automobile, et lorsqu'ils ont voulu retrouver la trace de son propriétaire afin de lui infliger une amende, ils n'ont jamais pu lui mettre la main dessus.

— Pourquoi? À qui appartenait cette voiture?

— Elle était immatriculée au nom de Carlton Brodie, le mari de June, dont c'était le dernier véhicule connu. Il s'agissait de l'auto avec laquelle il était censé avoir quitté le pays.

Hayward fronça les sourcils, ouvrit la bouche et la referma aussitôt, préférant le laisser poursuivre.

— Ce n'est pas tout. Un détail me tracassait depuis ce matin. Vous vous souvenez de cette jetée que nous avons vue chez Longitude, derrière le bâtiment 6?

— Eh bien?

— Quel besoin les dirigeants de Longitude avaient-ils d'entretenir une jetée sur le marais du Black Brake?

Hayward prit le temps de réfléchir avant de répondre.

— Peut-être était-elle plus ancienne.

— C'est une possibilité, mais je ne le crois pas. Elle n'avait pas l'air assez vieille. Non, capitaine, tout nous ramène à Spanish Island, à commencer par cette jetée.

La conversation fut interrompue par l'irruption du médecin dans la salle d'attente. Il ne laissa pas le temps à Hayward de l'interroger.

— Il va s'en tirer, déclara-t-il, incapable de dissimuler son propre soulagement. Nous avons trouvé la solution juste à temps. Quelqu'un lui a injecté une dose de Pavulon, un puissant inhibiteur neuromusculaire dont on a découvert qu'il manquait un flacon dans les réserves de l'hôpital.

Hayward crut un instant qu'elle allait tourner de l'œil. Elle s'agrippa au dossier d'une chaise et s'y laissa tomber.

— Dieu soit loué.

Le médecin se tourna vers Pendergast.

— Je ne sais pas comment vous avez deviné, mais vous lui avez sauvé la vie.

Hayward lança un coup d'œil gêné en direction de l'inspecteur.

— Nous avons contacté les autorités locales comme il se doit, poursuivit le médecin. La police sera ici d'un moment à l'autre.

Pendergast remisa l'enveloppe dans une poche intérieure de son costume.

— Fort bien. Nous allons devoir vous laisser pour une mission urgente, docteur. Voici ma carte, demandez à la police de prendre contact avec moi. Veillez surtout à ce que le malade soit sous protection policière vingt-quatre heures sur vingt-quatre. Je doute que l'assassin souhaite récidiver, mais on ne sait jamais.

— Très bien, monsieur Pendergast, approuva le médecin en découvrant le nom de son interlocuteur sur la carte.

— Allons, capitaine. Pas de temps à perdre, conclut Pendergast en se dirigeant vers la porte.

— Mais… où allons-nous? s'étonna Hayward.

— À Spanish Island.

61

Penumbra

La vieille demeure était plongée dans l'obscurité, les rayons de la lune ne parvenant pas à percer l'épaisse couche nuageuse. Le paysage hivernal semblait baigner dans une nappe humide et chaude, tout à fait inhabituelle pour la saison, et les insectes des marais voisins ne trouvaient même plus la force de bruisser.

Maurice fit le tour du rez-de-chaussée de la plantation en s'assurant que les fenêtres étaient bien fermées, les lumières éteintes, puis il poussa le verrou de la porte d'entrée et donna un tour de clé.

Il se dirigeait vers l'escalier après un ultime coup d'œil, l'esprit tranquille, lorsque la sonnerie du téléphone brisa le silence.

Surpris, le vieil homme s'avança vers l'appareil et décrocha le combiné d'une main noueuse.

— Oui?

— Maurice? résonna la voix de Pendergast, reconnaissable entre toutes malgré la rumeur de ce qui devait être une bourrasque de vent.

— Oui? répéta Maurice.

— Je voulais vous avertir que nous n'allons finalement pas rentrer ce soir. Vous pouvez verrouiller la porte de l'office.

— Très bien, monsieur.

— Nous serons de retour demain en fin de journée. Je vous préviendrai en cas de contretemps.

— Parfait.

Maurice eut une hésitation.

— Puis-je vous demander où vous allez, monsieur?

— À Malfourche, un village sur les bords du Black Brake.

— Très bien, monsieur. Je vous souhaite un bon voyage.

— Merci, Maurice. À demain.

Pendergast raccrocha et le majordome l'imita d'une main distraite, l'air perplexe. Se décidant brusquement, il décrocha à nouveau et composa un numéro.

La sonnerie retentit longtemps avant que quelqu'un ne décroche.

— Allô? dit Maurice. Monsieur Judson?… C'est Maurice, à la plantation Penumbra. Je vais très bien, je vous remercie, monsieur. Oui. Oui, il vient de m'appeler. Ils se rendent dans le marais du Black Brake. Un village du nom de Malfourche. Je sais que vous vous inquiétez à son sujet et j'ai préféré vous en avertir. Non, il ne m'a pas dit pourquoi. Oui. Très bien, monsieur. Il n'y a pas de quoi, monsieur. Bonne nuit à vous.

Le vieil homme raccrocha et rejoignit l'office dont il verrouilla la porte, ainsi que le lui avait recommandé Pendergast. Le temps d'effectuer un dernier tour et il gagna sa retraite du premier étage.

62

Malfourche, Mississippi

Mike Ventura abaissa d'un cran la manette des gaz et se rapprocha du vieux quai accroché au bar de Minus, une bâtisse en bois toute de guingois, perchée sur pilotis, d'où sortaient des bouffées de musique country ponctuées de cris éméchés et de rires gras.

Il attacha la barque à l'un des rares anneaux libres, coupa le moteur et sauta sur la jetée. Il était minuit et la fête battait son plein chez Minus, ce que confirmaient les dizaines d'embarcations arrimées de tous côtés, des hors-bord de pêche rutilants comme des plates en contreplaqué. Malfourche n'était peut-être pas le centre de l'univers, mais la faune locale avait toujours su s'amuser et Ventura savourait d'avance le verre de Jack Daniel's qu'il allait arroser d'une bonne bière glacée. Pour commencer.

Il poussa la porte du bar et fut assailli par des odeurs et des sons qu'il n'avait connus nulle part ailleurs. Un mélange de musique, de bière, de néons, de sciure et d'humidité, porté par le parfum caractéristique du marais qui venait lécher les pilotis de la guinguette. Un stand d'articles de pêche se dressait face au bar, le tout dans ce qui ressemblait à une grange centenaire. À cause de l'heure tardive, les lumières étaient éteintes côté magasin, où ronronnaient les immenses frigos et autres baquets dans lesquels vers de terre et écrevisses côtoyaient sangsues, larves, asticots et mouches.

Ventura se fraya un chemin jusqu'au bar où Minus en personne, une montagne de graisse, posa d'autorité devant lui un double Jack Daniel's et une canette de Coors ruisselante de glace pilée.

Ventura hocha la tête en signe de remerciement, porta le petit verre de bourbon à ses lèvres, le vida d'un trait et l'arrosa d'une lampée de Coors.

Tout en éclusant sa bière, il observa le décor ambiant avec émotion. Le troquet ne payait pas de mine, mais c'était l'un des derniers endroits de la planète épargnés par les bamboulas, les tantouzes et les Yankees. Le lieu n'accueillait que des Blancs pur jus et ça ne risquait pas de changer, tant mieux. Le mur derrière le bar était couvert de centaines de cartes postales et de vieilles photos de bûcherons brandissant fièrement leur hache, de clichés plus récents de bateaux et de poissons de concours, de billets d'un dollar ornés d'autographes. On reconnaissait aussi une vue aérienne de Malfourche à la grande époque où la ville regorgeait de chasseurs d'alligators et de coupeurs de cyprès. À l'époque où tout le monde avait son bateau, sa camionnette et une maison digne de ce nom. Avant que les écolos transforment la moitié de la région en réserve naturelle.

Réserve naturelle mon cul.

Ventura avait à peine vidé sa bière que Minus posait devant lui une autre canette de Coors et un petit verre de Jack Daniel's. Pas à dire, Minus connaissait ses habitudes, mais Ventura entendait rester lucide car il était là en mission. Une mission qui allait lui rapporter beaucoup de fric, sans risque. Il balaya du regard les slogans punaisés au mur — LES RANDONNEURS, AILLEURS! — SOUTENEZ LES ALLIGATORS — FAITES-LEUR BOUFFER DES ÉCOLOS... — et sourit intérieurement.

Il se pencha au-dessus du bar et adressa un signe au patron.

— Minus, j'ai une annonce importante à faire. Ça t'emmerderait de couper la musique?

— Pas de problème, Mike.

Minus s'approcha de la chaîne et appuya sur un bouton. La brutalité du silence retrouvé suffit à interrompre les conversations et tous les regards se braquèrent sur le bar.

Ventura se laissa glisser nonchalamment de son tabouret et se planta au milieu de la salle en claquant les talons de ses santiags sur le plancher usé.

— Yo Mike ! cria une voix, déclenchant des sifflets et des cris avinés.

Il était connu dans le coin, pour avoir été shérif du comté à une époque, mais surtout pour avoir su rester proche des gens, malgré son fric, sans pour autant se laisser marcher sur les pieds par la racaille blanche du cru. Ventura avait toujours su se faire respecter.

Il passa les pouces dans sa ceinture et dévisagea lentement les membres de l'assistance, pendus à ses lèvres. Ce n'était pas tous les jours que Mike Ventura leur offrait un discours. On aurait entendu voler une mouche et Ventura en éprouvait une certaine fierté.

— Nous avons un petit problème, commença-t-il en laissant volontairement un court silence ponctuer sa phrase. Ou plutôt deux petits problèmes. Deux écolos qui ont décidé de venir ici incognito. Histoire de voir si on ne pourrait pas étendre la réserve naturelle au reste du Black Brake, et même au lac.

— Le lac ? cria quelqu'un au milieu d'un brouhaha de jurons et de murmures choqués. Et puis quoi encore ?

— Exactement. Fini la pêche, fini la chasse, plus rien. Une réserve naturelle pour que ces connards d'écolos puissent venir regarder les petits oiseaux dans leurs kayaks de merde.

Un tonnerre de huées et de sifflets lui répondit, que Ventura apaisa d'un geste.

— Ils ont commencé par interdire l'exploitation du bois. Ensuite ils ont mis la main sur la moitié du Brake, et ils veulent recommencer avec le reste, sans parler du lac. Si on les laisse agir, nous n'aurons plus rien. Vous vous souvenez de ce qui s'est passé la dernière fois ? On a eu beau organiser des réunions, manifester, écrire, qu'est-ce qui s'est passé?

Une clameur unanime s'éleva de la salle.

— Exactement. Ils nous l'ont mis bien profond!

Ventura calma le tonnerre de hurlements en levant à nouveau les mains.

— Écoutez-moi. Ils seront là demain. Je ne sais pas exactement quand, probablement tôt le matin. Un grand escogriffe en costume noir accompagné d'une fille. Ils sont là en mission d'investigation.

— Une mission d'investiga-quoi? répéta une voix pâteuse.

— Ils viennent s'informer. Réaliser des expériences scientifiques en catimini. Ces enfoirés n'ont même pas les couilles de se montrer au grand jour.

Un silence inquiétant ponctua les propos de l'ancien shérif.

— C'est comme je vous le dis. Je ne sais pas ce que vous en pensez, mais je commence à en avoir marre que des trous du cul yankees viennent me dire ce que je dois faire des poissons, des arbres et des terrains qui m'appartiennent.

Nouvelle salve de cris. Tous devinaient où souhaitait en venir Ventura. Ce dernier sortit de la poche arrière de son pantalon une liasse de billets qu'il brandit sous leurs yeux.

— Tout travail mérite salaire, annonça-t-il en posant bruyamment les billets sur une table couverte de taches de graisse. Et ce n'est que le début, ceux-ci ont des petits frères. Vous savez ce qu'on dit : le marais ne rend jamais ce qu'on lui donne. C'est à vous de prendre le problème en main, parce que personne d'autre ne le fera à votre place. Sinon, autant dire tout de suite au revoir à Malfourche, vendre vos flingues, abandonner vos maisons, prendre vos cliques et vos claques et vous installer chez ces tarlouzes de Boston et de San Francisco. C'est ça que vous voulez?

Dans l'excitation générale, une table s'écrasa bruyamment sur le plancher.

— Je vous demande d'accueillir ces deux écolos comme ils le méritent. Je compte sur vous pour leur accorder un petit traitement de faveur. *Le marais ne rend jamais ce qu'on lui donne.* Merci d'avance, mes amis, et bonne nuit!

La foule surexcitée n'attendait que ce signal pour laisser exploser sa colère. Ventura en profita pour gagner la porte qu'il repoussa d'une bourrade avant de s'éloigner dans la nuit moite. Aux cris joyeux qui résonnaient à son arrivée avaient succédé jurons et imprécations. Quand les deux autres imbéciles pointeraient le bout du nez le lendemain, ceux qui étaient là ce soir auraient suffisamment cuvé leur bière pour les accueillir dignement.

Il déplia son portable et composa un numéro.

— Judson? Notre petit problème est réglé.

63

En sortant sur la coursive du motel qu'inondait la lumière du matin, Laura Hayward aperçut Pendergast en train de charger sa valise dans le coffre de la Rolls. Le temps était anormalement chaud pour un mois de mars, le soleil brûlait la nuque de la jeune femme qui se demanda un instant si tant d'années à New York n'avaient pas fini par émousser sa résistance à la chaleur sudiste. Un sac de voyage à la main, elle descendit l'escalier de béton et déposa à son tour son fardeau dans le coffre.

Il faisait délicieusement bon à l'intérieur de la Rolls dont les banquettes de cuir crème avaient préservé la fraîcheur. Il leur restait une quinzaine de kilomètres à parcourir, Malfourche ayant perdu son dernier hôtel depuis longtemps.

— J'ai effectué quelques recherches sur le Black Brake, expliqua Pendergast en rejoignant la route. Il s'agit de l'un des marais les plus vastes et les plus sauvages du Sud, puisqu'il s'étend sur près de trente mille hectares. Il est bordé d'un côté par un lac, le Lake End, et de l'autre par une multitude de bayous et de canaux.

Hayward, obnubilée par les péripéties de la veille, avait le plus grand mal à se concentrer sur les explications de son compagnon.

— Le village de Malfourche forme une péninsule sur la rive orientale du Brake, son nom d'origine française se référant à la forme du bayou sur lequel il repose, une patte-d'oie en cul-de-sac que les premiers pionniers français avaient confondue avec l'embouchure d'une rivière. Ce marais recelait autrefois l'une des plus grandes réserves de cyprès du pays. Soixante pour cent de cette forêt exceptionnelle avait toutefois disparu en 1975, décimée par le bûcheronnage, lorsque la moitié ouest du marais a été transformée en site protégé.

— Comment avez-vous appris tout ça ? s'étonna Hayward.

— Il semble que tous les motels soient équipés du wifi de nos jours, même les moins glorieux.

— Je vois.

Ce type-là ne dormait donc jamais ?

— Malfourche s'est peu à peu transformée en ville fantôme, poursuivit l'inspecteur. Le lieu a été durement touché par la fin de l'exploitation du bois et la création de la réserve naturelle qui réglemente sérieusement la pêche et la chasse. La vie de la commune ne tient plus qu'à un fil.

— Je me demande s'il est vraiment judicieux d'arriver au volant d'une Rolls-Royce, surtout si vous voulez interroger les autochtones.

— Bien au contraire, murmura Pendergast.

Ils arrivèrent devant une rangée de petites maisons délabrées devant lesquelles rouillaient des voitures et des tas de ferraille. La plupart des toits étaient affaissés. Ils passèrent devant une église badigeonnée de blanc et découvrirent une rue principale piteuse qui s'arrêtait au bord d'un vieux quai en bois. La plupart des commerces étaient abandonnés, leurs vitrines couvertes de chiures de mouche occultées par du papier journal ou badigeonnées au blanc d'Espagne, des pancartes À LOUER aux couleurs ternies accrochées un peu partout.

— Pendergast, fit brusquement Hayward.

— Oui ?

— Vous ne trouvez pas cette histoire démesurée ? Je veux dire, pourquoi avoir voulu tuer Vinnie ? Et moi ? Pourquoi avoir abattu Blackletter et Blast et je ne sais qui d'autre ? J'ai du mal à comprendre une telle frénésie, surtout s'agissant d'une affaire vieille de douze ans. Assassiner des flics était encore le plus sûr moyen d'attirer l'attention sur eux.

— Vous avez raison de parler de frénésie, acquiesça Pendergast. Vincent m'a livré une opinion similaire au sujet du lion, il trouvait la méthode bien compliquée. Mais cela nous éclaire sur la nature de nos adversaires… vous ne trouvez pas?

La Rolls s'immobilisa dans un petit parking à peu de distance du quai et les deux policiers en sortirent sous le regard mauvais d'une bande de personnages débraillés, regroupés près des anneaux du petit port. Hayward regrettait presque d'avoir laissé la Buick sur le parking de l'hôpital.

Malgré le soleil brûlant, Pendergast boutonna la veste de son sempiternel costume funèbre.

— Je vous propose de nous promener sur ce petit quai, ce qui nous permettra d'échanger quelques mots avec ces messieurs.

Hayward haussa les épaules.

— Je doute qu'ils se montrent très bavards.

— Bavards, sans doute pas. Communicatifs, peut-être.

L'inspecteur se dirigea d'une démarche nonchalante vers les hommes qui les observaient avec méfiance.

— Bonjour à vous, messieurs, dit-il avec son plus pur accent aristocratique de La Nouvelle-Orléans, ponctuant ses mots par une courbette.

Le silence épais qui lui répondit se chargea d'alimenter les inquiétudes de Hayward. Pendergast n'aurait pu s'y prendre plus mal, l'hostilité des autochtones était palpable.

— Ma collaboratrice et moi-même sommes venus admirer la région. Nous sommes amateurs d'oiseaux.

— Des amateurs d'oiseaux, répéta l'un des hommes en se tournant vers ses compagnons. Vous entendez ça, les gars?

La boutade provoqua l'hilarité générale.

Hayward grimaça intérieurement. Ils n'iraient pas loin en s'y prenant de la sorte. Du coin de l'œil, elle vit un petit groupe sortir d'un bâtiment sur pilotis au-dessus duquel était accrochée une pancarte peinte à la main : CHEZ MINUS — CAFÉ ET MAGASIN DE PÊCHE.

En queue de peloton se tenait un personnage monstrueux. Un géant obèse au crâne rasé, un débardeur tendu à craquer sur son énorme ventre, les bras comme des jambons fumés dont ils avaient la couleur. Il écarta sans aménité la masse de ses acolytes, traversa le quai et se planta devant Pendergast.

— À qui ai-je l'honneur? s'enquit l'inspecteur.

— On m'appelle Minus, se présenta-t-il en regardant Pendergast de la tête aux pieds avant de déshabiller Hayward de ses yeux porcins, oubliant de tendre la main.

Minus, pensa la jeune femme. *Ben voyons.*

— Quant à moi, je me nomme Pendergast et voici ma collaboratrice Hayward. Comme je l'expliquais à ces messieurs, nous sommes amateurs d'oiseaux. Nous nous intéressons au martin-pêcheur à ventre roux, dont j'ai cru comprendre qu'il existait de rares spécimens dans les coins les plus reculés de ces marais.

— Sans blague?

— Nous sommes à la recherche d'un fin connaisseur du lieu, susceptible de nous prodiguer quelques conseils.

Minus s'avança d'un pas et lâcha un jet de jus de chique par terre, éclaboussant les chaussures anglaises de Pendergast.

— Mon Dieu, réagit Pendergast d'une voix égale. Vous avez maculé mes souliers.

Hayward avait envie de hurler. S'il continuait sur le même registre, Pendergast allait provoquer une bagarre.

— On dirait, ricana Minus.

— Je me demandais si vous ne pourriez pas nous aider, monsieur Minus.

— Non, claqua la réponse.

Cette fois, le patron du bar veilla soigneusement à ce que le jet noir s'écrase directement sur les chaussures de Pendergast.

— Me trompé-je, ou bien vous m'avez sali délibéré-ment? s'informa Pendergast sur un ton réprobateur.

— Tu ne te trompé-je pas du tout.

— Chère amie, reprit l'inspecteur en se tournant vers sa compagne, j'ai comme l'impression que nous ne sommes pas les bienvenus ici. Je vous propose de nous en retourner.

À la grande surprise de la jeune femme, Pendergast battit en retraite en direction de la Rolls et elle eut toutes les peines du monde à le rattraper tandis que des rires bruyants fusaient dans leur dos.

— Vous comptez vous laisser marcher sur les pieds? s'énerva-t-elle.

Pendergast s'arrêta net en découvrant des rayures en forme de graffiti sur le capot de l'auto: *merde aux écolos*. Un sourire énigmatique aux lèvres, il se glissa derrière le volant.

Hayward ouvrit sa portière sans donner l'impression de vouloir monter dans la voiture.

— Qu'est-ce que vous fichez? Je croyais qu'on venait chercher des informations?

— Ces gens se sont montrés infiniment plus éloquents que vous ne le pensez.

— Mais enfin! Vous allez les laisser rayer votre voiture après vous avoir craché sur les pieds?

— Montez, lui ordonna-t-il d'une voix ferme.

Elle obtempéra et la Rolls exécuta un demi-tour avant de s'éloigner dans un nuage de poussière.

— On s'enfuit comme des malpropres? C'est ça?

— Mon cher capitaine, m'avez-vous déjà vu fuir?

Elle s'enferma dans un silence buté. La Rolls ne tarda pas à ralentir et la jeune femme fronça les sourcils en voyant Pendergast s'engager sur l'allée de la petite église devant laquelle ils étaient passés à leur arrivée. Pendergast se gara devant le presbytère et descendit. Le temps d'essuyer ses chaussures dans l'herbe et il appuyait sur la sonnette. Un homme ouvrit la porte. De taille élancée, un visage aux traits marqués soulignés par une barbe sans moustache, l'homme n'était pas sans évoquer Abraham Lincoln.

— Révérend Gregg? Je me présente, Al Pendergast, pasteur de la Southern Baptist Church du comté d'Hemhoibshun. Ravi de faire votre connaissance! s'écriat-il en secouant longuement la main du prêtre qui ouvrait de grands yeux. Et voici ma sœur Laura. Auriez-vous un instant à nous accorder?

— Mais… euh, bien sûr, bégaya Gregg en recouvrant peu à peu ses esprits. Entrez, je vous en prie.

Les deux policiers suivirent leur hôte à l'intérieur d'une maison méticuleusement rangée.

— Asseyez-vous, les invita Gregg, pas totalement revenu de sa surprise.

Pendergast, très à l'aise, s'octroya d'office le fauteuil le plus confortable et s'y laissa tomber en passant une jambe par-dessus l'autre.

— Laura et moi ne sommes pas ici en visite pastorale, annonça-t-il en sortant de sa poche un carnet et un crayon. On m'a beaucoup parlé de votre église et de votre sens de l'hospitalité, nous avons décidé d'en profiter.

— Je vois, balbutia Gregg qui ne voyait rien du tout.

— Laissez-moi vous expliquer, révérend. Lorsque je ne m'occupe pas de mes ouailles, je me passionne pour l'histoire locale. Je suis grand amateur de mythes et de légendes que je vais chercher dans les recoins les plus reculés de notre cher Sud. Je suis actuellement en train d'écrire un ouvrage intitulé *Mythes et légendes des marais*, c'est même la raison de notre présence ici, déclara Pendergast d'une voix triomphale en s'enfonçant confortablement dans son fauteuil.

— Comme c'est intéressant, mentit Gregg.

— J'ai pris l'habitude, lors de mes périples, de m'adresser en priorité aux pasteurs locaux, et je n'ai jamais été déçu.

— Vous m'en voyez ravi.

— Tout simplement parce que le pasteur connaît les gens et les légendes, sans être superstitieux pour autant. En sa qualité d'homme de Dieu, rien ne saurait ébranler sa foi. Ai-je tort?

— C'est vrai qu'il nous arrive d'entendre des histoires. Mais elles restent de simples histoires, révérend Pendergast, et j'avoue y prêter assez peu d'attention.

— C'est bien naturel. Mais prenons le Black Brake. Vous n'ignorez pas qu'il s'agit du marais le plus vaste de cet État.

— Non, bien sûr.

— Avez-vous entendu parler d'un endroit appelé Spanish Island?

— Oui. Il ne s'agit pas d'une île à proprement parler. Plutôt une bande de terre à moitié noyée d'eau, recouverte de cyprès, située au cœur du marais. J'avoue n'y être jamais allé moi-même.

Tout en l'écoutant, Pendergast prenait des notes.

— J'ai entendu dire que Spanish Island avait accueilli un temps un campement de chasse et de pêche.

— Tout à fait. Ce campement était la propriété de la famille Brodie, mais il a fermé depuis une trentaine d'années et les bâtiments ont fini par pourrir sur place. C'est inéluctable, dans nos contrées.

— J'ai cru comprendre que bien des légendes couraient au sujet de Spanish Island.

Le pasteur sourit.

— C'est ma foi vrai. Les histoires de fantômes habituelles. On a souvent dit que l'endroit avait servi de repaire à des trafiquants de drogue.

— Des histoires de fantômes?

— Les gens d'ici colportent toutes sortes de rumeurs sur la partie des marais où se trouve Spanish Island. On parle de lumières étranges la nuit, de bruits bizarres. Il y a quelques années de cela, un chasseur de grenouilles a été porté disparu, on a retrouvé son bateau dans l'un des bayous riverains de Spanish Island. Je ne serais pas surpris qu'il soit passé par-dessus bord après avoir trop bu, mais les gens ont prétendu qu'il avait été assassiné, d'autres ont affirmé qu'il avait été victime de la fièvre des marais.

— La fièvre des marais?

— On dit qu'à force de rester trop longtemps dans les marais, certaines personnes l'attrapent et deviennent fous. Sans y croire vraiment, je dois avouer que l'endroit est assez… comment dire… assez inquiétant. Il est facile de s'y perdre.

Pendergast prenait des notes avec enthousiasme.

— Et cette histoire de trafic de drogue? Vous y croyez?

— Le marais n'est pas très éloigné du Mississippi et les plus anciens affirment qu'il est possible de rallier le fleuve en bateau depuis le Black Brake, à condition de bien connaître les bayous. La légende voudrait que des trafiquants de drogue venus du golfe dissimulent leur marchandise dans le Brake. Personnellement, je doute que les trafiquants s'aventurent aussi loin.

— Qu'en est-il de ces lumières auxquelles vous faisiez allusion?

— La pêche à la grenouille se déroule de nuit, et certains pêcheurs prétendent avoir aperçu des lueurs étranges. Si vous voulez mon avis, ils auront simplement vu d'autres pêcheurs, la pêche à la grenouille se pratiquant à l'aide d'une lampe. À moins qu'il ne s'agisse d'un phénomène naturel quelconque, la combustion spontanée d'émanations gazeuses, par exemple.

— Parfait, le remercia Pendergast en continuant à griffonner sur son carnet. C'est exactement le genre de renseignement qui m'intéresse. D'autres légendes?

Gregg se sentait pousser des ailes.

— On raconte aussi qu'il y aurait un alligator géant dans le Brake, mais je ne vous apprendrai rien en vous disant que des légendes similaires courent dans la plupart des marais de la région. Avec raison, parfois. Je me souviens qu'un alligator de sept mètres de long a été tué dans les eaux du lac Conroe, au Texas, il y a quelques années. Il était en train de dévorer un cerf lorsqu'on l'a abattu.

— Extraordinaire, s'enthousiasma Pendergast. Comment puis-je m'y prendre pour visiter Spanish Island?

— L'endroit figure sur certaines cartes anciennes, mais il est difficile de circuler dans le labyrinthe des canaux et des bancs de sable. Quand les eaux sont basses, la végétation est si dense qu'il est quasiment impossible de naviguer dans cette partie du marais. Je serais surpris que quiconque s'y soit rendu depuis des années, d'autant que la pêche et la chasse y sont interdites depuis la création de la réserve naturelle. Je vous déconseille formellement de vous y rendre.

Pendergast referma son bloc et se leva.

— Il ne me reste plus qu'à vous remercier, révérend. Vous m'avez été très utile. Puis-je vous recontacter en cas de besoin?

— Volontiers.

— Fort bien. Je vous laisse mon numéro de téléphone. Je veillerai personnellement à ce que vous receviez un exemplaire de mon livre dès sa publication.

De retour dans la Rolls, Hayward demanda:

— Quelle est la suite du programme?

— Je vous propose de retourner voir nos amis de Malfourche. Nous n'en avons pas terminé avec eux.

64

Pendergast remonta la rue principale de Malfourche et s'engagea sur le même parking que précédemment, où il se gara au même emplacement. Sur le quai, Minus et ses amis n'avaient pas bougé et ils posèrent un regard haineux sur les deux policiers en les voyant descendre de voiture.

— Laissez-moi faire, capitaine, recommanda Pendergast à sa compagne dans un murmure.

Hayward hocha la tête sans enthousiasme. Elle n'aurait pas détesté que l'un des crétins de tout à l'heure dépasse les bornes, histoire de le boucler.

— Messieurs! claironna Pendergast en s'avançant. Nous sommes de retour.

Hayward grimaça.

Minus s'avança, les bras croisés.

— Ah, monsieur Minus! Ma collaboratrice et moi-même souhaiterions louer un petit hydroglisseur afin d'explorer le marais. Est-ce envisageable?

À la surprise de Hayward, Minus accueillit la requête avec un sourire tandis que ses hommes se lançaient des regards en coin.

— Bien sûr que je peux vous louer un hydroglisseur, répliqua Minus.

— Formidable. Avec un guide?

Nouvel échange de regards.

— Désolé, mais ils sont tous pris. Par contre, je peux vous montrer le chemin sur une carte. J'en ai plein à vendre au magasin.

— Nous voudrions visiter Spanish Island.

Minus laissa planer un long silence avant de répondre.

— Pas de problème. Suivez-moi, je vais vous préparer un bateau.

Les deux policiers accompagnèrent la montagne humaine jusqu'au quai privé situé derrière la grange, le long duquel étaient amarrés une demi-douzaine de barques et d'hydro-glisseurs fatigués. Une moue aux lèvres, Pendergast les examina rapidement avant de jeter son dévolu sur celui qui paraissait le plus récent.

Une demi-heure plus tard, il s'élançait sur Lake End, Hayward à ses côtés. Il mit les gaz et l'embarcation s'envola sur l'eau dans un rugissement de moteur d'avion. La silhouette de Malfourche, avec ses quais délabrés et ses maisons branlantes, ne tarda pas à disparaître au milieu de la brume qui flottait à la surface du lac. Avec son costume noir et sa chemise d'un blanc éclatant, l'inspecteur semblait totalement hors de propos aux commandes de l'étrange appareil.

— C'est passé comme une lettre à la poste, remarqua Hayward.

— Apparemment, dit Pendergast tout en surveillant la surface de l'eau.

Il se tourna vers la jeune femme.

— Vous aurez remarqué comme moi qu'ils étaient au courant de notre venue.

— Pourquoi dites-vous ça?

— On pouvait s'attendre à une certaine hostilité à l'endroit de touristes fortunés débarquant en Rolls-Royce, mais vous aurez noté que leur réaction dépassait de loin l'hostilité. Il est clair que nous étions attendus. À en juger par le message retrouvé sur la carrosserie de ma voiture, ils nous ont pris pour des militants écologistes.

— C'est vous qui leur avez dit que nous venions observer les oiseaux.

— Nous ne serions pas les premiers. Non, capitaine, je suis convaincu qu'ils nous ont pris pour des bureaucrates envoyés par les services de l'environnement.

— Vous croyez qu'ils ont pu nous confondre avec d'autres?

— C'est une possibilité.

Le bateau à fond plat rasait les eaux brunes du lac. Malfourche venait à peine de disparaître à l'horizon que Pendergast obliqua à quatre-vingt-dix degrés.

— Spanish Island se trouve à l'ouest, remarqua Hayward. Pourquoi prenez-vous vers le nord?

Pendergast tira de sa poche la carte que lui avait vendue Minus avant d'y inscrire des indications en laissant des traces de doigts gras un peu partout.

— J'ai demandé à ce cher Minus de m'indiquer les routes conduisant à Spanish Island. Ces gens connaissent le marais comme leur poche, cette carte va nous être utile.

— Ne me dites pas que vous vous fiez à lui!

Un sourire sans joie étira les lèvres de l'inspecteur.

— Bien au contraire. Nous savons déjà qu'il nous faut impérativement oublier les chemins qu'il nous a indiqués. Cela nous laisse la route du nord, afin d'éviter l'embuscade qui nous attend dans les bayous situés à l'ouest de Spanish Island.

— Quelle embuscade?

Pendergast haussa les sourcils.

— Capitaine, vous devez bien vous douter qu'on nous a loué ce bateau pour mieux nous tendre un piège en plein marais. Non seulement ils étaient au courant de notre venue, mais celui qui les a prévenus s'est arrangé pour exciter leur colère en leur recommandant de nous faire peur, ou même de nous tuer au cas où nous nous aventurerions sur le Drake.

— Il peut très bien s'agir d'une coïncidence, rétorqua Hayward. Si ça se trouve, les gens de l'environnement sont arrivés à Malfourche à l'heure où je vous parle.

— Je pourrais éventuellement le croire si nous avions débarqué à bord de votre Buick. Non, capitaine, on leur avait fourni notre description. Je l'ai su à l'instant où nous sommes descendus de la Rolls la première fois.

— Qui aurait bien pu les avertir de notre arrivée?

— Une excellente question à laquelle je n'ai malheureusement pas de réponse. Pas encore, du moins.

Hayward fronça les sourcils.

— Dans ce cas, pourquoi les avoir braqués dès le départ en jouant les bobos prétentieux?

— Je souhaitais m'assurer de leur animosité afin d'être certain qu'ils nous indiquent le mauvais chemin sur la carte. C'était encore le meilleur moyen de savoir par où passer. Les gens sont plus transparents lorsque la colère et la méfiance les animent. De ce point de vue, la Rolls constitue un atout incomparable.

Hayward, peu convaincue, jugea inutile de prolonger la discussion.

Tout en maintenant d'une main le volant de l'hydroglisseur, Pendergast retira de sa poche une enveloppe qu'il tendit à Hayward.

— Vous trouverez ici quelques photos du marais récupérées sur Google Earth. Les arbres et la végétation empêchent de distinguer clairement le chemin, mais ces clichés confirment que la route du nord est bien la bonne.

Le lac décrivait une courbe et la silhouette sombre d'une rangée de cyprès apparut à l'horizon. Quelques minutes plus tard, ils s'enfonçaient entre les arbres dans une chape d'air humide et confiné.

65

Marais du Black Brake

Parker Wooten avait jeté l'ancre sur la pointe nord de Lake End et multipliait les lancers entre deux gorgées de Woodford Reserve, son bourbon de prédilection. Un temps de rêve pour pêcher tranquillement pendant que les autres pourchassaient les deux écolos. Un an plus tôt, il avait ferré une perche noire de 5,17 kg exactement au même endroit, la plus grosse jamais pêchée dans le lac. Depuis, il était devenu quasiment impossible de pêcher à Timber Bayou sans se retrouver au milieu d'une nuée de collègues. Malgré la concurrence, Wooten était convaincu qu'il restait encore quelques monstres cachés dans le coin, à condition de savoir s'y prendre. Les autres utilisaient des appâts vivants achetés chez Minus, persuadés que la perche est trop maligne pour se laisser piéger par des vers en plastique. Wooten s'était toujours inscrit en faux par rapport à cette doctrine, car il était sûr que la perche, réputée pour son mauvais caractère, délaissait les asticots ordinaires.

Le talkie-walkie de Wooten était branché sur le canal 5 et il pouvait suivre en direct les commentaires des sbires de Minus, postés dans les bayous à l'ouest de Spanish Island. Autant laisser les autres se salir les mains. Parker Wooten avait passé cinq ans de sa vie à la prison d'État de Rumbaugh et il n'avait aucune envie d'y retourner.

Il effectua un nouveau lancer, attendit que l'appât se soit enfoncé dans l'eau et donna une légère secousse avant de mouliner. Rien. Le temps était trop chaud, ces idiotes avaient dû se réfugier dans les profondeurs du lac. À moins d'essayer avec un appât à queue bleutée. Wooten moulinait toujours lorsque lui parvint l'écho lointain d'un moteur. Il s'empressa de reposer sa canne, prit ses jumelles et observa les environs. Un hydroglisseur traversa son champ de vision, la coque de l'engin masquée par la brume qui flottait au-dessus du lac, le bruit mat et régulier du fond plat sur la surface de l'eau reconnaissable entre tous. L'instant d'après, le bateau avait disparu.

Parke, perplexe, commença par avaler une lampée de Woodford pour s'éclaircir les idées. Il avait reconnu les deux écolos, à mille lieues de l'endroit où les attendaient Minus et ses gars.

Le temps de s'humecter à nouveau le gosier et il saisit son talkie-walkie.

— Hé, Minus. C'est Parker. Tu me reçois?

— Parker? grésilla la voix de Minus. Je croyais que tu voulais pas venir avec nous.

— Je viens pas avec vous, je pêche à Timber Bayou. Et tu sais quoi? Je viens de voir passer un de tes hydroglisseurs avec les deux écolos à bord.

— Pas possible. Ils arrivent par l'ouest.

— C'est ce que tu crois. Je te dis que je viens de les voir passer.

— Tu les as vraiment vus, ou bien c'est le Woodford Reserve qui te fait voir des écolos partout?

— Je vais te dire, rétorqua Wooten. Si tu veux pas me croire, tant pis pour toi. Tu peux rester dans tes bayous jusqu'à la saint-glinglin. Je te dis qu'ils ont pris la route du nord, maintenant c'est toi qui vois.

Wooten éteignit l'appareil d'un geste rageur. Ce con de Minus ne passerait bientôt plus les portes, au propre comme au figuré. Il avala une lampée de Woodford, rangea la bouteille au fond de la boîte à pêche, retira le ver en plastique de l'hameçon, le remplaça par un autre et jeta sa ligne en amont du bayou. Au moment de mouliner, il sentit une résistance. Il donna juste ce qu'il fallait de mou, histoire de laisser le poisson croire au Père Noël, puis il tira l'hameçon à lui d'un geste vif, mais pas trop sec. La ligne se tendit, l'extrémité de la canne à pêche dessina un arc de cercle et Parker oublia instantanément sa mauvaise humeur en comprenant qu'il en tenait un gros.

66

Le chenal allait en se rétrécissant et Pendergast fut contraint de couper le moteur. Le silence soudain leur parut presque plus pénible que le rugissement de l'hydroglisseur.

Hayward jeta un coup d'œil en direction de son compagnon.

— Que se passe-t-il?

Pendergast retira sa veste de costume et la posa soigneusement sur son siège, puis il s'empara de la perche.

— La passe est trop étroite pour continuer à naviguer au moteur. Je n'ai pas envie qu'une branche se coince dans l'hélice. Nous allons devoir avancer à la main.

Il se posta à l'arrière et poussa le bateau à l'aide de la perche, le long d'un ancien chemin de bûcheron abandonné, au milieu d'un enchevêtrement de branches de cyprès et de tupelos. Le marais était plongé dans la pénombre, protégé des rayons du soleil par une épaisse couverture de végétation. Le bourdonnement des insectes et le chant des oiseaux avaient pris le relais du moteur, dans un brouhaha de pépiements, de gazouillis et de cris insolites.

— Je suis prête à vous relayer quand vous en aurez assez, proposa Hayward.

— Je vous remercie, capitaine, acquiesça Pendergast, tout à sa tâche.

La jeune femme consulta les deux cartes posées côte à côte: celle de Minus et la photo récupérée sur Google

Earth. En l'espace de deux heures, ils avaient parcouru la moitié du chemin, mais la partie la plus dense du marais les attendait, au-delà d'un bras d'eau identifié sur la carte sous le nom de Petit Bayou.

— Comment comptez-vous procéder une fois passé le bayou? s'enquit-elle en montrant du doigt un point sur la carte. Le coin n'a pas l'air très navigable.

— Je vous demanderai de me relayer à la perche et je vous guiderai.

— En vous repérant de quelle façon?

— Les courants circulent d'est en ouest, en direction du Mississippi. Tant que nous dérivons vers l'ouest, cela signifie qu'il existe un passage plus loin.

— Je n'ai pas remarqué le plus petit courant depuis le début de la traversée.

— Les courants sont bien là, rassurez-vous.

Hayward se débarrassa d'un moustique qui l'importunait et se frotta les mains, le cou et le visage avec de la citronnelle. Entre les troncs d'arbre venait d'apparaître un rai de lumière.

— Le bayou, annonça-t-elle.

Quelques instants plus tard, ils se retrouvaient à l'air libre, à l'orée d'une vaste étendue d'eau. Leur arrivée provoqua la panique chez une famille de foulques qui s'éloignèrent en battant des ailes. L'inspecteur rangea la perche et redémarra aussitôt, glissant sur le miroir du bayou vers le labyrinthe vert et brun que l'on apercevait en direction du couchant. Hayward se laissa aller sur son siège, savourant la caresse de l'air sur son visage après avoir mal supporté la sensation d'enfermement à l'intérieur du marais.

Le bayou ne tarda pas à se rétrécir à nouveau, contraignant Pendergast à ralentir. Quelques minutes plus tard, l'hydroglisseur arrivait en vue d'un labyrinthe de canaux minuscules mangés par les jacinthes d'eau.

Hayward consulta alternativement la carte et la photo, puis elle haussa les épaules.

— Lequel est le bon? questionna-t-elle.

Pendergast ne répondit pas, laissant tourner le moteur au ralenti. Devant une Hayward éberluée, il fit brusquement demi-tour et remit les gaz tandis qu'une série de grondements inquiétants éclataient tout autour d'eux.

— C'est quoi, ce bordel! s'exclama la jeune femme.

L'hydroglisseur bondit sur l'eau en direction du bayou, mais il était trop tard. Des deux côtés du chenal, leur coupant toute retraite, venaient d'apparaître une douzaine de bateaux de pêche munis de puissants moteurs.

Pendergast sortit son arme et tira sur le moteur du plus proche tandis que Hayward cherchait de la main son pistolet. Une pluie de projectiles s'abattit sur l'hélice de l'hydroglisseur qui explosa avec un bruit de tôle en déchirant le grillage de protection. Privée de moyen de propulsion, la barque courut sur son erre avant de s'immobiliser au milieu de l'eau.

Hayward voulut se réfugier derrière le dossier de son siège avant de comprendre que la situation était désespérée. Ils s'étaient jetés dans une embuscade et une nuée de bateaux les entouraient, manœuvrés par une trentaine d'individus armés. Sur l'embarcation de tête se dressait Minus, un TEC-9 dans ses mains gigantesques.

— Debout, tous les deux! cria-t-il. Les mains sur la nuque, et pas de gestes brusques.

Il ponctua l'ordre d'une rafale au-dessus de leurs têtes.

Hayward lança un regard vers Pendergast, accroupi comme elle derrière son siège. Un filet de sang s'écoulait d'une blessure au front. Il lui répondit par un petit mouvement du chef et se releva, les mains en l'air, son arme pendant du pouce par le pontet. Hayward imita son exemple.

Minus amena son bateau près de l'hydroglisseur en ahanant, sous la protection d'un comparse filiforme qui braquait le canon d'un gros pistolet sur les policiers. Le géant sauta à bord de l'hydroglisseur qui dansa dangereusement sous son poids. Il commença par récupérer les armes de ses adversaires et poussa un grognement approbateur en examinant le Les Baer de Pendergast avant de le glisser dans sa ceinture, puis il se débarrassa du Glock de Hayward en le jetant au fond de l'embarcation.

— Bien, bien, déclara-t-il avec un ricanement en lançant un long jet de chique dans l'eau. Moi qui croyais que les écolos n'aimaient pas les armes.

Hayward le foudroya du regard.

— Vous êtes sur le point de commettre une bourde monumentale, lui déclara-t-elle d'une voix calme. J'ai le grade de capitaine au sein de la brigade criminelle de New York et je vais vous demander de ranger votre arme si vous ne voulez pas avoir de sérieux ennuis.

Un sourire adipeux éclaira le visage de Minus.

— Pas possible?

— Je vais baisser un bras pour sortir mon badge, reprit Hayward.

Minus s'avança vers elle.

— Non, je suis assez grand pour me débrouiller tout seul.

Tout en posant le canon du TEC-9 sur la tempe de la jeune femme, il fouilla successivement les poches de sa chemise en lui tâtant les seins par la même occasion.

— Putains de nibards, dit-il en éclatant d'un rire gras. Y a du monde au balcon.

Il palpa ensuite les poches de pantalon de Hayward avant de trouver son porte-badge.

— Tiens, tiens! Qu'est-ce que c'est que ça? s'exclama-t-il en exhibant le badge à la façon d'un trophée.

Il l'examina longuement, une moue aux lèvres.

— Capitaine L. Hayward, brigade criminelle, lut-il. Y a même une photo! T'as trouvé ça dans une pochette-surprise?

Hayward ouvrit de grands yeux. Comment pouvait-on être aussi bête?

Minus referma le porte-badge, fit mine de se torcher avec et le jeta dans l'eau.

— Voilà ce que j'en fais, de ton badge. Larry, bouge-toi le cul et fouille-moi l'autre.

Le compagnon rachitique de Minus prit pied à son tour sur l'hydroglisseur.

— Bouge pas ou je te bute, nasilla-t-il en montrant son arme. Pas plus compliqué que ça.

L'instant suivant, il vidait les poches de Pendergast et récupérait un autre pistolet, quelques outils, des papiers et un badge.

— Montre-moi ça, aboya Minus.

Le dénommé Larry obéit. Minus prit le badge, le regarda attentivement, le noya dans un jet de salive noire et s'en débarrassa de la même façon que celui d'Hayward.

— Toi aussi tu collectionnes les pochettes-surprises? Vous voulez que j'vous dise? Vous manquez pas d'air, les gars.

Hayward sentit le canon du pistolet s'enfoncer entre ses côtes.

— Vraiment pas, insista Minus d'un air mauvais. Vous débarquez ici en nous racontant des conneries sur les oiseaux et vous croyez pouvoir vous foutre de notre gueule avec vos badges de carnaval. C'est ça, les conseils qu'on vous donne en cas d'urgence, chez les écolos? Désolé de vous décevoir, mais on sait très bien qui vous êtes et pourquoi vous êtes là. Si vous croyez qu'on va rester les bras croisés pendant que vous nous piquez notre marais, vous vous foutez le doigt dans le cul. C'est chez nous, ici. C'est notre vie. C'était comme ça du temps de mon grand-père, de mon père, et ça restera comme ça pour mes gosses. Il est à *nous*, ce putain de marais. Pas à des branleurs d'amateurs de kayaks yankees qui veulent le transformer en Disneyland.

Des grognements approbateurs montèrent des bateaux de pêche.

— Je ne voudrais pas gâcher votre joli discours, l'interrompit Hayward, mais je suis vraiment flic et mon collègue travaille bien pour le FBI. À compter de cet instant, vous êtes en état d'arrestation. Tous tant que vous êtes!

— Ouh! J'ai peuuuuuur! gémit Minus qui colla son visage contre celui de la jeune femme en la noyant dans un nuage pestilentiel d'alcool et d'oignon pourri.

Il se retourna vers ses compagnons.

— Hé, les gars! Qu'est-ce que vous diriez d'un petit strip-tease?

Il passa un doigt sous les bourrelets obèses de sa poitrine qu'il agita d'un geste obscène.

Un tonnerre de cris et de sifflets lui répondit.

— Des vrais nibars, ça vous dirait?

Hayward coula un regard en direction de Pendergast que Larry, l'acolyte de Minus, tenait en joue. Son visage ne trahissait aucune émotion.

Minus agrippa la chemise de Hayward par le col et tira violemment. La jeune femme tenta de se dégager et plusieurs boutons sautèrent.

— C'est qu'elle a du répondant, la petite! remarqua Minus qui gifla Hayward à la volée, l'envoyant valser au fond de l'hydroglisseur.

— Debout! lui ordonna-t-il sous les rires de ses copains.

Elle se releva, la joue en feu.

— Allez, salope. Enlève ta chemise. Toute seule comme une grande. Pour mes potes.

— Allez vous faire voir, répliqua Hayward.

— Je ne te le dirai pas deux fois, insista Minus en lui collant son arme dans l'oreille. Allez! cria-t-il.

Elle défit un premier bouton d'une main tremblante.

Des cris excités fusèrent de toutes parts.

— Ouais! Oh ouiiiiiiii!

À côté d'elle, Pendergast était plus imperturbable que jamais. Elle se demanda ce qui pouvait bien se passer dans sa tête.

— Plus vite! s'énerva Minus.

Elle défit un deuxième bouton sous une avalanche de quolibets, puis elle passa au suivant.

67

Au moment où Hayward s'y attendait le moins, Pendergast prit la parole.

— Étrange façon de traiter une femme.

Minus pivota dans sa direction.

— Tu trouves ça étrange, toi? Moi je trouve ça *super*, au contraire!

Des cris d'approbation accueillirent sa repartie. Les yeux brillants de convoitise, rouges d'excitation et de transpiration, tous attendaient impatiemment la suite.

— Vous savez ce que je pense? continua Pendergast. Vous êtes un porcin entripaillé.

Les paupières de Minus papillonnèrent.

— Quoi?

— Un gros porc, traduisit Pendergast.

Minus écrasa un poing gros comme un jambon dans le plexus solaire de Pendergast qui se plia en deux en poussant un gémissement. Le géant recommença et l'inspecteur tomba cette fois à genoux, le souffle coupé.

Minus en profita pour lui cracher au visage en le dominant dédaigneusement de toute sa masse.

— Je commence à trouver le temps long, décréta-t-il en délaissant l'inspecteur pour s'intéresser à Hayward.

D'une main, il arracha la chemise de la jeune femme en envoyant voler les boutons restants tandis que des cris de ravissement s'élevaient de toutes parts. Minus tira de sa poche un couteau de chasse, le déplia et écarta de la lame les pans de la chemise d'Hayward, dévoilant son soutien-gorge.

— Putain de merde! souffla-t-il d'une voix admirative.

Il posa un regard libidineux sur la poitrine généreuse de la jeune femme qui tenta de se couvrir la poitrine avec les lambeaux de sa chemise, la gorge serrée. Minus secoua la tête et lui écarta méchamment les mains avant de passer la lame de son couteau dans l'échancrure du soutien-gorge. Faisant durer le plaisir, il glissa lentement la lame entre les bonnets et coupa le sous-vêtement en deux d'un geste brusque. Les seins de la jeune femme, brusquement libérés, apparurent au milieu de hurlements d'admiration.

Du coin de l'œil, Hayward vit Pendergast se relever sans que Minus, trop intéressé par le spectacle, y prête attention. Soudain, l'inspecteur pesa de tout son poids sur le rebord. L'hydroglisseur bascula sur le côté et les deux pêcheurs trébuchèrent.

— Hé, doucement…! s'écria Minus.

Hayward vit jaillir un éclair d'acier dans la main de Pendergast et Larry se plia en deux, déchargeant machinalement son arme vers le bas. Un jet de sang s'échappa de son pied.

Minus voulut se protéger en tirant une rafale avec le TEC-9, mais Pendergast, plus rapide, échappa à la volée de projectiles et se réfugia derrière le géant obèse. D'un geste fulgurant, il lui emprisonna le cou d'un bras tout lui en posant la lame d'un stylet sur la gorge. D'une manchette à l'avant-bras, Hayward lui fit sauter des mains le pistolet-mitrailleur.

— Ne bouge pas, conseilla Pendergast à son prisonnier en lui enfonçant la pointe du stylet dans les chairs tout en récupérant son Les Baer.

Minus poussa un rugissement d'animal blessé et tenta de se dégager, mais Pendergast enfonça la lame en tournant dans un giclement de sang et son prisonnier se pétrifia.

— Tu bouges et tu es mort, souffla Pendergast.

Hayward, oubliant sa poitrine dénudée, constata avec horreur que la lame du stylet avait dégagé l'artère jugulaire.

— C'est très simple, enchaîna Pendergast en s'adressant aux complices du géant. Vous me tirez dessus et je lui tranche l'artère. Même punition si vous touchez à un cheveu de ma collaboratrice.

— Putain! s'étrangla Minus, terrorisé en roulant des yeux affolés. Je vais mourir?

Un silence oppressant lui répondit. Toutes les armes étaient braquées sur Pendergast, mais personne n'osait bouger. À l'image de Hayward, tous étaient hypnotisés par la vue terrifiante de cette veine que l'on voyait battre contre la lame rougie du stylet.

— Capitaine, commanda Pendergast en montrant du menton l'un des rétroviseurs de l'hydroglisseur. Apportez-le-moi.

Hayward se força à sortir de son hébétude. Couvrant sa poitrine du mieux qu'elle le pouvait, elle arracha le rétroviseur d'un geste sec.

— Montrez donc à notre ami Minus ce qui l'attend.

Elle s'exécuta et Minus écarquilla les yeux en voyant l'artère qui dépassait.

— Qu'est-ce que... Mon Dieu! Je vous en supplie, non...

Le regard injecté de sang, il n'osa pas achever sa phrase de peur que les mouvements de sa gorge ne fassent bouger la lame.

— Jetez tous vos armes dans le bateau de notre ami Minus, ordonna Pendergast en montrant la barque de son prisonnier. Tout de suite.

Personne ne bougea.

Pendergast tira l'artère hors de la plaie en se servant du plat de la lame.

— Obéissez-moi ou bien je lui tranche la veine.

— Vous l'avez entendu? coassa Minus pitoyablement. Jetez vos armes au fond de la barque. Faites ce qu'il dit!

Hayward maintenait le rétroviseur face à Minus afin qu'il ne s'avise pas de résister. Peu à peu, les armes s'accumulaient au fond de la barque au milieu des murmures.

— Les couteaux et les bombes lacrymogènes également.

Pendergast attendit que les hommes soient désarmés pour se tourner vers Larry, prostré au fond de l'hydroglisseur. Du sang s'écoulait en abondance de la blessure que l'inspecteur lui avait infligée au bras, comme de celle qu'il avait au pied.

— Votre chemise, je vous prie.

L'homme obtempéra après une courte hésitation.

— Passez-la au capitaine Hayward.

Celle-ci accepta le vêtement humide et crasseux. S'abritant au mieux des regards, elle retira sa propre chemise avant d'enfiler celle du blessé.

— À présent, poursuivit Pendergast en s'adressant à elle, prenez ce dont vous avez besoin parmi ces armes.

— Le TEC-9 fera l'affaire, dit-elle en récupérant le pistolet-mitrailleur dans la pile.

Elle l'examina et s'assura que le magasin était plein.

— Un modèle automatique, remarqua-t-elle. Avec un chargeur de cinquante balles. De quoi nous débarrasser de tout ce petit monde d'un seul coup.

— Une arme sans charme, mais fort efficace, approuva Pendergast.

Hayward pointa le canon du TEC-9 en direction de leurs agresseurs.

— Vous êtes toujours prêts pour le spectacle ?

Dans le silence qui avait envahi le bayou, seuls montaient à intervalles réguliers les sanglots de Minus qui pleurait à chaudes larmes, aussi immobile qu'une statue.

— Je crains fort que vous n'ayez commis une grave erreur, annonça Pendergast. Ma collègue appartient bien à la brigade criminelle de New York et je suis moi-même inspecteur au FBI. Nous menons actuellement une enquête sans rapport aucun avec votre ville. Ceux qui vous ont affirmé que nous étions des écologistes vous ont menti. À présent, je vais vous poser une question et j'entends que vous y répondiez, faute de quoi je serais trop heureux de saigner Minus, laissant le soin au capitaine Hayward de vous abattre tous comme de vulgaires chiens. Légitime défense, bien évidemment. Je puis vous assurer que personne ne songera jamais à contredire notre version.

Il régnait autour de lui un silence de mort.

— Voici ma question. Je voudrais savoir qui vous a averti de notre arrivée.

Minus ne se le fit pas dire deux fois.

— C'est Ventura. Mike Ventura…

Il ne put aller plus loin, pris de sanglots incontrôlables.

— Et qui est ce M. Ventura?

— Un type d'Itta Bena qui vient souvent chasser dans le coin. Un gars plein aux as qui passe son temps dans le marais. C'est lui qu'est venu l'autre soir au bar nous dire que vous vouliez transformer le reste du Black Brake en réserve naturelle, sans s'inquiéter de nos boulots et…

— Je vous remercie, le coupa Pendergast. Voici comment nous allons procéder. Ma collègue et moi-même allons continuer notre route sur le très joli bateau de M. Minus. En emportant vos armes. De votre côté, rentrez chez vous. Compris?

Quelques murmures et des hochements de tête lui répondirent.

— Parfait. Nous disposons à présent d'un bel arsenal, et je puis vous assurer que nous savons nous en servir. Une petite démonstration, capitaine?

Hayward visa un groupe d'arbustes et ouvrit le feu à trois reprises. Fauchés net, les arbustes s'enfoncèrent dans l'eau.

Pendergast dégagea la lame du stylet.

— Vous aurez besoin de quelques points de suture, monsieur Minus.

L'énorme barman ne pouvait contrôler ses sanglots.

— Je ne saurais trop vous conseiller de vous mettre d'accord entre vous sur une version plausible des faits lorsqu'il s'agira d'expliquer la plaie au cou de M. Minus et la blessure de ce cher Larry. Le capitaine Hayward et moi-même avons suffisamment de pain sur la planche sans avoir à nous préoccuper de telles broutilles. Nous sommes tout prêts à fermer les yeux sur ce qui s'est passé ici, à condition toutefois que vous évitiez désormais de nous importuner. Nous sommes d'accord, capitaine?

La jeune femme hocha la tête. Les méthodes de Pendergast lui apparaissaient brusquement sous un jour nettement moins critiquable, face à cette bande de demeurés qui avaient bien failli la violer.

Pendergast grimpa à bord de la barque et Hayward l'imita en enjambant le tas de fusils et de pistolets. L'instant d'après, l'inspecteur lançait le moteur et se faufilait entre les bateaux qui s'écartaient à contrecœur.

— Nous nous reverrons, lança-t-il à la cantonade. Croyez-moi, nous n'avons pas encore réglé nos comptes.

Il donna les gaz et la barque traversa le bayou avant de s'enfoncer dans le marais.

68

Malfourche, Mississippi

Le soleil venait de se coucher et le ciel prenait des allures d'orange sanguine. Confortablement installé au volant de son Escalade garée face au lac, le visage fouetté par la climatisation, Mike Ventura regarda les bateaux de pêche regagner le quai l'un derrière l'autre. Il fut pris d'un mauvais pressentiment en remarquant l'air morose des membres de l'expédition punitive. Lorsqu'il vit Minus se hisser péniblement sur le quai, un mouchoir couvert de sang autour de la gorge et une large auréole rouge sombre sur sa chemise, il comprit que la victoire escomptée avait tourné à la déroute.

Minus s'avança en titubant, soutenu par deux hommes, et disparut à l'intérieur de son établissement. Les autres membres de l'équipée avaient aperçu Ventura et ils discutèrent entre eux avec force gestes avant de se diriger vers le 4×4, l'air menaçant.

Ventura s'empressa d'actionner la condamnation électrique des portières en voyant les hommes encercler silencieusement la Cadillac, le teint rouge, les cheveux coagulés par la transpiration.

Il descendit sa vitre de trois centimètres.

— Alors? les interrogea-t-il.

Le temps donna l'impression de se figer, jusqu'à ce que l'un des hommes abatte son poing brutalement sur le capot.

— Vous êtes cinglés ou quoi?!! s'écria Ventura.

— Qui est cinglé? hurla l'homme. *Qui est cinglé?*

Un autre poing martela le capot, déclenchant la frénésie des autres qui multiplièrent les coups de pied à la carrosserie dans un déluge de crachats et de jurons. Éberlué, Ventura remonta précipitamment sa vitre, enclencha la marche arrière et enfonça la pédale d'accélérateur en manquant renverser les pêcheurs qui se trouvaient sur son passage.

— Salopard! Menteur! hurlait la foule déchaînée.

— Enfoiré! T'avais oublié de nous dire que c'était des agents fédéraux!

— Saloperie de menteur!

Tournant le volant à toute vitesse, Ventura exécuta un demi-tour périlleux et s'éloigna dans un nuage de gravillons et de poussière. Une pierre s'écrasa sur la lunette arrière avec un bruit mat, étoilant le verre.

Il sortait du village lorsque son téléphone sonna. Un coup d'œil sur l'écran lui signala qu'il s'agissait de Judson. *Et merde.*

— J'y suis presque, résonna la voix d'Esterhazy. Comment ça s'est passé?

— Tout ce que je sais, c'est que le coup a foiré. Et même salement foiré!

Le temps de parvenir dans sa luxueuse propriété et Ventura constata que Judson l'attendait. Le médecin, en tenue kaki, posa un regard sombre sur le 4×4.

— Qu'est-il arrivé à ta voiture? s'étonna-t-il.

— J'ai été attaqué par les gens de Malfourche.

— Ils ont raté leur coup?

— Apparemment. Minus est rentré blessé et les autres avaient tous perdu leurs armes. J'ai bien cru qu'ils allaient me lyncher. Me voilà dans de beaux draps!

Esterhazy le foudroya du regard.

— Si je comprends bien, ils sont en route pour Spanish Island?

— Ça m'en a tout l'air.

Esterhazy tourna la tête vers l'embarcadère privé de Ventura, au-delà de la jolie maison blanche qu'entourait une pelouse soigneusement entretenue. Les trois bateaux de l'ancien shérif y étaient amarrés : une yole Lafitte, une barque de pêche flambant neuve, ainsi qu'un puissant hydroglisseur. Il serra les mâchoires et récupéra le dernier fusil à l'arrière de la camionnette.

— J'ai comme l'impression qu'on va devoir prendre l'affaire en main.

— Et sans perdre une minute. S'ils arrivent jusqu'à Spanish Island, tout est foutu.

Esterhazy posa les yeux sur la barque de pêche.

— Avec ton Yamaha 250, on devrait pouvoir les intercepter au niveau du canal de Cocodrie Island. Prenons les fusils et dépêchons-nous. J'ai une idée.

69

Marais du Black Brake

Une lune jaune pâle s'éleva entre les énormes troncs des cyprès, trouant faiblement l'obscurité du marais. Le phare du bateau dessinait un trait de lumière dans la masse végétale compacte et des yeux luminescents surgirent de toutes parts. Hayward avait beau savoir qu'il s'agissait essentiellement de crapauds et de grenouilles, elle ne pouvait s'empêcher de ressentir une certaine appréhension. Depuis l'enfance, elle savait que le Black Brake était infesté d'alligators et de serpents venimeux. Trempée de sueur, elle enfonça sa perche. La chemise de Larry la grattait furieusement. Posté à l'avant de l'embarcation, les cartes posées devant lui, Pendergast tentait de trouver son chemin à la lueur de sa lampe électrique. Ils exploraient les culs-de-sac les uns après les autres depuis des heures, à la recherche d'un passage.

Pendergast braqua le rayon de sa lampe sur l'eau et jeta une pincée de terre à la surface afin de tester le courant.

— Un peu moins de deux kilomètres, murmura-t-il.

Hayward enfonça la perche, gagna l'arrière du bateau, la retira de l'eau boueuse, repassa à l'avant et recommença. Elle avait le sentiment désagréable de se noyer au milieu d'une jungle inextricable.

— Que décide-t-on si on s'aperçoit que le campement n'existe plus?

Pendergast ne répondit pas. La lune ne cessait de monter dans le ciel et la jeune femme s'emplit les poumons, oppressée par la moiteur parfumée qui les entourait. Un moustique lui zonzonna aux oreilles et elle le chassa de la main.

— Le dernier chenal creusé par les bûcherons se trouve un peu plus loin, lui annonça Pendergast. Au-delà s'étend la partie des marais qui entoure Spanish Island.

Le bateau s'enfonça dans un parterre de jacinthes d'eau et une forte odeur de terre moisie leur monta aux narines.

— Pourriez-vous éteindre le phare? demanda Pendergast. Je ne voudrais pas donner l'alerte à nos hôtes.

— Vous pensez vraiment que nous allons découvrir des « hôtes » là-bas? s'enquit Hayward en pressant le bouton.

— Je suis convaincu de trouver la solution. Sinon, pourquoi s'être donné tant de mal pour nous arrêter?

À mesure que ses yeux s'adaptaient à l'obscurité, Hayward constata que la lune éclairait le marais infiniment mieux qu'elle ne l'avait imaginé.

Un bras d'eau tremblait un peu plus loin, au-delà de la barrière formée par les troncs des arbres. Quelques instants plus tard, le bateau se glissait dans l'ancien chenal que recouvrait un tapis de plantes aquatiques. Les branches des cyprès formaient un dais presque opaque au-dessus de leurs têtes.

Soudain, la barque stoppa net et Hayward se raccrocha à la perche pour ne pas perdre l'équilibre.

— Nous avons touché une racine ou une branche morte, expliqua Pendergast. Voyez s'il est possible de contourner l'obstacle.

Hayward s'arc-bouta sur la perche et l'avant du bateau pivota sur lui-même, envoyant l'arrière buter contre un cyprès. L'embarcation dansa un instant sur l'eau avant de se dégager. Hayward s'apprêtait à repartir de l'avant lorsqu'une longue silhouette luisante glissa d'une branche sur ses épaules. Une sensation froide et sèche lui glaça le dos et elle se mordit la joue pour ne pas hurler de dégoût.

— Ne bougez pas, lui commanda Pendergast. Ne respirez pas.

Tout en s'obligeant à rester immobile, elle l'entendit s'approcher d'elle. En équilibre sur la montagne d'armes stockées au fond du bateau, il éleva lentement le bras. L'instant d'après, il saisissait le serpent comme l'éclair et l'envoyait au loin d'un mouvement sec du poignet. Hayward eut tout juste le temps de voir le reptile, long de plus d'un mètre, disparaître dans l'eau du chenal.

— *Agkistrodon piscivorus*, récita Pendergast d'une voix grave. Un mocassin d'eau.

Hayward frissonna, encore habitée par l'horrible sensation de l'animal sur sa peau, puis elle reprit la perche et poussa le bateau vers l'avant tandis que Pendergast se plongeait dans la lecture de ses cartes, surveillant d'un œil prudent l'entrelacs de branches au-dessus de sa tête. Des moustiques, des grenouilles, des serpents… il ne manquait plus qu'un alligator.

— Nous allons probablement devoir poursuivre à pied d'ici quelque temps, lui annonça Pendergast dans un murmure en levant le nez de sa carte afin d'observer les alentours. Le chenal semble obstrué un peu plus loin.

À pied. Génial, grinça intérieurement Hayward en repensant aux alligators.

Elle enfonça la perche et poussa. Soudain, Pendergast fondit sur elle et ils basculèrent tous les deux dans l'eau noire. Hayward se redressa instinctivement, trop étonnée pour se débattre. Elle venait à peine de sortir la tête du chenal lorsqu'elle entendit l'écho d'une fusillade.

Une balle frappa de plein fouet le moteur avec un *ping* retentissant dans une gerbe d'étincelles. *Ping ! Ping !* Les coups de feu venaient de sa droite.

— Les armes, lui glissa à l'oreille la voix de Pendergast.

Elle agrippa le rebord de l'embarcation et profita d'une accalmie pour hisser un bras par-dessus bord, prendre le premier fusil qui lui tombait sous la main et replonger. Une pluie de balles s'abattit sur la barque et une coulée de feu courut le long du fond, preuve que l'un des projectiles avait crevé le réservoir.

— Ne ripostez pas, murmura Pendergast en la poussant à l'abri. Réfugiez-vous de l'autre côté de la coque, prenez pied sur l'autre rive et mettez-vous à couvert.

Elle lui obéit en veillant à nager au maximum la tête sous l'eau. La carcasse du bateau flambait dans son dos, projetant une lueur jaune à travers le chenal. Le bruit de l'explosion lui parvint comme assourdi et le souffle passa au-dessus de sa tête tandis qu'une énorme boule de feu se lançait à l'assaut du ciel, suivie par le crépitement des munitions de l'arsenal entreposé au fond de la barque.

Une pluie de balles s'abattit autour d'elle.

— Nous sommes repérés, souffla Pendergast d'un ton insistant. Plongez et nagez!

Hayward prit sa respiration, mit la tête sous l'eau et se dirigea tant bien que mal vers la berge du chenal, gênée par le fusil. Elle peinait à avancer, les pieds englués dans la vase, évitant de se poser trop de questions sur la nature des bestioles qui lui glissaient le long des jambes. Surtout, ne pas penser aux mocassins d'eau, aux ragondins et aux sangsues géantes qui infestaient le marais. Les balles continuaient de fendre l'eau en sifflant, mais ses poumons étaient près d'exploser et elle refit brièvement surface avant de plonger à nouveau.

L'eau bruissait du bourdonnement des projectiles. Hayward ne savait pas où se trouvait Pendergast, mais elle n'avait pas le temps de se poser de question à son sujet, trop occupée à nager en prenant sa respiration à intervalles réguliers. La boue sous ses pieds devenait plus compacte et elle se retrouva bientôt à plat ventre dans la vase, à quelques mètres du bord. Le tireur se trouvait toujours sur sa droite et les balles se fichaient les unes après les autres dans les arbres au-dessus d'elle. Les coups de feu s'étaient espacés, signe que son agresseur se contentait de tirer au jugé dans la direction où il l'avait vue disparaître.

Elle rampa jusqu'à la berge glissante du chenal et s'allongea sur le dos au milieu des jacinthes, le temps de reprendre son souffle, couverte de boue. Tout était arrivé si vite qu'elle n'avait pas eu le temps de réfléchir. Une certitude, pourtant : il ne s'agissait pas des pêcheurs de Malfourche, mais d'un tireur isolé. Quelqu'un qui guettait leur arrivée.

Elle hasarda un coup d'œil autour d'elle. Pas de trace de Pendergast. Le fusil serré contre sa poitrine, elle pataugea dans un ruisseau le plus discrètement possible jusqu'à une vieille souche de cyprès. Un léger clapotis lui laissa croire un instant que Pendergast la rejoignait et elle s'apprêtait à l'appeler lorsqu'une lumière troua l'obscurité sur sa gauche.

Elle baissa vivement la tête et se dissimula derrière la souche. Centimètre par centimètre, elle attira le fusil à elle. Il était couvert de terre et elle commença par le plonger dans l'eau du ruisseau en l'agitant doucement, puis elle le palpa afin de savoir à quoi elle avait affaire. Il s'agissait d'une carabine à canon octogonal de gros calibre. Sans doute un modèle 45/70, une réplique quelconque d'un modèle du Far West, peut-être même une reproduction d'une vieille Browning. Une arme à toute épreuve, dotée d'un chargeur de quatre à neuf balles, capable de tirer malgré son séjour dans l'eau.

Le faisceau de la lampe passa entre les arbres. Les tirs avaient cessé, mais la lumière se rapprochait.

Le mieux était encore de tirer sur cette satanée torche qui l'aveuglait. Elle leva le canon de la carabine avec d'infinies précautions en prenant le temps de laisser s'égoutter l'eau, puis elle arma le chien et poussa une balle dans la chambre. La lumière était tout près à présent, avançant lentement le long du chenal. Elle visa, le doigt sur la détente, lorsqu'une main se posa sur son épaule.

Elle étouffa un cri en plongeant la tête derrière la souche.

— Ne tirez pas, lui ordonna Pendergast dans un souffle. C'est peut-être un piège.

Elle hocha la tête en ravalant sa surprise.

— Suivez-moi.

Elle vit Pendergast ramper le long du ruisseau et l'imita. La lune s'était cachée derrière des nuages, mais les dernières lueurs de l'incendie qui avait emporté le bateau de pêche de Minus leur permettaient de voir où ils allaient. Le ruisseau se transforma rapidement en ruisselet et ils se retrouvèrent sur une bande de terre boueuse arrosée par quelques centimètres d'eau. La lampe allait les rejoindre et ils se collèrent à plat ventre dans la boue après avoir pris leur respiration. Le pinceau de lumière passa lentement au-dessus d'eux. Hayward, les nerfs tendus à craquer, attendait à chaque instant le coup de feu fatal, mais elle releva la tête en constatant qu'il ne venait pas. Plusieurs troncs de cyprès morts pourrissaient un peu plus loin et Pendergast se précipita sans hésiter dans ce camp retranché improvisé, aussitôt imité par Hayward.

La jeune femme nettoya à nouveau la carabine pendant que Pendergast agissait de même avec son Les Baer. La lampe balaya la même zone, plus près encore cette fois.

— Comment savez-vous qu'il s'agit d'un piège ? chuchota Hayward.

— Trop facile. Le tireur n'est pas seul et ils attendent que nous fassions feu sur le projecteur pour nous repérer.

— Que suggérez-vous ?

— Nous attendons, sans bouger et sans bruit.

La lampe s'éteignit et l'obscurité reprit ses droits. Impassible comme à son habitude, Pendergast ne bougeait plus derrière les troncs morts ; quant à Hayward, attentive au moindre bruissement, elle avait le sentiment d'être cernée par une faune grouillante. À moins qu'il ne s'agisse d'une faune humaine.

Le bateau coula après avoir achevé de se consumer dans une nappe de gazole. La nuit était presque totale dans le marais. Soudain, la lumière se ralluma à quelques mètres d'eux.

70

Judson Esterhazy, protégé de l'eau par sa combinaison de pêche à bretelles, avançait avec précaution à travers la végétation dense du marais, une Winchester 30/30 entre les mains. Une arme nettement plus légère que son fusil de sniper, de maniement facile, dont il se servait pour la chasse au chevreuil depuis l'adolescence. Une arme à son image, puissante et dangereuse.

La lampe de Ventura dansait entre les arbres, toujours plus près de l'endroit où Pendergast et sa compagne avaient retrouvé la terre ferme. Esterhazy s'était posté à une centaine de mètres derrière eux et ces idiots étaient loin de se douter qu'ils étaient pris en tenaille. Judson continuait à progresser vers les arbres morts tandis que Ventura leur coupait toute retraite en direction du chenal. Il suffisait qu'ils ouvrent le feu une fois, une seule petite fois, pour que Judson les repère et les abatte. Ils n'avaient pas le choix, ils finiraient bien par tirer sur la lampe. C'était inéluctable.

Le plan d'Esterhazy fonctionnait à merveille, mais il fallait bien reconnaître que Ventura avait su tenir son rang. La lampe, fixée à l'extrémité d'une longue perche, se rapprochait lentement, inexorablement. Elle s'attarda sur un fouillis de racines de cyprès, au pied d'un arbre abattu par une tempête. Ils se trouvaient là, à coup sûr; tout simplement parce qu'il n'y avait pas d'autre cachette à plusieurs dizaines de mètres à la ronde.

Il manœuvra de manière à mieux voir l'arbre mort. La lune sortit de derrière les nuages, haute dans le ciel, éclairant les moindres recoins du marais de sa lumière argentée. L'espace d'un instant, Esterhazy entrevit deux silhouettes accroupies derrière le tronc mort, tournées vers la lumière. Deux cibles faciles.

Judson épaula la carabine et regarda à travers la lunette, un modèle nocturne Trident Pro. Ses proies lui apparurent comme en plein jour. Le mieux était encore de tuer Pendergast en premier, la femme représentait un danger moindre.

Il changea très légèrement de position, visa lentement le dos de Pendergast et retint son souffle.

Hayward, accroupie derrière le tronc pourri, observait le ballet chaotique de la lumière dans la nuit.

— Ils ont probablement accroché la lampe au bout d'une perche, lui murmura Pendergast à l'oreille.

— Une perche?

— Oui. Voyez la façon dont la lumière se balance. C'est une ruse, ce qui confirme l'hypothèse d'un second tireur.

Il avait à peine terminé sa phrase qu'il prit Hayward à bras-le-corps et la plaqua dans la boue humide. Une détonation résonna dans leur dos et une balle se ficha dans le tronc avec un bruit mat.

Hayward suivit Pendergast en rampant à travers la vase, l'inspecteur se réfugia derrière un mur de racines et l'aida à se lover contre lui. Des coups de feu éclatèrent des deux côtés à la fois, faisant voler des éclats de bois tout près.

— Nous ne pouvons pas rester ici, haleta Hayward.

— Vous avez raison. Ils vont finir par nous avoir.

— Comment nous en tirer?

— Je m'occupe du tireur posté derrière nous. Laissez-moi le temps de m'éloigner en comptant jusqu'à quatre-vingt-dix et tirez une première fois avant de recommencer quatre-vingt-dix secondes plus tard. Ne vous fatiguez pas à viser, seul le bruit des détonations m'intéresse. Veillez toutefois à dissimuler l'éclair de vos coups de feu. À ce moment-là, et seulement à ce moment-là, tirez sur la lampe, foncez droit devant vous et tuez-le.

— Compris.

L'instant suivant, Pendergast avait disparu. Son départ fut accueilli par une nouvelle salve.

Hayward compta jusqu'à quatre-vingt-dix et tira dans le sol. La carabine tressauta dans un bruit de tonnerre et l'écho de la détonation se répercuta longuement à travers le marais. La réaction ne se fit pas attendre. Une pluie de balles s'abattit sur les racines au-dessus de sa tête et elle eut tout juste le temps de se jeter à plat ventre dans la boue. Le Les Baer de Pendergast aboya au même instant sur sa gauche et le feu roulant de ses adversaires changea de cible. Au bout de sa perche, la lampe se balançait doucement, mais elle n'avançait plus.

Elle appuya à nouveau sur la détente et la carabine rugit de plus belle.

Les balles qui s'abattirent autour d'elle provoquèrent une nouvelle salve de Pendergast dont la position avait changé. La lampe ne bougeait toujours pas.

Hayward la visa longuement et pressa la détente. La carabine aboya et la lampe s'éteignit dans une gerbe d'étincelles.

Sans attendre, elle jaillit de son abri de fortune et se rua en direction de son adversaire tandis que Pendergast la couvrait sous un feu roulant, empêchant le tireur arrière de l'abattre.

Deux détonations éclatèrent d'un bouquet de fougères tout près et elle chargea l'auteur des coups de feu qu'elle découvrit un peu plus loin, à plat ventre dans une barque à fond plat. Il leva sur elle deux yeux hébétés et elle se jeta dans l'eau en lui tirant dessus. L'homme eut le temps de riposter et elle ressentit une douleur intense à la cuisse. Stoppée dans son élan, elle étouffa un cri et tenta de se relever, en vain. Sa jambe refusait de la soutenir.

Elle rechargea son arme d'un geste désespéré, prête à recevoir le coup de grâce à tout instant. Comme rien ne venait, elle comprit qu'elle avait dû atteindre sa cible. Au prix d'un effort surhumain, elle se traîna en tortillant dans l'eau, agrippa le rebord de la barque et visa l'intérieur.

Le tireur, un inconnu, gisait au fond du bateau, une blessure profonde au niveau de l'épaule, son arme en miettes à ses pieds. Elle le vit tendre une main tremblante vers son pistolet.

— Pas un geste! lui ordonna-t-elle en s'efforçant d'oublier sa douleur à la jambe.

Elle empoigna le pistolet et le pointa dans sa direction.

— Levez-vous bien sagement. Je veux voir vos mains.

L'homme dressa un bras en poussant un grognement, incapable de bouger l'autre. Hayward s'assura que le chargeur du pistolet ravi à son adversaire était plein et jeta la carabine à l'eau.

L'homme poussa un gémissement. Au clair de lune, le sang de sa blessure à l'épaule formait sur sa chemise une tache qui allait en s'élargissant.

— Je suis touché, geignit-il. J'ai besoin d'un médecin.

— La blessure n'est pas mortelle, rétorqua Hayward que sa cuisse lançait terriblement.

La faune du chenal, attirée par l'odeur du sang, grouillait autour d'elle. Elle était immergée jusqu'à la taille et son adversaire n'avait aucun moyen de savoir qu'elle-même était touchée.

Des coups de feu retentirent derrière elle. Aux détonations du calibre 45 de Pendergast répondait épisodiquement l'aboiement d'une autre arme. La fusillade se calma avant de s'arrêter tout à fait et un long silence se posa sur le marais.

— Votre nom? demanda Hayward.

— Ventura. Mike V...

Un claquement sec et Ventura, projeté en arrière, s'effondra dans le fond de la barque, mortellement touché.

Prise de panique, Hayward s'enfonça dans l'eau sans lâcher le rebord du bateau. Des créatures aquatiques auxquelles elle aimait mieux ne pas penser commençaient à s'acharner sur sa blessure alors que les sangsues s'invitaient au festin par dizaines.

Elle se retourna d'une pièce en entendant un grand plouf et vit Pendergast s'approcher d'elle lentement, courbé dans l'eau. Il lui signala de garder le silence, s'agrippa au rebord de la barque, examina attentivement les alentours et se hissa à bord d'une détente. Hayward l'entendit fourrager dans la barque, puis il se laissa couler dans l'eau et la rejoignit.

— Ça va? demanda-t-il dans un chuchotement.

— Non, j'ai été touchée.

— Où?

— La jambe.

— Dans ce cas, vous ne pouvez pas rester dans l'eau, décréta l'inspecteur.

Joignant le geste à la parole, il lui prit fermement le bras et l'attira vers la berge du chenal. La fusillade avait alerté tous les êtres vivants et un silence inhabituel paralysait le marais, provisoirement épargné par les coassements et les chuintements de toutes sortes.

Hayward sentit l'onde s'agiter autour d'elle et une sensation rugueuse lui caressa la jambe. Elle étouffa un cri. La surface de l'eau s'écarta brusquement sur deux yeux de reptile, précédés de narines recouvertes d'écailles. La bête se précipita sur elle dans un jaillissement d'écume et Pendergast déchargea son arme sur l'animal. Les oreilles bourdonnantes, Hayward sentit les mâchoires d'un étau impitoyable se refermer sur sa cuisse blessée, réveillant une douleur insoutenable.

Elle voulut se débattre, se dégager, aidée par Pendergast qui refusait de lui lâcher le bras, mais l'énorme alligator l'entraînait vers le fond boueux du chenal. Le hurlement qu'elle allait pousser fut étouffé par l'eau croupie qui lui envahissait la gorge alors que sa tête s'enfonçait inexorablement. Plusieurs coups de feu lui parvinrent, assourdis. Elle eut la présence d'esprit de pointer son pistolet sur le monstre qui lui emportait la jambe et tira à bout portant.

L'explosion du coup de feu, alliée à la réaction spasmo-dique de l'alligator, la projeta en arrière. L'instant suivant, les terribles mâchoires s'écartaient et elle parvenait à regagner la surface.

Pendergast la tira violemment jusqu'à la rive et l'allongea sur un lit de fougères. Elle le sentit déchirer la toile de son pantalon et rincer la plaie du mieux qu'il le pouvait avant de la panser à l'aide de bandes de tissu.

— L'autre tireur, demanda-t-elle, à la limite du malaise. Vous l'avez eu?

— Non. Tout au plus l'ai-je débusqué de sa cachette. J'ai vu son ombre s'enfoncer au milieu des marais.

— Pourquoi ne tire-t-il plus?

— Difficile à dire. Il cherche peut-être un nouveau poste de tir. En tous les cas, l'occupant de la barque a été abattu par une balle de 30/30. Donc pas par nous.

— Un accident? s'enquit-elle avec une grimace en s'efforçant d'oublier la douleur.

— J'en doute.

Un bras passé autour de l'épaule de Pendergast, elle se releva.

— Nous n'avons plus le choix, reprit Pendergast. Il nous faut impérativement rallier Spanish Island. Le plus vite possible.

— Mais l'autre? Il nous guette, j'en suis sûre.

— Vous avez malheureusement raison, mais votre blessure ne peut attendre, proclama Pendergast en montrant sa cuisse d'un mouvement de menton.

71

Prenant appui sur Pendergast, Hayward avançait en clopinant dans la vase. Elle glissa à plusieurs reprises, manquant de l'entraîner dans sa chute. Des éclairs de douleur l'étourdissaient à chaque pas, comme si une barre de fer rougie au feu lui traversait la jambe, de la cuisse au mollet. Elle serrait les dents pour ne pas hurler, consciente que l'assassin était là, quelque part dans l'obscurité. La quiétude trompeuse qui avait envahi le marais lui mettait les nerfs à vif, décuplant sa peur. Malgré la moiteur de la nuit et la tiédeur de l'eau trouble, elle était parcourue de frissons et devait se convaincre qu'il ne s'agissait pas d'un cauchemar.

— Je vous en prie, capitaine, relevez-vous, lui intima doucement la voix de Pendergast.

Elle comprit qu'elle était tombée une nouvelle fois.

L'insistance avec laquelle son compagnon usait de son titre fouetta son orgueil et elle s'obligea à se relever, à tenter quelques pas avant de s'effondrer à nouveau. Pendergast s'efforçait de la soutenir, les muscles de son bras tendus comme des câbles, la voix rassurante, mais la boue était toujours plus dense, qui la happait comme des sables mouvants, et elle s'enfonça dans la vase.

Pendergast la tira et elle parvint à grand-peine à dégager sa jambe valide, mais l'autre se laissait aspirer par le marais, rendant la douleur quasiment intolérable. Elle retomba lourdement dans l'eau jusqu'à mi-cuisse.

— Je ne peux pas, dit-elle dans un halètement. Je n'y arriverai jamais.

Le marais se mit à tourner autour d'elle, un mal de crâne sourd lui vrillait les tempes, et seule l'opiniâtreté de Pendergast l'empêchait de se laisser couler.

L'inspecteur regarda autour d'eux d'un air circonspect.

— Très bien, murmura-t-il enfin.

Elle l'entendit déchirer un morceau de toile, sans doute un pan de sa veste. Le marais, les arbres, la lune dansaient une folle sarabande dans la tête de Hayward qui n'entendait plus que le vacarme des moustiques dans ses oreilles et ses narines. Elle se prit un instant à rêver que la vase qui l'avalait n'était autre que la chaleur rassurante de son lit dans son appartement de Manhattan, elle crut même entendre la respiration de Vinnie à côté d'elle…

Lorsqu'elle reprit connaissance, Pendergast achevait de confectionner un harnais de fortune qu'il lui glissa sous les aisselles. Elle se débattit, perdue, mais il la rassura d'un geste caressant.

— Je vais vous tirer. Je vous demande seulement de vous décontracter.

Elle hocha la tête, hébétée.

Pendergast tira péniblement le harnais et le marais abandonna lentement sa proie. La jeune femme se sentit glisser sur l'eau boueuse, ballottée comme un bouchon. Au-dessus d'elle, les arbres dessinaient un canevas irréel de motifs noir et argent sous les rayons de la lune. C'est tout juste si elle avait encore la force de se demander où se cachait le tueur, pourquoi il ne tirait plus. Cinq minutes s'étaient écoulées depuis les derniers coups de feu, ou bien trente, elle avait perdu toute notion du temps.

Pendergast s'arrêta brusquement.

— Qu'est-ce que c'est? gémit Hayward.

— Je viens d'apercevoir de la lumière entre les arbres.

72

Pendergast se pencha au-dessus de Hayward, inquiet de son état. Elle était en état de choc et la boue qui la recouvrait ne permettait pas de voir si elle avait perdu beaucoup de sang. La lune traçait sur son visage maculé de terre un masque livide. Avec une grande douceur, il la mit en position assise, retira le harnais, l'adossa contre un arbre et camoufla sa position derrière une brassée de fougères, puis il rinça du mieux qu'il le pouvait un chiffon de tissu et s'appliqua à nettoyer sa plaie à la jambe en retirant les sangsues qui s'y collaient.

— Comment vous sentez-vous, capitaine?

Hayward agita les lèvres, la bouche sèche, et ses paupières papillonnèrent au-dessus de ses yeux vitreux. Il lui prit le pouls et constata qu'il était faible.

— Je vais devoir vous laisser ici quelques minutes, lui annonça-t-il en collant la bouche contre son oreille.

Elle manifesta brièvement sa peur en écarquillant les yeux, puis elle hocha la tête.

— Je comprends, murmura-t-elle d'une voix rauque.

— Les habitants de Spanish Island, quels qu'ils soient, sont nécessairement au courant de notre présence ici à cause des coups de feu. Quant au tireur qui reste, rien ne nous dit qu'il ne nous guette pas, ce qui expliquerait le silence qui règne ici. Je vais devoir me montrer prudent. Puis-je voir votre arme?

Il prit le pistolet de la jeune femme, un calibre 32, dont il examina le chargeur avant de le lui glisser dans la main.

— Il vous reste quatre balles. Si jamais je ne revenais pas... vous pourriez en avoir besoin.

Il déposa sa lampe électrique sur les genoux de Hayward.

— Ne l'utilisez qu'en cas de besoin. Et n'oubliez pas que ce sont les yeux que l'on aperçoit le mieux dans l'obscurité. S'ils sont écartés de plus de cinq centimètres, il s'agira d'un alligator ou de notre homme. Vous m'avez compris.

Elle acquiesça en serrant le pistolet dans son poing.

— Personne ne peut vous voir dans votre cachette, à moins que vous ne manifestiez votre présence. À présent, écoutez-moi bien : vous ne devez *en aucun cas* vous assoupir. Perdre connaissance serait synonyme de mort.

— Allez-y, trouva-t-elle la force de murmurer.

Pendergast se retourna en direction de la faible lueur jaune qui filtrait à travers les arbres. Il sortit un couteau de sa poche et dessina un grand X des deux côtés du plus gros des troncs voisins, puis il s'éloigna vers la lumière en décrivant une longue spirale concentrique.

Il avançait lentement, veillant à faire le moins de bruit possible chaque fois qu'il extrayait ses chaussures de la boue collante. Aucun bruit, aucun signe d'activité n'accompagnait la lueur intermittente entre les troncs noirs. En approchant du but, il distingua le rectangle jaune pâle d'une fenêtre obscurcie par des rideaux, tel un œil de cyclope dans la masse obscure d'une rangée de bâtiments aux toits en pente.

Multipliant les précautions, il rôda pendant dix minutes avant d'avoir une vue d'ensemble de l'ancien campement de Spanish Island.

Érigé sur des pilotis plantés dans une bande de terre, le village était constitué d'une douzaine de baraquements coincés au milieu d'une épaisse forêt de cyprès recouverts de mousse espagnole, au bord d'un bayou d'eau croupie.

Pendergast continuait de se déplacer latéralement, en spirale, à l'affût de gardes potentiels. Tout au bout du camp, une jetée s'enfonçait dans les eaux du bayou. Un bateau y était amarré et Pendergast fronça les sourcils en reconnaissant un ancien canot de la Navy datant de la guerre du Viêtnam, l'une de ces embarcations à très faible tirant d'eau dont le système de propulsion était conçu pour ne pas troubler le silence dans les marécages. À l'exception de quelques appentis dont les toitures s'étaient effondrées, le camp paraissait en bon état et tout indiquait qu'il était habité. L'un des édifices, doté de lourds rideaux occultant la lumière des fenêtres, était même soigneusement entretenu.

Pendergast acheva de cercler le camp sans croiser de sentinelle. Un silence de mort enveloppait ce lieu irréel. Si le tireur était là, il se cachait particulièrement bien, mais l'inspecteur préféra attendre, tous les sens aux aguets. Une plainte déchirante monta dans la nuit, multipliant les modulations avant de se transformer en vocalises incohérentes.

Pendergast sortit son Les Baer et contourna une nouvelle fois le village en se taillant un chemin à travers les fougères au milieu desquelles se dressaient les pilotis. Il tendit l'oreille, mais rien ne faisait croire à une présence humaine : ni voix au-dessus de sa tête, ni bruits de pas sur les planches, ni lumière.

Une échelle de fortune, luisante d'humidité, permettait d'accéder à la coursive qui ceinturait les constructions. Pendergast patienta quelques minutes encore et la rejoignit en rampant sur le sol vaseux, agrippa le premier barreau et se hissa lentement en testant la solidité des barres de bois. Arrivé à hauteur de la coursive, il glissa un œil et constata une fois de plus que l'endroit n'était pas gardé.

Il acheva d'escalader les derniers barreaux et se mit à plat ventre sur les planches, l'arme au poing. L'oreille tendue, il crut identifier un bruit de voix, ou plutôt le murmure lent et monotone de quelqu'un qui récite un chapelet. La lune était à son zénith et le campement formait une oasis de lumière au milieu de la végétation. Après une dernière attente, il se releva et gagna en deux enjambées l'ombre protectrice du bâtiment le plus proche contre lequel il se colla. Une maigre lueur émanait d'une fenêtre aux rideaux tirés.

Il longea la façade avec une extrême prudence, tourna le coin et franchit l'obstacle d'une autre fenêtre en s'accroupissant. Au coin suivant l'attendait une porte aux gonds fatigués par la rouille dont la peinture s'écaillait par plaques. Il tourna lentement la poignée, mais la porte était fermée. Il en crocheta la serrure sans bruit, puis il attendit en retenant sa respiration.

Rien.

Il poussa le battant, se glissa à l'intérieur du bâtiment, prêt à tirer, et découvrit un grand salon meublé avec élégance. La pièce n'en était pas moins défraîchie, avec sa grande cheminée en pierre, surmontée d'un alligator empaillé à moitié moisi, sur le manteau de laquelle s'alignaient des pipes de bruyère et une collection de siphons anciens. Des râteliers vides étaient accrochés aux murs, face à des vitrines contenant un impressionnant matériel de pêche. Un canapé et des fauteuils de cuir craquelé étaient regroupés autour de la cheminée. La couche de poussière qui recouvrait chaque objet respirait l'abandon.

Pendergast dressa l'oreille en entendant un léger bruit de pas et un murmure de voix au-dessus de sa tête.

Plusieurs lampes à pétrole, la mèche à peine sortie, projetaient une lumière sourde dans la pièce. Pendergast en saisit une au hasard, augmenta la mèche et s'engagea dans un étroit escalier en bois aux marches recouvertes d'un épais tapis.

À l'étage l'attendait un couloir le long duquel s'alignaient les anciennes chambres du campement. Les premières portes s'ouvraient sur des pièces entièrement vides dont les fenêtres avaient gardé leurs voilages, sans doute pour filtrer la lumière du dehors.

Une porte entrouverte, plus large que les autres, dessinait sa silhouette à l'extrémité du couloir. Pendergast s'avança à pas de loup et constata que les dernières chambres servaient encore, à en juger par leur mobilier d'une élégance sobre : une grande chambre à coucher au lit habillé de draps propres, une salle de bains, un dressing, ainsi qu'une seconde chambre plus modeste, uniquement meublée d'un grand lit et séparée de la première par un miroir sans tain.

Pendergast colla l'oreille contre une porte derrière laquelle brillait un filet de lumière. Tout était silencieux, à l'exception du ronronnement caractéristique d'un groupe électrogène.

Il se plaqua contre le mur du couloir, pivota sur lui-même en repoussant brutalement le battant du pied et se jeta sur le sol.

Un fusil aboya et un trou de la taille d'un ballon de basket s'imprima dans le chambranle au milieu d'une pluie d'échardes. Pendergast se jeta de côté avant que le tireur ait pu recharger son arme, échappant à la seconde décharge de chevrotine qui fit voler en éclats une desserte posée près de la porte. D'un bond, l'inspecteur se rua sur son agresseur et lui immobilisa le cou avec le bras avant de lui arracher le fusil des mains. D'un geste, il retourna son adversaire et découvrit une femme d'une grande beauté.

— Lâchez-moi, lui dit-elle d'une voix calme.

Pendergast relâcha son étreinte et recula d'un pas sans baisser la garde.

— Ne bougez pas, ordonna-t-il à sa prisonnière. Et laissez vos mains bien en vue.

Il embrassa la pièce d'un coup d'œil et découvrit avec stupéfaction une salle de soins intensifs équipée de machines flambant neuves : un système de surveillance physiologique, un oxymètre de pouls, un moniteur d'apnée, un respirateur, un appareil de perfusion, un chariot d'urgences, une unité à rayon X mobile ainsi qu'une demi-douzaine d'autres appareils.

— Qui êtes-vous ? l'interrogea l'inconnue.

Elle avait recouvré son sang-froid et s'exprimait sur un ton glacial. Vêtue d'une robe crème unie, sans bijoux, elle était soigneusement maquillée et coiffée. Pendergast, frappé par l'intelligence et la détermination de son regard bleuté, n'eut aucun mal à reconnaître les photos consultées dans les locaux de l'état civil à Baton Rouge.

— June Brodie, laissa-t-il tomber.

Elle pâlit très légèrement. Dans le silence qui suivit, une longue plainte traversa la porte située à l'autre extrémité de la pièce, sans que Pendergast puisse savoir s'il s'agissait d'un cri de douleur ou de désespoir.

— J'ai bien peur que votre arrivée intempestive ait réveillé mon malade, déclara-t-elle avec froideur. C'est infiniment regrettable.

73

— Votre malade? répéta Pendergast.

Brodie ne jugea pas utile de lui répondre.

— Nous aurons tout le loisir d'en rediscuter plus tard, poursuivit-il. En attendant, j'ai besoin de votre bateau afin d'aller secourir une collègue blessée que j'ai dû abandonner en plein marais. Tout ce matériel ne sera pas de trop.

Comme son interlocutrice ne réagissait pas, il brandit son arme.

— Tout refus de m'aider pourrait vous coûter cher.

— Inutile de me menacer.

— Dois-je vous rappeler que vous avez tiré la première?

— À quoi vous attendiez-vous, en débarquant ici comme le 7e de cavalerie?

— Remettons à plus tard les assauts de politesse, rétorqua sèchement Pendergast. Ma collègue est sérieusement blessée.

Parfaitement maîtresse d'elle-même, June Brodie enfonça la touche d'un interphone fixé au mur.

— Nous avons de la visite, dit-elle d'une voix sans réplique. Retrouve-nous sur le quai avec une civière.

À peine achevées ses recommandations, June Brodie quitta la pièce sans un regard pour son visiteur. Pendergast la suivit dans le couloir, l'arme à la main, puis il descendit le petit escalier derrière elle, traversa le salon et se retrouva dans la nuit. Quelques instants plus tard, ils rejoignaient la jetée et Brodie montait dans le canot dont elle mit le moteur en route.

— Détachez-le, demanda-t-elle à Pendergast. Et rangez-moi cette arme.

Il s'exécuta et le canot s'éloigna du quai en marche arrière.

— Mon amie se trouve à environ un kilomètre d'ici, direction est-sud-est. Il y a un tireur dans le marais, mais je ne vous apprends sans doute rien. Il est possible qu'il soit également blessé.

Brodie posa sur lui son regard glacial.

— Vous voulez récupérer votre amie, oui ou non?

Pendergast se contenta de montrer du doigt le tableau de bord.

Sans un mot, la femme s'élança sur les eaux du bayou. Quelques minutes plus tard, elle réduisit la vitesse et s'engagea sur un petit chenal qui sinuait de façon à peine visible à travers le labyrinthe du marais.

— Sur la droite, lui indiqua Pendergast en tentant de se repérer.

Brodie n'avait pas allumé le phare du canot, jugeant sans doute moins dangereux de se déplacer au clair de lune.

Elle poursuivit son chemin au milieu des marécages, n'hésitant pas à donner les gaz chaque fois que l'esquif menaçait de s'enliser.

— Là-bas, lui dit brusquement Pendergast en désignant un tronc marqué d'une croix.

Le canot s'échoua sur une langue de terre boueuse.

— Nous ne pouvons pas aller plus loin, répliqua Brodie dans un murmure.

Pendergast se pencha vers elle et s'assura en quelques gestes qu'elle n'était pas armée.

— Ne bougez pas d'ici, lui recommanda-t-il à voix basse. Je vais aller chercher ma collègue. À condition de m'obéir, vous n'avez rien à craindre de moi.

— Je vous l'ai déjà dit, inutile de proférer des menaces.

— Il ne s'agit pas d'une menace, mais d'un simple éclaircissement, rectifia Pendergast en se laissant glisser dans la vase avant de s'éloigner.

— Capitaine Hayward? appela-t-il.

Rien.

— Laura?

Aucune réponse.

Quelques instants plus tard, il rejoignait la jeune femme. À demi consciente seulement, la tête pendante, elle n'avait pas bougé de place. Pendergast regarda rapidement autour de lui, à la recherche d'un reflet métallique ou d'un bruit susceptible de lui signaler la présence du tueur dans les parages. Rassuré, il prit Hayward à bras-le-corps et la ramena jusqu'au canot où June Brodie l'aida à allonger la jeune femme.

Sans un mot, elle lança le moteur et reprit le chemin du campement à plein régime. Arrivée en vue de la jetée, Pendergast distingua la silhouette trapue d'un homme en blouse blanche, debout sur le quai à côté d'une civière. Avec l'aide de Brodie, il sortit du canot le corps de Hayward et le déposa sur la civière que l'inconnu se chargea de pousser jusqu'au bâtiment principal. Le temps de porter le corps dans le petit escalier et ils rejoignaient la salle de soins intensifs où les attendait l'étrange collection d'appareils médicaux.

Hayward installée sur un lit, June Brodie se tourna vers le petit homme en blouse blanche.

— Pratique une intubation orotrachéale, lui ordonna-t-elle d'une voix sans réplique. Ensuite, ouvre l'oxygène.

L'homme se précipita, introduisit un tube à l'intérieur de la gorge de Laura Hayward et ouvrit la bonbonne à oxygène avec des gestes qui trahissaient une longue habitude.

— Que lui est-il arrivé? demanda-t-elle à Pendergast en découpant la manche de la jeune femme avec une paire de ciseaux stériles.

— Blessure par balle et morsure d'alligator.

June Brodie hocha la tête, vérifia le pouls de Hayward, prit sa tension et examina la dilatation des pupilles à l'aide d'une lampe.

— Une perfusion de Dextran avec une aiguille de 14, précisa-t-elle à l'homme en blanc.

Pendant qu'il s'exécutait, elle procéda à une prise de sang, puis elle découpa le reste de la jambe de pantalon à l'aide d'un scalpel.

— Irrigation.

L'homme lui tendit une grosse seringue remplie d'une solution saline et elle entreprit de nettoyer la plaie, enlevant au passage de nombreuses sangsues qu'elle jetait au fur et à mesure dans un sac plastique rouge. D'une main sûre, elle injecta un anesthésique local autour de la blessure, acheva de la nettoyer et la pansa après lui avoir administré un antibiotique.

— Elle s'en tirera, dit-elle en relevant la tête.

Au même instant, Hayward ouvrit les yeux et émit un borborygme inintelligible en montrant du doigt le tube qu'elle avait dans la gorge.

Au terme d'un examen rapide, Brodie demanda à son assistant de le retirer.

— Je n'ai pas voulu prendre de risque, précisa-t-elle.

Hayward avala sa salive en grimaçant de douleur, puis elle regarda le décor de la pièce d'un regard encore vague.

— Que se passe-t-il?

— Vous avez été sauvé par un fantôme, lui expliqua Pendergast. Le fantôme de June Brodie.

74

Hayward dévisagea les deux inconnus, puis elle tenta de s'asseoir, la tête dans les nuages.

— Laissez-moi vous aider, s'interposa Brodie en relevant la partie supérieure du lit d'hôpital. Vous étiez en état de choc, mais vous n'allez pas tarder à reprendre vos esprits.

— Ma jambe...

— Rien de grave. La balle a traversé les chairs et vous avez été victime d'une mauvaise morsure d'alligator. Je vous ai anesthésiée localement, mais vous aurez mal lorsque les effets du produit commenceront à s'estomper. Je vais devoir vous injecter d'autres antibiotiques, la gueule d'un alligator est un véritable nid à bactéries. Comment vous sentez-vous?

— Un peu à l'ouest, répondit Hayward en se redressant. Où sommes-nous? Et vous êtes vraiment June... June Brodie?

Elle avait du mal à croire qu'un camp de pêche puisse abriter une salle de réanimation aussi bien équipée. Si c'en était bien une.

Elle secoua la tête afin de s'éclaircir les idées.

— Pourquoi avoir feint de vous suicider?

Brodie recula d'un pas.

— Vous êtes sans doute ces deux policiers qui s'intéressent aux laboratoires Longitude. Le capitaine Hayward du NYPD et l'inspecteur Pendergast du FBI.

— En effet, approuva Pendergast. Je vous montrerais mon badge si le marais ne s'était chargé de l'engloutir.

— Inutile, répliqua sèchement Brodie. Je ferais mieux de consulter un avocat avant de répondre à vos questions.

Pendergast l'observa longuement.

— Je ne suis guère d'humeur à supporter ce genre de manœuvre dilatoire, dit-il sur un ton menaçant. Que cela vous plaise ou non, j'ai l'intention d'obtenir des réponses à mes questions sans avoir besoin de vous lire vos droits.

Il se tourna vers l'homme en blanc.

— Mettez-vous à côté d'elle.

Le petit homme se hâta d'obéir.

— S'agit-il du malade dont vous m'avez parlé tout à l'heure ? demanda-t-il à Brodie en désignant l'inconnu.

Elle répondit non de la tête.

— Je m'étonne que vous nous traitiez de la sorte, après les soins prodigués à votre collègue.

— Je ne vous conseille pas de jouer avec mes nerfs.

Brodie garda le silence et Pendergast posa sur elle un regard impitoyable, le poing serré autour de la crosse de son Les Baer.

— Vous allez répondre à mes questions. Compris ?

La femme acquiesça.

— Dites-moi tout d'abord à quoi sert cette pièce ? Qui est ce fameux « malade » ?

— C'est moi, répondit une voix cassée et mal assurée dans son dos. Tout ce luxe se trouve ici pour moi.

Pendergast se retourna et découvrit la silhouette élancée d'un personnage aux traits émaciés, debout dans l'encadrement de la porte. L'homme laissa échapper un petit rire râpeux, à peine un murmure, puis il émergea lentement de la pénombre.

— Je me nomme Charles J. Slade ! se présenta-t-il en élevant légèrement la voix.

75

Judson Esterhazy poussa à fond le Merc 250 de son canot à moteur et remonta en direction du sud le vieux chenal aménagé autrefois par les bûcherons. Comprenant qu'il risquait de chavirer, il s'obligea à ralentir et tenta d'apaiser ses pensées. Il avait abandonné Pendergast et sa compagne blessée, sans moyen de locomotion, à plus d'un kilomètre de Spanish Island. Il se fichait provisoirement de savoir s'ils parviendraient ou non à rallier le campement, il lui fallait impérativement se mettre à l'abri en attendant de prendre les mesures nécessaires. Pour l'heure, il devait panser ses plaies et reprendre du poil de la bête.

Au fond de lui-même, il savait déjà que Pendergast arriverait jusqu'à Spanish Island. Et il avait beau savoir tout ce qui s'était passé entre lui et Slade, il regrettait amèrement de devoir laisser le vieil homme sans protection. Il n'avait pas voulu se l'avouer à l'époque, mais il avait toujours su qu'on en arriverait là lorsque Pendergast avait débarqué la première fois chez lui, à Savannah. Il y avait du surnaturel chez son beau-frère. Douze années d'un plan méticuleusement mis au point fichues en l'air en un clin d'œil. Tout ça parce qu'on avait oublié de nettoyer le canon de ce foutu fusil. Une négligence de rien du tout aux conséquences incalculables.

Au moins n'avait-il pas commis l'erreur de sous-estimer son adversaire, contrairement à d'autres, qui l'avaient amèrement regretté. Pendergast n'avait aucune idée du rôle qu'il avait joué dans cette affaire, ou de l'atout qu'il conservait dans sa manche. Des secrets que Slade emporterait dans la tombe.

L'air de la nuit lui fouettait le visage, les étoiles scintillaient au-dessus de sa tête, les silhouettes des arbres se découpaient au clair de lune. Le chenal allait en se rétrécissant et Esterhazy réduisit encore l'allure. Tout n'était pas perdu. Pendergast et sa compagne avaient très bien pu trouver la mort dans le marais avant d'atteindre Spanish Island. La fille avait pris une balle et s'était peut-être vidée de son sang. Quand bien même la blessure ne serait pas mortelle, jamais Pendergast ne réussirait à l'extirper d'un marais infesté d'alligators, de mocassins d'eau, de sangsues et de moustiques.

L'extrémité du chenal, bloquée par la vase, était en vue. Il coupa le moteur, le sortit de l'eau et prit la perche. Les moustiques qui occupaient ses pensées un instant plus tôt s'acharnaient à présent sur lui et il jura en tentant vainement de les écarter.

Le chenal se divisait en deux et il poussa le bateau sur la passe de gauche. Heureusement qu'il connaissait ce marais comme sa poche. Il avançait lentement, se servant régulièrement de la sonde électronique afin de mesurer la profondeur de l'eau. Haut dans le ciel, la lune inondait le marais de lumière comme en plein jour. Minuit. Encore six heures avant l'aube.

Il tenta d'imaginer leur arrivée à Spanish Island, mais cette seule pensée le rendait morose et il la chassa de son esprit en crachant dans l'eau. Ce n'était plus son problème. Ce crétin de Ventura avait été assez con pour se laisser surprendre par Hayward, mais Judson lui avait cloué le bec juste à temps. Blackletter était mort, tous ceux qui auraient été capables d'établir un lien entre le projet Aves et lui étaient morts.

Judson ne se berçait guère d'illusions : Pendergast finirait par découvrir la vérité, ce n'était qu'une question de temps. Cela signifiait qu'il saurait un jour quel rôle avait joué

Judson dans la mort de sa sœur. Pour cette raison, Pendergast devait mourir.

Pas question d'improviser cette fois. Il mourrait quand Esterhazy le déciderait, selon la méthode qu'il aurait choisie. Car Esterhazy conservait un avantage de première importance : la surprise. L'inspecteur n'était pas invulnérable, Esterhazy connaissait désormais ses faiblesses et il saurait les exploiter. Un plan commençait même à germer dans son esprit. Un plan aussi simple qu'efficace.

L'eau était à nouveau assez profonde pour qu'il puisse remettre en route le moteur. Il abaissa ce dernier et traça rapidement son chemin en direction de l'ouest en vérifiant constamment la profondeur du chenal. À ce rythme, il atteindrait le Mississippi bien avant l'aube, il n'aurait plus alors qu'à s'enfoncer dans un bayou isolé. Une phrase de *L'Art de la guerre* lui revint à l'esprit :

Devance ton adversaire en lui prenant ce qu'il a de plus cher, et fais en sorte de le frapper sur le lieu et au moment de ton choix.

Cette recommandation n'aurait pu mieux convenir à sa situation.

76

Hayward se figea en entendant la voix du spectre qui venait d'apparaître sur le seuil de la porte. L'homme mesurait près de deux mètres et il était d'une maigreur inquiétante. Deux yeux immenses, surmontés d'épais sourcils, lui mangeaient le visage, et des poils oubliés par le rasoir lui sortaient par touffes du menton et du cou. Ses cheveux blancs, coiffés en arrière, lui tombaient jusqu'aux épaules et il portait une veste anthracite sur une tunique d'hôpital. Il tenait d'une main un fouet, s'appuyant de l'autre sur la potence d'une poche à perfusion.

Son arrivée silencieuse aurait pu laisser croire à une apparition. Ses yeux, injectés de sang jusqu'à en paraître violets, n'avaient nullement cette instabilité chronique que l'on associe au regard des fous. Une grimace déforma ses traits lorsqu'il aperçut Hayward et il serra les paupières.

— Non, non, non…, murmura-t-il dans un souffle.

June Brodie s'empressa de saisir une blouse d'hôpital qu'elle jeta autour des épaules de la blessée afin de dissimuler la chemise à carreaux empruntée à Larry.

— Il ne supporte pas les couleurs vives, chuchota-t-elle à la jeune femme. Efforcez-vous surtout de bouger lentement.

Slade souleva péniblement les paupières et l'expression de souffrance qu'il portait sur le visage s'estompa lentement. Lâchant la potence, il leva une main sillonnée de veines d'un geste presque biblique, déplia un index

445

tremblant en direction de Pendergast et posa sur l'inspecteur son regard brûlant.

— C'est vous qui cherchez à savoir qui a tué votre femme, déclara-t-il d'une voix à la fois fragile et pleine d'assurance.

Pendergast, comme hébété dans son costume maculé de boue humide, ses cheveux argentés en bataille, ne répondit pas.

Slade laissa lentement retomber son bras.

— C'est *moi* qui ai tué votre femme.

Pendergast pointa le canon de son arme sur le vieil homme.

— Je veux savoir pourquoi.

— Non ! Attendez…, s'interposa June.

— Silence ! la coupa l'inspecteur sur un ton sans appel.

— Vous avez raison, souffla Slade. Silence. C'est moi qui ai donné l'ordre de la tuer. Hélène… Esterhazy… Pendergast.

— Charles, cet homme est armé, l'avertit June d'une voix inquiète. Il va vous tuer.

— Foutaise, répliqua-t-il en tournant un doigt en l'air. Nous avons tous perdu un être cher. Il a perdu sa femme, j'ai perdu mon fils. Ainsi va la vie. *J'ai perdu mon fils*, répéta-t-il avec une intensité inattendue, sans élever le son de sa voix.

June Brodie se tourna vers Pendergast et s'adressa à lui à voix basse.

— Évitez d'évoquer son fils. Cela risquerait de compromettre tous les progrès que nous avons faits, le supplia-t-elle, des sanglots dans la voix.

— Il *fallait* qu'elle meure. Elle menaçait de tout révéler. Trop dangereux… pour nous tous…

Les yeux de Slade, écarquillés par la terreur, s'arrêtèrent au hasard sur l'un des murs de la pièce.

— Pourquoi êtes-vous là ? demanda-t-il sans s'adresser à personne en particulier. Il est encore trop tôt.

Il leva la main avec laquelle il tenait le fouet et se frappa lui-même à trois reprises, la violence des coups envoyant voler à chaque fois des lambeaux de veste.

Cette séance d'autoflagellation eut pour effet de le ramener à la réalité. Il se redressa dans un silence de mort, le regard mieux assuré.

— Vous voyez bien, insista Brodie. Ne le provoquez pas, je vous en prie.

— Le provoquer? grinça Pendergast. S'il ne s'agissait que de cela.

Le ton qu'il avait employé glaça les sangs de Hayward qui se sentait impuissante, clouée à son lit par les perfusions. Elle les arracha d'un geste et se leva, la tête prise de vertiges.

— Je m'en occupe, la calma Pendergast.

— Souvenez-vous de votre promesse. Vous avez juré de ne pas le tuer, rétorqua Hayward.

Pendergast se planta devant l'étrange personnage sans répondre.

Le regard de Slade se perdit une nouvelle fois dans le lointain. Sa bouche, agitée par un discours muet, se tordait de façon spasmodique. Hayward finit par déchiffrer trois mots qu'il répétait à l'infini, comme une litanie : *Allez-vous-en, allez-vous-en, allez-vous-en…* Un nouveau coup de fouet dans le dos parut ramener le vieil homme à un semblant de lucidité. Il tendit une main tremblante vers la potence à perfusion et appuya de toutes ses forces sur l'injecteur de la poche qui y était accrochée.

Ce type-là est complètement drogué, remarqua intérieurement la jeune femme.

Slade roula des yeux pendant quelques instants, le temps que le médicament fasse effet.

— Mon histoire est simple, déclara-t-il de sa voix grave et rauque. Hélène… une femme remarquable. Et quel cul… J'imagine que vous avez dû vous amuser gentiment, tous les deux. Non?

Le Les Baer trembla légèrement dans la main de Pendergast.

— Elle a fait une découverte…

Slade perdit à nouveau le fil tandis que ses yeux et sa bouche reprenaient leur sarabande, le fouet inerte dans sa main.

Pendergast s'avança et le gifla à la volée.

— Continuez.

La violence du geste eut l'effet désiré, car l'homme recouvra aussitôt ses esprits.

— Comment dit-on dans les films? *Merci, j'en avais bien besoin.*

Un rire silencieux le secoua brièvement.

— Ah oui, Hélène… Une découverte étonnante. Mais vous connaissez déjà l'histoire. N'est-ce pas, monsieur Pendergast?

L'inspecteur acquiesça.

Le vieil homme, secoué par une quinte de toux, appuya sur l'injecteur de sa perfusion et laissa le produit agir avant de reprendre.

— Elle nous a parlé de sa découverte sur la grippe aviaire, et c'est ainsi qu'est né le projet Aves. Elle voulait croire à la possibilité d'un traitement miracle capable de développer la *créativité*. Le phénomène avait apporté la preuve de son efficacité avec Audubon. Pendant un temps.

— Pourquoi avoir arrêté les recherches?

Pendergast avait posé la question d'une voix neutre dont n'était pas dupe Hayward. L'arme tremblait toujours dans sa main et elle ne l'avait jamais vu aussi peu maître de ses émotions.

— Les recherches coûtaient cher. Monstrueusement cher, ajouta-t-il en montrant la pièce d'un geste lent.

— Vous aviez donc choisi Spanish Island pour y installer votre laboratoire de recherche.

— Bingo. Nous pouvions réaliser des économies considérables en travaillant à l'écart du monde, loin des contraintes imposées par le système. Pourquoi nous embêter à respecter la réglementation quand nous pouvions travailler dans l'ombre, loin des tracasseries administratives?

Hayward comprenait désormais la raison d'être du quai installé face au marais sur le site de Longitude.

— Et les perroquets? demanda Pendergast.

— Nous les gardions sur le site principal, dans le complexe 6. Mais des erreurs ont été commises. L'un des oiseaux s'est échappé et a contaminé une famille entière.

Une bavure pas aussi désastreuse qu'on a voulu le croire. J'ai expliqué à mes collaborateurs que c'était encore le meilleur moyen de réaliser à moindre coût une expérience en situation réelle. Il nous suffisait de voir ce qui allait se passer!

Secoué par une nouvelle crise d'hilarité, sa pomme d'Adam couverte de poils agitée par un tremblement grotesque, il lui sortait du nez des bulles de morve qui maculaient sa veste en éclatant. Il se racla la gorge et laissa tomber à ses pieds un épais crachat avant de poursuivre.

— Hélène n'était pas d'accord. Cette femme était une militante-née. Quand elle a appris ce qui était arrivé avec les Doane, elle a promis de nous dénoncer dès qu'elle rentrerait de son petit safari. Quelle autre solution avions-nous? conclut-il en écartant les mains.

— Qui est le « on » en question?

— Les membres du groupe Aves. À l'époque, ma chère June, ici présente, ne se doutait de rien. J'ai veillé à ne rien lui dire jusqu'à l'incendie. J'ai usé de la même discrétion avec notre ami Carlton, précisa-t-il en désignant l'homme en blanc.

— Donnez-moi leurs noms.

— Vous les connaissez. Blackletter, Ventura... À propos, où est Mike?

Pendergast ne répondit pas.

— J'imagine que son corps doit pourrir dans le marais à l'heure qu'il est. Grâce à vous. Allez au diable, Pendergast. C'était non seulement le meilleur responsable de la sécurité que peut espérer un patron, mais surtout notre dernier lien avec le monde extérieur. Vous avez peut-être tué Ventura, mais vous n'aurez jamais sa peau. À *lui*. Jamais je ne vous donnerai son nom, ajouta Slade dans un sursaut d'orgueil. Il reviendra vous tuer, au moment où vous vous y attendrez le moins.

— Son nom, exigea Pendergast en menaçant le vieil homme de son arme.

— Non! hurla June.

Les traits de Slade se crispèrent douloureusement.

— Je vous en supplie, ma chère. Votre voix…

Brodie se tourna vers Pendergast, les mains jointes dans un geste suppliant.

— Ne le brutalisez pas, dit-elle dans un chuchotement. C'est un homme bon, *très* bon! Essayez de comprendre, monsieur Pendergast. Il a payé, lui aussi.

Pendergast posa sur elle un regard froid.

— Il y a eu un autre accident, expliqua-t-elle. Charles a été contaminé à son tour.

La nouvelle ne sembla guère émouvoir l'inspecteur.

— Que je sache, il n'était pas malade quand il a décidé d'ordonner l'exécution de ma femme.

— C'était il y a longtemps. Rien ni personne ne pourra lui rendre la vie. Je vous demande de tout oublier.

Les yeux de Pendergast lancèrent des éclairs.

— Charles a failli mourir, poursuivit-elle. Alors il a eu l'idée de… de m'appeler ici. Mon mari nous a rejoints plus tard, précisa-t-elle en lançant un coup d'œil en direction de l'homme en blanc.

— Vous étiez la maîtresse de Slade.

— Oui, dit-elle fièrement. Et je le suis toujours.

— Pourquoi avoir décidé de vous cacher? insista Pendergast.

Voyant que Brodie se murait dans le silence, Pendergast se tourna vers Slade.

— Ça n'a pas de sens. Les symptômes liés à la maladie n'étaient pas encore apparus lorsque vous avez pris la décision de venir ici. *Pourquoi avoir voulu vous isoler du monde?*

— Carlton et moi veillons sur lui au quotidien, s'empressa de déclarer Brodie. Nous nous efforçons de limiter les effets du virus. Cessez de le tourmenter, vous risquez de perturber son équilibre et…

— Le virus, l'arrêta Pendergast d'un geste. Quels en sont les effets?

— La maladie affecte simultanément les éléments inhibiteurs et excitateurs du cerveau, s'empressa de répondre

Brodie, soulagée de voir la conversation s'engager sur un terrain moins dangereux. Le cerveau se trouve progressivement inondé par les sensations physiques, qu'il s'agisse de la vue, de l'ouïe, de l'odorat ou du toucher. Il s'agit d'une forme mutante du flavivirus, et elle commence par provoquer une forme d'encéphalite aiguë. À condition de survivre, le patient donne l'impression de guérir dans un premier temps.

— Comme les Doane, pouffa Slade. Mon Dieu, oui... exactement comme les Doane. Je puis vous assurer que nous le savons, pour les avoir surveillés de très près.

— Le virus se fixe sur le thalamus, continua Brodie. Plus particulièrement au niveau du CGL.

— Le corps géniculé latéral, traduisit Slade en se donnant un coup de fouet.

— Un peu comme l'herpès zoster, enchaîna aussitôt Brodie. Ce que l'on nomme communément le zona, une infection qui s'installe dans les ganglions nerveux et peut réapparaître après des années en provoquant des dégâts. À ceci près que le virus dont nous parlons finit par détruire les neurones qui l'abritent.

— Résultat des courses, folie assurée, murmura Slade dont les lèvres s'agitaient de plus en plus vite.

— Et ceci? demanda Pendergast en montrant la potence à perfusion de la main qui tenait le pistolet. Je suppose que vous tentez d'atténuer l'effet de l'hypertrophie des sensations à l'aide de morphine?

Brodie hocha vivement la tête.

— Je vous l'ai dit, il ne sait pas ce qu'il dit. Nous essayons depuis des années de lui rendre son état normal. Et j'ai bon espoir d'y parvenir. C'est un homme formidable, un guérisseur capable de réaliser des miracles.

Pendergast, pâle comme la mort dans son costume en lambeaux, pointa l'arme en direction de Slade.

— Je me fiche des miracles dont est capable cet homme. Je veux le nom du dernier protagoniste du projet Aves.

Slade, emporté par sa folie, adressait aux murs des phrases inintelligibles. Il s'agrippa à la potence d'une main secouée de tics et son corps tout entier fut pris de tremblements, jusqu'à ce qu'une double pression de l'injecteur lui redonne un semblant de contrôle de lui-même.

— La décision de tuer ma femme, reprit Pendergast à l'adresse de Slade sans se soucier des récriminations de Brodie. C'est vous qui l'avez prise?

— Oui. Au début, les autres ne voulaient pas. Ils ont fini par se ranger à mon avis en comprenant que nous n'avions pas le choix. Elle ne voulait rien entendre. Nous lui avons proposé de l'argent, mais elle a refusé. Alors nous l'avons tuée avec beaucoup d'ingéniosité. Dévorée par un lion apprivoisé!

Il éclata d'un rire silencieux et le pistolet tressauta nerveusement dans la main de Pendergast.

— Croc, croc, le lion! murmura Slade que l'idée amusait grandement. Ah, Pendergast! Vous n'avez pas idée de la boîte de Pandore que votre enquête a ouverte. Il ne faut jamais réveiller un chien qui dort en lui bottant les fesses.

Pendergast le visa.

— Votre promesse, lui rappela Hayward sur un ton ferme.

— Il doit mourir, balbutia Pendergast, comme s'il se parlait à lui-même. *Cet homme doit mourir!*

— Cet homme doit mourir, répéta Slade d'une voix moqueuse. Allons, mon vieux! Tuez-moi! Vous me rendrez service.

— Souvenez-vous de ce que vous m'avez promis! insista Hayward.

Pendergast baissa brusquement le canon de son arme, s'avança en direction de Slade et lui tendit le Les Baer.

Slade le lui arracha des mains.

— Seigneur! s'écria Brodie. Vous êtes fou? Il va vous tuer!

Slade pointa l'arme sur Pendergast et un sourire effrayant déforma ses traits.

— Je vais me faire un plaisir de vous envoyer rejoindre votre salope de femme, dit-il en pressant lentement la détente.

77

— Une petite seconde, l'arrêta Pendergast. Avant de me tuer, j'aurais souhaité m'entretenir quelques instants avec vous. Seul à seul.

Slade prit appui contre la potence sans baisser la garde pour autant.

— Pourquoi?

— J'ai des révélations qui pourraient vous intéresser.

Le vieil homme observa longtemps son adversaire, puis il se décida.

— Décidément, je suis un piètre maître de maison. Venez avec moi dans mon bureau.

June Brodie voulut protester, mais Slade quittait déjà la pièce en indiquant le chemin à Pendergast.

— Les invités d'abord, dit-il en agitant le pistolet.

Après un dernier regard en direction de Hayward, l'inspecteur franchit le seuil et disparut dans la pénombre.

Le couloir dans lequel avançaient les deux hommes était lambrissé de panneaux de cèdre peints en gris. De petits spots encastrés dans le plafond projetaient quelques rares taches de lumière sur une moquette soyeuse de couleur neutre qui étouffait le bruit des roulettes de la potence à perfusion.

— Dernière porte à gauche, précisa la voix de Slade dans le dos de Pendergast.

Le vieil homme avait installé son bureau dans l'ancien espace récréatif destiné à la clientèle du camp de pêche. La cible d'un jeu de fléchettes était accrochée sur l'un des murs et deux tables repoussées dans un coin accueillaient l'une un échiquier, l'autre le tablier d'un jeu de jacquet. Quant au billard, il avait été transformé en bureau par le maître de maison qui entreposait sur son tapis de feutre une pile de mouchoirs soigneusement pliés, un recueil de mots croisés, un traité de calcul ainsi qu'un martinet aux lanières usées par un usage répété. Des boules de billard à la peinture craquelée reposaient dans l'une des poches de la table, abandonnées depuis longtemps. La pièce frappait avant tout par son austérité, accentuée par l'absence de mobilier et les épais rideaux qui aveuglaient les fenêtres.

Slade referma la porte avec précaution.

— Asseyez-vous.

Pendergast emprunta une chaise cannée à l'une des tables de jeu et s'installa face à son hôte. Slade contourna le billard avec sa potence et s'installa précautionneusement dans l'unique fauteuil de la pièce. Il imprima une pression à l'injecteur de morphine, attendit que la drogue fasse son effet et pointa le canon de l'arme sur Pendergast.

— Allons, dit-il de sa voix râpeuse. Dépêchez-vous de me dire ce que vous avez sur le cœur avant que je vous tue. Ça fera des taches sur la moquette, précisa-t-il en souriant, mais June s'en occupera. Elle a toujours su s'occuper de moi.

— À vrai dire, je ne crois pas que vous allez me tuer.

Slade émit un toussotement prudent.

— Ah bon?

— C'est de cela que je souhaitais vous parler. C'est vous qui allez vous tuer.

— Pourquoi voudriez-vous que je me tue?

Pour toute réponse, Pendergast se leva et s'approcha d'un coucou accroché au mur. Il remonta les contrepoids, régla les aiguilles sur midi moins dix et lança le balancier d'un coup d'ongle.

— Mais il n'est pas 11 h 50, s'agaça Slade.

Pendergast retourna s'asseoir sous le regard inquiet du vieil homme qui s'était raidi depuis que le tic-tac du coucou troublait le silence de la pièce. Ses lèvres se mirent à trembler.

— Vous allez vous tuer parce que la justice l'exige, affirma Pendergast.

— Pour vous satisfaire, je suppose, ricana Slade.

— Pas du tout. Pour me *contrarier*.

— Je *refuse* de me tuer, rétorqua Slade d'une voix normale, pour la première fois depuis le début de la conversation.

— Dans ce cas, vous me comblez, poursuivit Pendergast en saisissant deux des boules de billard. Tout simplement parce que je souhaite vous voir continuer à vivre.

— Vous dites n'importe quoi, s'énerva Slade.

Pendergast entrechoquait les boules dans le creux de sa main, imitant Humphrey Bogart dans *Ouragan sur le Caine*.

— Arrêtez ça tout de suite, lui ordonna Slade en grimaçant de douleur.

Pendergast fit la sourde oreille.

— Pour tout vous dire, j'étais venu ici avec l'intention de vous tuer. Je me rends compte à présent qu'il serait infiniment plus cruel de ma part de vous laisser vivre. Vous ne guérirez jamais. Votre souffrance ira en s'accentuant avec l'âge et l'avancée de la maladie, et vous glisserez lentement dans un enfer insupportable. La mort serait trop douce pour vous.

La bouche agitée de tics, Slade secoua lentement la tête en marmonnant des bribes de mots incompréhensibles, emporté par une vague de douleur qu'il s'employa à calmer avec une dose de morphine.

Pendergast tira de sa poche un petit tube à essai à moitié rempli de granules noirs. Il le déboucha et étala quelques granules sur le feutre du billard.

Son manège acheva de tirer Slade de sa torpeur.

— Que faites-vous?

— J'ai toujours un peu de charbon actif sur moi. Vous êtes un homme de science, je ne vous apprendrai rien en vous disant que le charbon actif sert à de nombreux tests. Il possède également des vertus esthétiques, enchaîna Pendergast en sortant d'une autre poche un briquet à l'aide duquel il mit le feu aux granules. Par exemple, la fumée provoquée par sa combustion dessine des volutes diaphanes absolument superbes tout en émettant une odeur plutôt agréable.

Slade releva le canon de son arme.

— Éteignez ça tout de suite.

Pendergast se cala confortablement sur sa chaise en faisant grincer le cannage sans arrêter pour autant son manège avec les boules de billard.

— Je savais, ou plutôt je me doutais de ce qui vous était arrivé. Je me suis souvent demandé quel effet cela pouvait provoquer. Le moindre craquement, le plus petit grincement, douloureusement amplifié par le cerveau. Le gazouillis des oiseaux, la clarté du soleil, l'odeur de la fumée… Savoir que le plus petit détail de la vie est susceptible d'agresser chacun des sens à chaque minute de chaque heure de chaque jour. Même la relation assez… euh, particulière que vous entretenez avec June Brodie ne pouvait provoquer qu'un répit temporaire.

— Son mari a perdu sa virilité lors de la première guerre d'Irak, précisa Slade. Je me suis contenté de combler ce vide, si je puis dire.

— Quel dévouement, le railla Pendergast.

— Je me contrefous de votre morale bourgeoise. Vous avez entendu ce qu'a dit June tout à l'heure. On finira par trouver un remède à ma maladie.

L'espace d'un instant, un éclair d'espoir sembla danser dans les yeux du fou.

— Vous avez vu ce qui est arrivé aux membres de la famille Doane. Les cellules du cerveau sont incapables de se régénérer, vous le savez mieux que quiconque. Votre cas est désespéré.

Slade fut pris d'une nouvelle crise. Ses lèvres s'agitaient à toute vitesse et sa respiration devenait plus sifflante tandis qu'il répétait inlassablement le même mot : *Non ! Non, non, non, non, non !*

Pendergast l'observait, le balancement de sa chaise rythmé par le claquement des boules de billard, le tic-tac du coucou, le grésillement des granules de charbon qui se consumaient dans un voile de fumée.

— Il est intéressant de voir à quel point tout a été aménagé ici pour que vous subissiez le moins possible les agressions extérieures. Cette moquette, ces couleurs neutres, ces rideaux qui empêchent la lumière de rentrer, jusqu'à l'air insipide que vous respirez.

Slade émit un long gémissement, ses lèvres agitées de convulsions incontrôlables. Il saisit le martinet d'une main tremblante et se fouetta violemment.

— Malgré toutes ces précautions, malgré ce martinet, malgré les médicaments et la morphine, la souffrance reste là, qui vous torture à chaque instant. Vos pieds sur le sol, votre corps contre le dossier de ce fauteuil, les images exacerbées qui violent votre rétine, jusque dans cette pièce à la sobriété calculée. Ma voix irrite vos nerfs, les milliers d'objets qui nous entourent sont autant d'agressions pour vous, alors que votre cerveau malade refuse de les filtrer. Tenez. Prenez ces boules de billard. Ou encore l'odeur du charbon qui se consume. Et le temps qui passe, impitoyable.

Slade tremblait de tous ses membres.

— *Nononononononononononnnnnn !*

Un fil de bave lui coula le long du menton, qu'il chassa d'un violent mouvement de tête.

— Je me demande ce que vous ressentez lorsque vous mangez, poursuivit Pendergast. Le goût des aliments doit être horrible, leur consistance insupportable, la sensation de déglutition un vrai supplice… Je parie que c'est la raison de votre maigreur. Vous n'avez pris aucun plaisir à manger ou à boire depuis plus de dix ans. Je jurerais que votre perfusion ne contient pas seulement de la morphine, mais qu'elle sert aussi à vous nourrir.

— *Nonononononononononnnnn!*

Slade se fouetta rageusement avec le martinet d'une main, l'autre serrée autour de la crosse du pistolet.

— Mais bien sûr! Jamais vous ne supporteriez le goût du camembert bien fait, du caviar, du saumon fumé. La seule vue d'un œuf au plat vous est insupportable, il faudrait qu'on vous alimente avec des petits pots de bébé, sans goût, sucre ni épice, servis à la température du corps, pour que vous puissiez avaler un repas les jours de fête. Et le sommeil? Vous parvenez à dormir? J'en doute, à cause des mille et une sensations qui vous assaillent : les vers qui grignotent le bois à l'intérieur des murs, les battements assourdissants de votre propre cœur. Jusqu'à vos paupières qui vous trahissent en envoyant dans votre cerveau un kaléidoscope de couleurs chaque fois que vous tentez de fermer les yeux, sans espoir de répit.

Slade poussa un hurlement en se bouchant les oreilles, sa carcasse agitée de tremblements qui faisaient danser le liquide de sa perfusion.

— Voilà pourquoi je sais que vous finirez par vous tuer, Slade. Pour la première fois, vous en avez le moyen. Grâce à *moi*. Grâce à cette arme que vous tenez serrée dans votre poing.

— *Ahhhhhhhhhhhhh!* hurla Slade en se tordant dans tous les sens, aiguillonné par Pendergast qui se balançait toujours plus vite en agitant les boules de billard dans le creux de sa main.

— Pourquoi *maintenant*? s'écria Slade. J'aurais pu me tuer depuis longtemps.

— C'est faux.

— June possède une arme. Un joli pistolet, pistolet, pistolet.

— Vous pouvez être certain qu'elle ne le laissera jamais traîner.

— Une overdose de morphine! Rien que pour dormir, *dormir*!

Pendergast secoua la tête.

— Je suis bien certain que June veille soigneusement à doser la morphine qu'elle vous administre. Vos nuits sont un calvaire, quand votre dose quotidienne est épuisée et que vous devez affronter seul les heures interminables qui vous séparent de la délivrance.

— *Ahhhhhhhhhhhhhhhhhhh!* hulula Slade dans un long cri sauvage qui fluctuait en intensité au gré de sa souffrance.

— June et son mari gouvernent totalement votre existence, Slade. Vous n'êtes pas un patient pour eux, vous êtes leur prisonnier.

Slade secoua la tête en battant désespérément des lèvres.

— Malgré tout son dévouement, tous ses traitements, toutes les attentions exotiques dont elle doit sans doute vous gratifier, elle est incapable de vous apporter ne fût-ce qu'une lueur d'apaisement. Je me trompe?

Slade ne répondit rien. Il appuya à trois reprises sur l'injecteur de morphine, mais rien ne gouttait plus de l'appareil et il se cogna brutalement la tête contre le feutre du bureau avant de se redresser, la bouche prise de frémissements effrayants à contempler.

— J'ai tendance à considérer le suicide comme un signe de veulerie, reprit Pendergast. Dans votre cas, c'est malheureusement la seule solution puisque votre vie est un enfer à côté duquel la mort semble douce.

Incapable de répondre, Slade se cogna la tête à plusieurs reprises contre le plateau du billard.

— Le son de ma voix, l'odeur du charbon, le grincement de cette chaise, le tic-tac du coucou auront achevé de briser votre force de résistance, poursuivit Pendergast d'une voix hypnotique. Dans moins d'une minute, le coucou va lancer douze cris. Je ne sais pas combien vous en supporterez avant de craquer. Peut-être quatre, peut-être cinq, peut-être six. Mais je sais que vous vous servirez de cette arme parce que l'explosion qui accompagnera la détonation sera la dernière, celle de la délivrance. C'est à moi que vous la devrez.

Slade releva une tête au front marbré de rouge et roula des yeux qui n'avaient plus rien d'humain. Il visa Pendergast avec l'arme, laissa retomber son bras, le releva à nouveau.

— Adieu, Slade, dit Pendergast. Il ne vous reste qu'une poignée de secondes. Nous allons les compter ensemble : cinq, quatre, trois, deux, un…

78

Hayward, assise du bout des fesses sur la civière, attendait dans le silence oppressant de la salle de réanimation. June Brodie et son mari, transformés en statues près d'un mur, patientaient également, l'oreille dressée. Un bruit de voix leur parvenait parfois, suivi de cris de rage, ou de désespoir, et d'éclats de rire proches de la démence qui finissaient par s'éteindre, tués par l'insonorisation des murs.

De l'endroit où elle se tenait, Hayward avait dans son champ de vision les deux issues de la grande salle : celle du couloir conduisant au bureau de Slade, et la porte donnant sur le petit escalier emprunté à son arrivée. Elle ne parvenait pas à oublier la menace du second tireur. S'attendant à le voir surgir dans la pièce à tout instant, elle vérifia le bon fonctionnement de son arme de service.

Ses yeux se posèrent machinalement sur la porte par laquelle Pendergast avait disparu en compagnie de Slade. Que pouvaient-ils bien fabriquer ? Elle s'était rarement sentie aussi vulnérable. Elle était au bord de l'épuisement, la boue séchée lui collait à la peau et sa jambe recommençait à la lancer à mesure que s'estompait l'effet des antalgiques. Ils étaient partis depuis dix minutes au moins, un quart d'heure peut-être, mais son sixième sens disait à la jeune femme qu'elle devait rester vigilante. Pendergast lui avait promis de ne pas tuer Slade, et elle avait beau connaître ses défauts, elle savait que l'inspecteur n'était pas homme à manquer à sa parole.

Elle en était à ce stade de sa réflexion lorsqu'une détonation retentit. Un coup de feu, un seul, dont l'écho assourdi traversa la pièce. June Brodie se précipita vers la porte du couloir.

— Attendez! lui cria Hayward en relevant son arme. Restez où vous êtes.

Brodie s'immobilisa et le silence retomba. Une minute s'écoula, puis une autre, suivie par le bruit d'une porte que l'on referme. Un bruit de pas feutré monta du couloir recouvert de moquette et le cœur de Hayward se mit à battre à tout rompre.

La silhouette de Pendergast s'encadra sur le seuil.

Plus pâle encore que d'habitude, il ne donnait pas l'impression d'être blessé. Il dévisagea l'un après l'autre les trois occupants de la salle de soins.

— Slade…? demanda Hayward.

— Mort.

— Vous l'avez tué! hurla June Brodie en se précipitant vers le bureau, bousculant au passage l'inspecteur, sans que celui-ci fasse mine de l'arrêter.

Hayward descendit de son perchoir sans se soucier de la douleur qui lui traversait la jambe.

— Espèce de salaud! Vous m'aviez promis…

— Il s'est suicidé, l'interrompit Pendergast.

Hayward s'arrêta net.

— Suicidé? s'exclama le mari de June Brodie, s'exprimant pour la première fois. Jamais de la vie!

Hayward posa sur l'inspecteur un regard lourd de soupçons.

— Je ne vous crois pas. Vous avez dit à Vinnie que vous le tueriez et vous avez mis votre menace à exécution.

— Je m'y étais engagé, c'est vrai, concéda Pendergast. Mais ce n'est pas moi qui ai appuyé sur la détente. Je me suis contenté de lui parler.

Hayward ouvrit la bouche avant de la refermer. Elle n'avait pas envie d'en savoir davantage. Comment ça, il lui avait *parlé*? Un long frisson la traversa.

Pendergast ne la quittait pas des yeux.

— Slade a seulement ordonné l'exécution de ma femme, capitaine. Ce n'est pas lui qui l'a tuée. Ma mission n'est pas achevée.

June Brodie les rejoignit, secouée de sanglots. Son mari voulut lui passer un bras autour des épaules, mais elle le repoussa.

— Plus rien ne nous retient ici, déclara Pendergast à Hayward avant de se tourner vers June. Nous allons devoir emprunter votre canot. Je veillerai à ce qu'il vous soit rendu demain.

— Par une escouade de flics armés jusqu'aux dents, je suppose ? réagit-elle d'une voix amère.

Pendergast secoua la tête.

— Nul n'a besoin de savoir ce qui s'est passé ici. Vous avez voulu soulager les dernières souffrances d'un aliéné, et c'est tout ce qui compte à mes yeux. Pourquoi vouloir signaler le suicide d'un homme qui était déjà mort officiellement ?

— Un *aliéné*, répéta June Brodie avec mépris. Il n'avait rien d'un aliéné. C'était un homme foncièrement bon qui a réalisé une œuvre formidable et qui aurait continué si j'avais pu le guérir. Vous avez refusé de m'écouter. *Vous avez refusé de m'écouter…*

Sa voix se brisa et elle faillit s'effondrer.

— Il avait dépassé depuis longtemps le stade d'une guérison possible, rétorqua Pendergast d'une voix presque douce. En outre, je doute que ses petites expériences pèsent bien lourd face aux meurtres dont il s'est rendu coupable.

— *Des petites expériences ?!!* C'est lui qui m'a guérie ! s'exclama-t-elle en se frappant la poitrine du doigt.

— Comment ça ? répéta Pendergast, visiblement surpris.

Son étonnement s'évanouit aussi brusquement qu'il était venu.

— Puisque vous savez tout, poursuivit June Brodie, vous devez savoir que j'étais malade.

Pendergast hocha la tête.

— Vous souffriez d'une sclérose latérale amyotrophique. Je comprends à présent. Voilà qui explique la raison de votre installation ici avant que la folie de Slade se déclare.

— Je ne comprends pas, s'étonna Hayward.

— Ce qu'on appelle la maladie de Charcot, lui expliqua Pendergast en se tournant vers Mme Brodie. Vous n'en avez apparemment plus les symptômes.

— Je n'en ai plus les symptômes parce que je suis guérie. Au lendemain de l'attaque du virus, Charles a traversé une période de… de pur génie, sous l'effet de cette forme de grippe aviaire. Il bouillonnait d'idées, et pas seulement pour moi. Il a mis au point un traitement pour la maladie de Charcot à partir de protéines extraites de cellules vivantes. Ce qu'on appelle aujourd'hui les biothérapies. Charles en a été le précurseur, il avait dix ans d'avance sur tous les autres chercheurs, mais il lui fallait travailler au calme et c'est pour cette raison qu'il s'est installé ici.

— Je comprends à présent pourquoi cette pièce possède tant d'appareils. Il s'agissait donc d'un laboratoire de recherche.

— À l'origine. Jusqu'à ce qu'il change.

Pendergast se tourna vers elle.

— C'est extraordinaire. Pourquoi ne pas avoir partagé cette découverte avec le reste du monde?

— C'était impossible, répondit-elle dans un murmure. Tout était dans sa tête. J'ai eu beau le supplier, il refusait de prendre la moindre note. Ensuite, son état a empiré et il était trop tard. C'est pour ça que je voulais le voir redevenir comme avant. Il m'a guérie par amour, mais le secret de ma guérison est mort avec lui.

D'épais nuages voilaient la face de la lune lorsqu'ils quittèrent Spanish Island. La nuit était trop sombre pour qu'un tireur puisse les abattre et Pendergast naviguait au ralenti à travers la végétation, sans bruit. Assise à l'avant du canot, perdue dans ses pensées, Hayward avait posé à côté d'elle les béquilles empruntées aux Brodie.

Les deux policiers n'avaient pas échangé une parole depuis une demi-heure. La jeune femme sortit enfin de sa torpeur et se retourna vers son compagnon, concentré sur la barre.

— Pourquoi Slade a-t-il agi de la sorte? demanda-t-elle.

Pendergast posa sur elle deux yeux brillants.

— Pourquoi avoir simulé sa mort? poursuivit-elle. Pourquoi se cacher dans ce marais?

— Il aura compris qu'il avait été infecté par le virus, répliqua Pendergast après un moment de silence. Après avoir constaté ce qu'il était advenu des membres de la famille Doane, il savait le sort que l'avenir lui réservait. Il voulait pouvoir assurer lui-même les conditions de son traitement et Spanish Island faisait figure de lieu idéal, par son isolement et la présence de tout l'équipement nécessaire. Il a dû penser qu'il parviendrait à mettre au point un remède.

— D'accord, mais de là à mettre en scène sa propre mort et le suicide de June Brodie. Il n'avait pourtant rien à craindre de la justice.

— C'est vrai, mais allez savoir comment les gens réagissent en pareil cas.

— En tout cas, il est mort. J'espère que ça vous aidera à trouver un semblant de paix.

L'inspecteur ne répondit pas immédiatement.

— Non, prononça-t-il enfin d'une voix sans âme.

— Je ne comprends pas. Le mystère est résolu et vous avez vengé la mort de votre femme.

— Souvenez-vous des paroles de Slade lorsqu'il m'a dit que je n'étais pas au bout de mes surprises. De toute évidence, il parlait du second tireur de cette nuit. Tant qu'il sera en vie, ni vous, ni Vincent, ni moi ne serons en sécurité. Mais ce n'est pas tout…

— Je vous écoute.

— Je ne vivrai pas en paix tant que l'un des responsables de la mort d'Hélène restera en vie.

Elle se retourna, mais il évita son regard, hypnotisé par l'astre nocturne qui venait de sortir de sa cachette et s'apprêtait à disparaître à l'horizon. La lune éclaira brièvement le visage tourmenté de Pendergast, puis elle s'effaça au milieu de la végétation luxuriante et le marais retomba dans l'obscurité.

79

Malfourche, Mississippi

Guidé d'une main sûre par Pendergast, le canot de la Navy se glissa le long du quai situé à l'arrière du bar de Minus, duquel flottaient déjà des bribes de musique country. Le soleil approchait de son zénith et inondait de ses rayons le petit port enveloppé d'une moiteur étouffante.

Pendergast sauta à terre, attacha le canot à un anneau, aida sa compagne à prendre pied sur le quai et lui tendit la paire de béquilles, puis il retourna chercher dans le bateau le fusil à pompe de June Brodie et l'épaula.

— Qu'est-ce que vous faites ? s'étonna Hayward, en équilibre sur ses béquilles.

— Je souhaite attirer l'attention de nos amis. Je les avais bien prévenus que nous n'en avions pas terminé avec eux.

Pendergast tira un coup de feu qui ébranla l'air, provoquant une mêlée immédiate sur le seuil du bar de Minus. À l'exception de Minus et de Larry, toute la fine équipe de la veille était là, une bière à la main. Hayward eut un haut-le-cœur en reconnaissant les visages lubriques qui les observaient de loin. Elle avait eu le temps de se nettoyer sommairement avant de quitter Spanish Island et June Brodie lui avait donné un chemisier propre, mais elle se sentait sale et salie.

— Allons, messieurs! Venez profiter du spectacle, les apostropha Pendergast en traversant le quai.

Le petit groupe s'approcha à petits pas, l'air méfiant, précédé par le plus courageux d'entre eux, un gros type à la carrure inquiétante dont le corps informe était surmonté d'une tête chafouine. Il les regarda méchamment en plissant les paupières.

— Qu'est-ce v'voulez? demanda-t-il en jetant à l'eau la canette de bière qu'il tenait à la main.

Hayward reconnut l'un des plus enthousiastes lorsque Minus avait découpé son soutien-gorge.

— Z'aviez promis de nous fout' la paix! s'écria un autre.

— J'ai promis de ne pas vous *arrêter*, mais je n'ai jamais promis de vous laisser en paix.

L'homme à tête de fouine remonta son pantalon d'un geste décidé.

— Alors t'as réussi, gronda-t-il sur un ton menaçant.

— Formidable! répliqua Pendergast.

Il s'approcha des anneaux où étaient accrochés des canots, des barques et des bateaux de toutes sortes, parmi lesquels on reconnaissait les embarcations utilisées lors de l'embuscade du marais.

— Une petite question, à présent: laquelle de ces embarcations appartient à Larry?

— C'est pas tes oignons.

Pendergast visa d'un geste nonchalant un bateau au hasard et appuya sur la détente. L'écho de la détonation se répercuta longuement sur le lac et le bateau tressauta sous la force de l'impact. En l'espace de quelques instants, il piquait du nez alors qu'un flot d'eau boueuse s'introduisait par le trou de trente centimètres de diamètre qui déchirait la coque d'aluminium.

— Mon bateau! s'éleva une voix affolée au milieu de la foule. C'est quoi ce bordel?

— Désolé, j'ai dû le confondre avec celui de votre ami Larry. En attendant, je ne sais toujours pas quel est son bateau. Celui-ci, peut-être?

Pendergast visa une autre barque et tira à nouveau, avec le même résultat, provoquant dans l'eau un geyser qui arrosa ceux qui se tenaient au bord du quai.

— Salopard! hurla quelqu'un. Le bateau de Larry, c'est le Legend 2000, là-bas! précisa-t-il en désignant une barque de pêche à l'extrémité du dock.

Pendergast s'en approcha afin de l'examiner d'un œil de connaisseur.

— Pas mal, pas mal. Vous direz à Larry que j'ai tenu à le remercier personnellement d'avoir jeté mon badge dans les eaux du marais.

La décharge traversa le bloc moteur dont le capot sauta en l'air.

— Ceci pour vous apprendre à tous les bonnes manières.

La balle suivante traversa le fond de la coque qui se remplit d'eau et sombra en quelques instants.

— Vous avez vu ça, c't'enfoiré?

— Je vois que vous commencez à comprendre, approuva Pendergast en visant le bateau suivant après avoir rechargé le fusil. Et ceci pour vous remercier de nous avoir tendu une embuscade.

Boum!

— Et celui-ci pour m'avoir frappé à deux reprises dans le plexus solaire.

Boum!

— Celui-ci pour m'avoir craché dessus.

Boum! Boum! Deux autres embarcations firent les frais de sa vengeance.

Pendergast tira le Les Baer de son étui et le tendit à Hayward.

— Auriez-vous l'amabilité de les surveiller? Juste le temps de recharger, dit-il en joignant le geste à la parole. Enfin, et surtout, ajouta-t-il, ceci pour avoir humilié ma collègue en posant sur elle vos regards lascifs, après l'avoir dénudée. Je vous l'ai dit, étrange façon de traiter une dame.

Arpentant le quai, il visa l'un après l'autre les bateaux encore à flot, ne s'arrêtant que pour recharger, sous les yeux éberlués de la foule muette de saisissement.

Pendergast se planta devant eux.

— Reste-t-il quelqu'un dans le bar?

Personne ne répondit.

— Z'avez pas le droit! monta une voix embrumée par l'émotion. C'est illégal.

— Vous devriez appeler le FBI, conseilla Pendergast à l'inconnu en se dirigeant tranquillement vers l'entrée du bar.

Il poussa la porte et lança un coup d'œil à l'intérieur de l'établissement.

— Madame? Je vous demanderai de bien vouloir sortir.

Une blonde décolorée aux ongles armés de griffes rouges gigantesques se précipita à l'extérieur, dans tous ses états, et s'élança vers le parking en courant.

— Vous avez perdu un talon! lui lança Pendergast, mais la femme ne se retourna même pas, continuant de s'enfuir en boitant.

L'inspecteur franchit le seuil du bar et Hayward, l'arme à la main, l'entendit ouvrir et fermer plusieurs portes en appelant.

— Il n'y a personne, déclara-t-il en ressortant avant de s'adresser à la foule. À présent, je vous demanderai de vous retirer jusqu'au parking et de vous abriter derrière les voitures.

Personne ne bougea.

Boum! Pendergast tira au-dessus de leurs têtes et le petit groupe lui obéit à contrecœur. L'inspecteur recula de quelques pas, rechargea le fusil à pompe et visa soigneusement la cuve de propane collée contre le mur du magasin d'articles de pêche. Il se tourna vers Hayward.

— Je ne suis pas certain que mes balles soient assez puissantes. Les 45 Auto du Les Baer ont un pouvoir pénétrant bien supérieur. À trois, nous tirons, capitaine.

Hayward se mit en position de tir et visa en se disant que les méthodes de Pendergast avaient parfois du bon.

— Un...

— Putain! Non, pas ça! les implora une voix.

— Deux… Trois!

Le fusil et le pistolet aboyèrent de concert et la cuve à propane explosa en déclenchant une onde de chaleur impressionnante. La grange, emportée par une boule de feu gigantesque, disparut dans une pluie de planches, d'asticots et de vers, de débris de cannes à pêche, de bouteilles d'alcool, de bocaux de cornichons et de canettes de bière.

Un nuage en forme de champignon s'éleva au-dessus de l'ancien bar de Minus avant de retomber lentement en laissant apparaître un champ de ruines fumantes.

Pendergast passa le fusil en bandoulière et offrit un bras à sa compagne.

— Êtes-vous prête, capitaine? Il est plus que temps de rendre visite à Vincent. Malgré la protection de la police locale, je serai plus rassuré lorsque nous aurons organisé son transfert dans un endroit plus discret, proche de New York, où il nous sera loisible de veiller sur lui.

— Ainsi soit-il.

En prenant le bras que lui tendait l'inspecteur, Hayward jugea qu'il était temps que s'arrête leur collaboration car elle commençait à y prendre goût.

80

New York

Dans son bureau des services sociaux de la Ville de New York, au sixième étage d'un immeuble du bas de Manhattan, le docteur Felder trompa son attente en s'assurant d'un coup d'œil que tout était en ordre : ses traités de psychiatrie sagement rangés sur leurs étagères, les tableaux sans âme soigneusement alignés au mur, les chaises réservées aux visiteurs à leur place exacte, le bureau débarrassé de l'inutile.

Le docteur Felder recevait rarement dans son bureau, la plupart de ses rendez-vous ayant lieu dans les hôpitaux, les prisons et les commissariats de la ville. Quant à sa clientèle privée, elle avait droit au cabinet qu'il louait sur Park Avenue. Le rendez-vous de ce matin était d'une autre nature, tout d'abord parce que Felder lui-même avait demandé à recevoir son visiteur, et non l'inverse. Le psychiatre avait effectué une petite enquête au préalable, et ce qu'il avait appris le laissait songeur. Il avait peut-être tort de vouloir rencontrer cet homme. Mais si quelqu'un était capable de l'éclairer sur Constance Greene, c'était bien lui.

On frappa deux coups discrets. Felder regarda sa montre : 10 h 30 tapantes. Belle ponctualité. Il se leva et ouvrit la porte.

Le psychiatre vit ses craintes se raviver en découvrant sur le seuil un personnage élancé dont le teint livide tranchait curieusement avec le noir d'un costume impeccablement coupé. Les yeux du visiteur, aussi clairs que ses cheveux d'un blond argenté, observaient Felder avec un mélange d'intelligence et de curiosité, ainsi qu'un soupçon d'amusement.

— Entrez, je vous en prie, s'empressa de dire le psychiatre en s'apercevant qu'il observait son visiteur avec des yeux écarquillés. Vous êtes monsieur Pendergast?

— En personne.

Felder invita son visiteur à s'asseoir sur l'une des chaises habituellement réservées à ses patients et prit place derrière son bureau.

— Je devrais peut-être vous appeler docteur? demanda le médecin. J'ai pris la liberté de m'informer sur vos antécédents.

Pendergast inclina la tête.

— Je suis en effet titulaire de deux doctorats, mais j'avoue préférer l'usage de mon titre d'inspecteur.

— Je comprends.

Felder avait interrogé pas mal de flics au cours de sa carrière, mais c'était la première fois qu'il se trouvait en face d'un agent du FBI. Ne sachant trop par quel bout commencer, il opta pour l'approche frontale.

— J'ai cru comprendre que Constance Greene était votre pupille.

— En effet.

Felder s'enfonça dans son fauteuil et croisa nonchalamment les jambes afin de donner à l'entretien un semblant de décontraction.

— J'aurais aimé que vous m'en disiez un peu plus à son sujet. Son lieu de naissance, ses origines et son enfance… ce genre de détails.

Pendergast continuait d'observer son interlocuteur avec la même expression neutre et son manège commençait à agacer Felder.

— Vous êtes son psychiatre référent, n'est-ce pas? demanda Pendergast.

— C'est moi qui ai rédigé le rapport d'expertise.

— C'est donc vous qui avez préconisé son enferme-ment.

Felder afficha un sourire contrit.

— C'est vrai. Vous étiez vous-même convoqué lors de l'audience, mais vous avez préféré…

— Quel diagnostic avez-vous posé?

— Je ne voudrais pas avoir l'air trop technique et…

— Répondez-moi, je vous en prie.

Felder eut une légère hésitation.

— Très bien. Axe 1: schizophrénie de type paranoïaque, avec en axe 2 un désordre schizotypal, potentiellement doublé d'un fonctionnement prémorbide et d'une fugue dissociative.

Pendergast hocha lentement la tête.

— Et sur quoi vous fondez-vous?

— En termes simples, sur le fait de se prendre pour Constance Greene, une jeune femme née il y a près d'un siècle et demi.

— Permettez-moi de vous poser une question, docteur. Avez-vous constaté chez elle la moindre discontinuité?

Felder fronça les sourcils.

— Je ne vous suis pas.

— Son délire est-il cohérent?

— À l'exception de l'affirmation que son enfant était maléfique, ses délires sont parfaitement cohérents. C'est d'ailleurs l'un des aspects les plus intéressants de son cas.

— Que vous a-t-elle dit, précisément?

— Elle prétend que sa famille, poussée par l'exode rural, s'est installée dans un taudis de Water Street où elle est née au début des années 1870, que ses parents sont morts de tuberculose et que sa sœur aînée a été assassinée par un tueur en série. Après quoi, devenue orpheline, elle a été recueillie par l'ancien occupant d'une propriété située au 891 Riverside Drive dont vous avez vous-même hérité, ce qui explique que vous l'ayez prise en charge.

Felder hésita.

— Que vous a-t-elle dit d'autre à mon sujet? l'aiguillonna Pendergast.

— Que vous aviez été poussé à agir de la sorte par un sentiment de culpabilité.

Un silence ponctua la phrase.

— Dites-moi, docteur Felder, reprit enfin Pendergast. Constance a-t-elle évoqué son existence entre l'enfance que vous décrivez et ce voyage transatlantique récent?

— Non.

— Elle ne vous a fourni aucun détail?

— Pas le moindre.

— Dans ce cas, je ne pense pas qu'un diagnostic de désordre schizotypal puisse se justifier, tel que le définit le code 295.30. Au pire auriez-vous pu parler de trouble schizophréniforme pour l'axe 2. À vrai dire, docteur, vous ne disposez d'aucun diagnostic antérieur. Rien ne vous autorise à dire que les délires auxquels vous faites allusion sont anciens. Ils peuvent fort bien remonter à cette traversée de l'Atlantique.

Felder changea de position, surpris que Pendergast ait pu lui citer le code DSM-IV utilisé par la profession.

— Vous avez suivi des études de psychiatrie, inspecteur?

Pendergast haussa les épaules.

— Je suis curieux de nature.

En dépit de tous ses efforts, Felder avait le plus grand mal à contrôler son agacement. Pourquoi ce Pendergast s'intéressait-il soudain à une malade qui lui était indifférente quelques jours plus tôt?

— Sans vouloir vous heurter, vos conclusions me semblent pour le moins superficielles.

Un éclair traversa le regard de Pendergast.

— Dans ce cas, pourquoi m'importuner au sujet de Constance, à présent qu'elle se trouve enfermée sur vos recommandations?

— Eh bien…

Le médecin avait du mal à soutenir l'éclat des yeux transparents de son visiteur.

— Simple curiosité de votre part, ou bien l'espoir de publier un article dans une revue savante?

Felder se raidit.

— Il est évident qu'en cas de découverte inédite il serait de mon devoir d'en faire profiter mes collègues.

— Au grand bénéfice de votre réputation, et sans doute même de votre carrière, ajouta Pendergast avec un regard pétillant. Je crois savoir que vous convoitez une chaire à l'université Rockefeller depuis quelque temps.

Felder en resta interdit. Comment pouvait-il être au courant? Il n'en avait parlé à personne, pas même à sa femme.

Pendergast, devinant sa pensée, balaya la question d'un geste.

— Moi *aussi*, j'ai pris la liberté de m'informer sur vos antécédents.

Rouge de confusion, Felder s'efforça de rassembler ses esprits.

— Nous ne sommes pas ici pour évoquer ma carrière. Je vous avoue que je n'ai jamais vu une psychose paranoïaque d'une telle authenticité. La patiente va jusqu'à adopter *l'allure* de la fin du XIXe siècle. Sa façon de marcher, de s'habiller, de s'exprimer, de se tenir, et même de penser. C'est pour cette raison que j'ai souhaité vous voir. Je voudrais en savoir davantage sur elle, comprendre quel traumatisme a pu provoquer chez elle un tel comportement. En un mot, savoir qui elle est.

Pendergast continuait à fixer le médecin tout en le laissant parler.

— Ce n'est pas tout. En effectuant des recherches, je suis tombé sur *ceci*, enchaîna le psychiatre en tirant d'une enveloppe une photocopie de la gravure intitulée « Gamins des rues en plein jeu », découverte dans le *New York Daily Inquirer*.

L'inspecteur examina attentivement le document et le rendit au psychiatre.

— La ressemblance est en effet frappante. Sans doute le produit de l'imagination du dessinateur.

— Regardez les visages, insista Felder. Ils sont d'un tel réalisme, le dessinateur s'est visiblement inspiré de modèles vivants.

Pendergast lui répondit par un sourire énigmatique, mais Felder crut lire un certain respect dans les yeux de son interlocuteur.

— Tout ceci est très intéressant, docteur. Je serais peut-être en mesure de vous aider, à condition toutefois que vous acceptiez de m'aider vous-même.

Felder serra instinctivement les bras de son fauteuil.

— Expliquez-vous.

— Constance est une personne extrêmement fragile, capable de s'épanouir lorsqu'elle se trouve dans des conditions idéales. À l'inverse… Où se trouve-t-elle à l'heure actuelle?

— Elle a été internée dans le service psychiatrique de l'hôpital Bellevue, mais on parle de la transférer prochainement dans l'unité psychiatrique du pénitencier de Bedford Hills.

Pendergast secoua la tête.

— Il s'agit d'un établissement de haute sécurité. Constance risque de s'y étioler.

— Si vous craignez pour sa sécurité, sachez que le personnel est…

— Il ne s'agit pas de cela. Constance est régulièrement sujette à des épisodes psychotiques parfois violents. Le contexte de Bedford Hills ne pourrait qu'aggraver son cas.

— Dans ce cas, que suggérez-vous?

— Elle a besoin d'un endroit proche de ce qu'elle a connu jusqu'ici. Un lieu fermé, bien sûr, mais à la fois confortable, désuet, et peu stressant. Un lieu où elle puisse être entourée d'objets familiers. Je pense plus particulièrement à ses livres.

Felder afficha une moue dubitative.

— Il n'existe malheureusement qu'un lieu de ce genre, l'hôpital de Mount Mercy, mais les places y sont comptées et la liste d'attente fort longue.

Un sourire éclaira le visage de Pendergast.

— Il se trouve qu'une place vient tout juste de s'y libérer.

— Vraiment? s'étonna Felder.

Pendergast acquiesça.

— En votre qualité de psychiatre référent, vous n'auriez aucun mal à ce que la place en question lui soit attribuée.

— Je… je vais me renseigner.

— Je compte sur vous. En échange, je vous dirai tout ce que je sais de Constance en vous confiant des éléments qui dépasseront toutes vos attentes. Reste à savoir si ce que je vous apprendrai sera publiable ou non.

Le pouls de Felder s'accéléra.

— Je vous remercie.

— Mais c'est moi qui vous remercie, docteur Felder. À très bientôt donc, dès que Constance aura trouvé sa place à Mount Mercy.

Felder reconduisit son visiteur et referma doucement la porte derrière lui. Pendergast aussi semblait tout droit sorti du XIXᵉ siècle. Le médecin s'était cru le plus malin en organisant ce rendez-vous, mais il en arrivait finalement à se demander qui s'était servi de l'autre.

Épilogue

Savannah, Georgie

Judson Esterhazy réfléchissait, confortablement installé dans la bibliothèque de son domicile de Whitfield Square. Le mois d'avril était frais et les dernières braises d'un feu achevaient de se consumer au creux de l'âtre, dans un léger parfum de bouleau brûlé.

Il trempa les lèvres dans le verre de single malt des Highlands qu'il était allé chercher à la cave et fit rouler le précieux liquide en bouche avant de l'avaler, savourant son arôme tourbé.

Pendergast avait tué Slade, il en était sûr, bien que le mot de suicide ait été prononcé. D'une façon ou d'une autre, Pendergast était parvenu à ses fins. L'existence du vieil homme n'était pas très rose depuis dix ans, mais ses derniers instants avaient dû être un enfer, une agonie mentale indicible. Judson connaissait trop bien le côté manipulateur de Pendergast. Ce suicide était un meurtre, et même pire qu'un meurtre.

Le verre tremblait dans sa main, quelques gouttes de whisky se répandirent sur la table, et Esterhazy le reposa brutalement. Au moins pouvait-il être sûr que Slade n'avait pas prononcé son nom. Le vieil homme l'aimait comme un fils et jamais il n'aurait trahi leur secret.

Lui aussi avait beaucoup aimé Slade, à une époque ; jusqu'à ce jour fatidique, douze ans plus tôt, où Slade lui avait dévoilé une facette de sa personnalité trop évocatrice de la brutalité de son propre père. Peut-être était-ce la loi du genre. On finit toujours par tuer le père.

Il secoua la tête en repensant à l'horreur tragique de ce moment d'errance. Quelle ironie… Quand Hélène lui avait parlé pour la première fois d'Audubon et de sa découverte, ils avaient tous les deux cru au miracle. *Toi qui travailles pour différentes compagnies pharmaceutiques, Judson. Tu ne peux pas trouver quelqu'un ?* Il avait tout de suite pensé à Longitude, la firme que dirigeait son ancien patron de thèse, Charles Slade, désormais reconverti dans le privé. Dès leur première rencontre à la fac, il était tombé sous le charme de ce professeur charismatique, et ils étaient restés en contact. Slade était le partenaire idéal pour mettre au point un tel médicament. Un personnage imaginatif doté d'un esprit indépendant, à la fois téméraire et discret…

Slade, mort à cause de Pendergast. Pendergast qui avait eu la mauvaise idée de mettre son nez partout et de rouvrir de vieilles plaies, au prix de nouvelles victimes.

Esterhazy prit son verre et le vida d'un trait sans prendre le temps de savourer le whisky. Sur la petite table, à côté de la bouteille, était posé un prospectus qu'il déplia machinalement. Un sourire de satisfaction étira brusquement ses lèvres, chassant sa colère. La brochure vantait les mérites du Kilchurn Shooting Lodge, un vénérable manoir dominant les eaux du Loch An Duin, au pied des monts Grampians. Ce relais isolé, l'un des plus pittoresques des Highlands écossais, proposait des parties de chasse et de pêche d'exception : grouse, perdrix, cerf noble, saumon… Les propriétaires, soucieux de préserver l'anonymat et le bien-être de leurs hôtes, n'acceptaient que des clients triés sur le volet au bénéfice desquels ils organisaient des équipées sur mesure, avec ou sans guide.

Esterhazy savait déjà qu'il n'aurait pas besoin de guide.

Il avait passé une semaine à Kilchurn bien des années plus tôt. Le manoir se trouvait au cœur d'une immense propriété de plus de quinze mille hectares ayant servi de réserve de chasse aux lords d'Atholl. Il avait conservé un souvenir ému des paysages désolés, des lochs aux eaux profondes nichés entre les vallons, des ruisseaux dont les eaux vives regorgeaient de saumons et de truites, des landes battues par les vents et des collines tapissées de bruyère. Rien de plus facile pour se débarrasser d'un ennemi dont les os, rongés par la pluie et le vent, finiraient par s'envoler.

Il se servit un fond de single malt, enfin rasséréné. Tout espoir n'était pas perdu, bien au contraire. Il reposa le prospectus et s'empara d'une lettre rédigée d'une belle écriture moulée sur un épais papier ivoire.

Le Dakota
New York

24 avril

Mon cher Judson,
Je ne saurais trop te remercier de ton aimable invitation. Après mûre réflexion, je me suis décidé à accepter ton offre avec plaisir. Tu as sans doute raison, les événements de ces dernières semaines m'ont affecté, et je serais ravi de retrouver Kilchurn Lodge après tant d'années. Ces quinze jours de vacances me feront le plus grand bien, d'autant que j'aurai le plaisir de ta compagnie.
En réponse à la question que tu me posais, j'ai l'intention d'emporter mon Purdey de calibre 16, un Holland & Holland Royal à canons superposés de calibre 410, ainsi qu'un H&H 300 pour la chasse au cerf.
Avec toute mon affection,

A. Pendergast